KB118800

금성출판사

구성과 특징

BOOK 1 개념 톡톡

체계적인 교과서 정리와 활동 풀이

교과서 내용을 충실하게 정리하여 빈틈없이 학습할 수 있습니다.

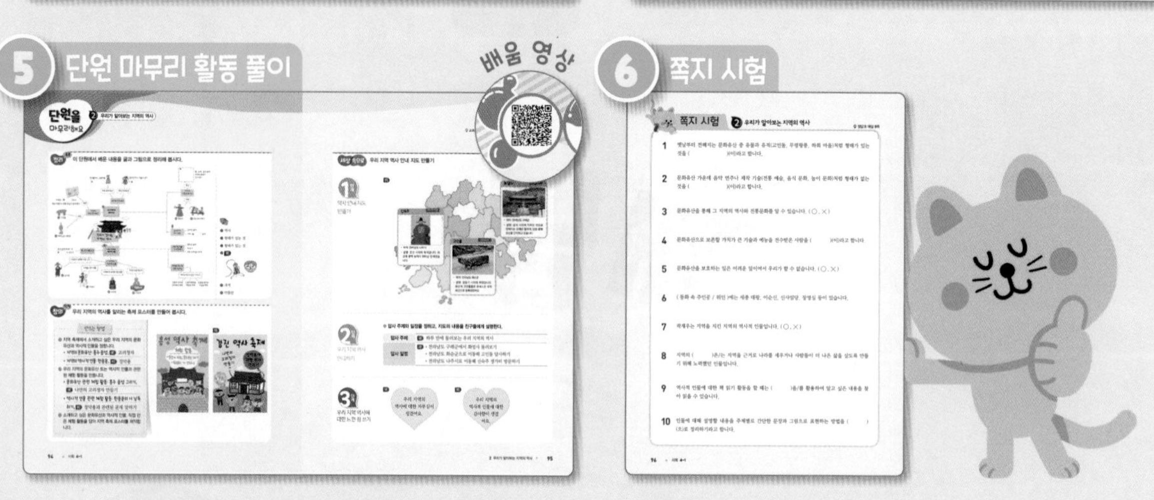

BOOK 2 문제 톡톡

학교 시험 완벽 대비

다양한 유형의 문제를 풀면서 시험에 자주 출제되는 내용을 알아볼 수 있습니다.

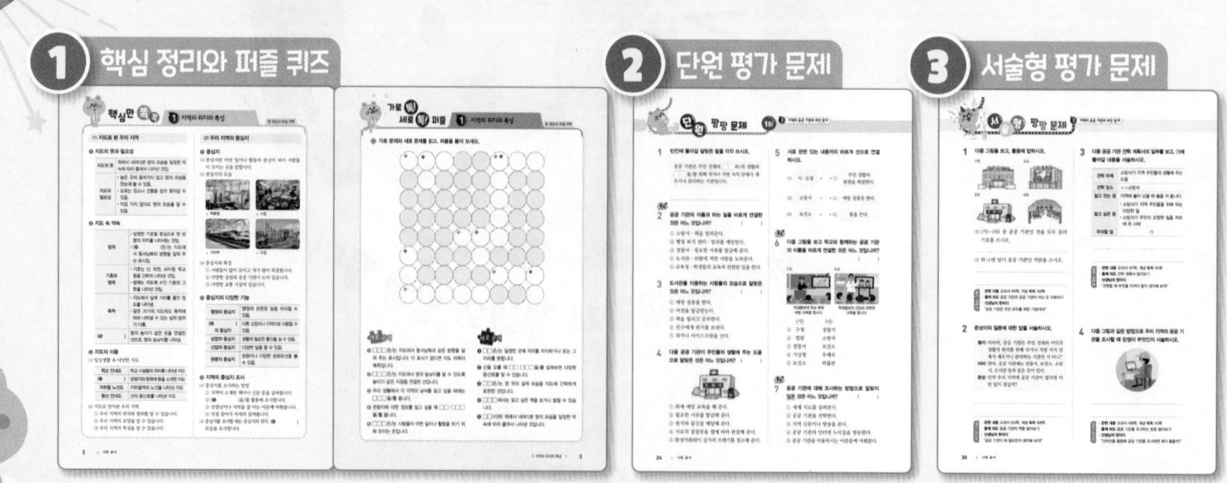

1 교과서의 핵심 내용이 담긴 배움 영상을 QR 코드로 담았습니다.

2 교과서와 똑같은 구성으로 체계적인 자기 주도 학습이 가능하도록 구성했습니다.

3 과정 중심 평가와 수행 평가를 대비하도록 다양한 유형의 문제를 준비했습니다.

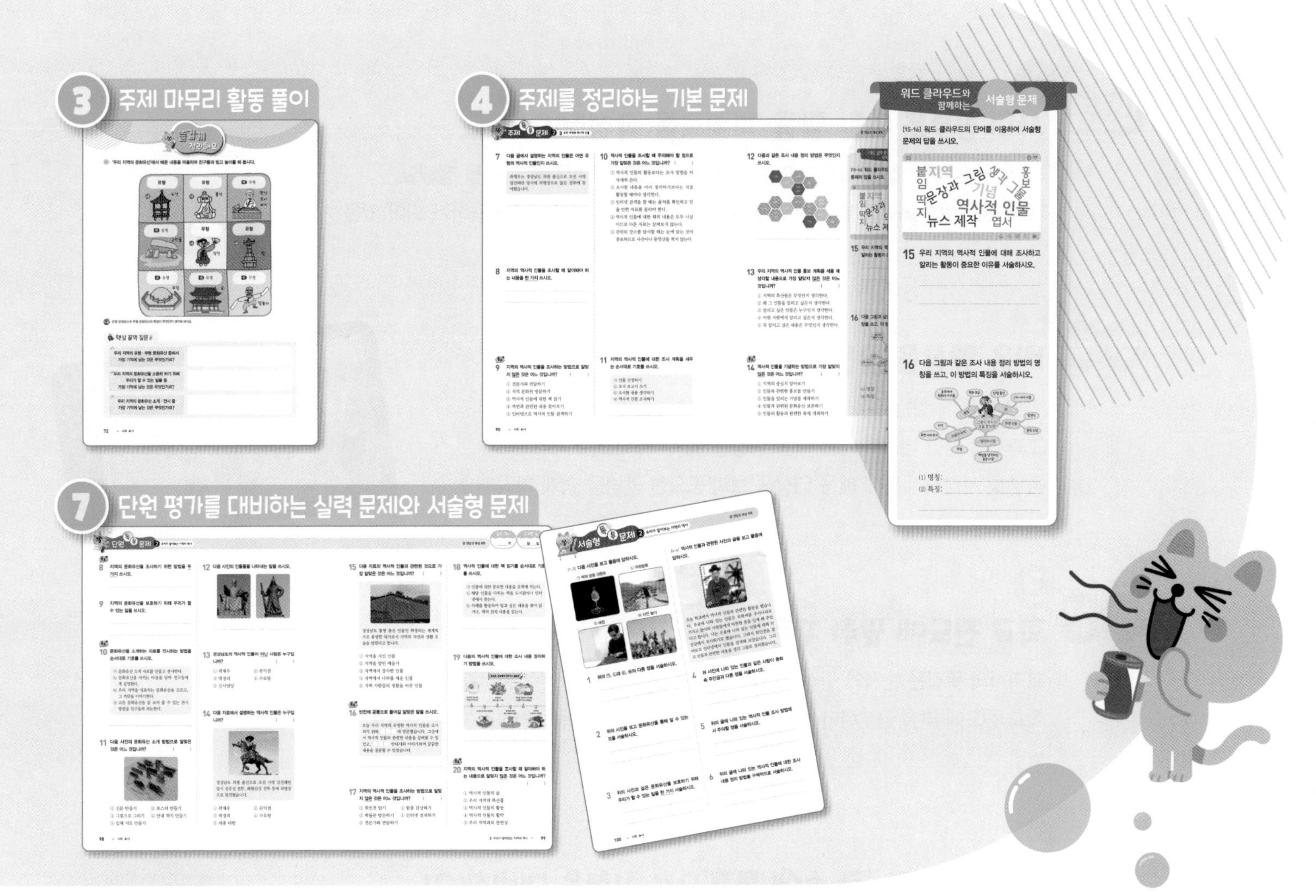

BOOK 3 한 손에 톡톡

시험 직전 공부 꿀팁

핸드북 형태로 들고 다니며 시험 직전에 공부한 내용을 복습할 수 있습니다.

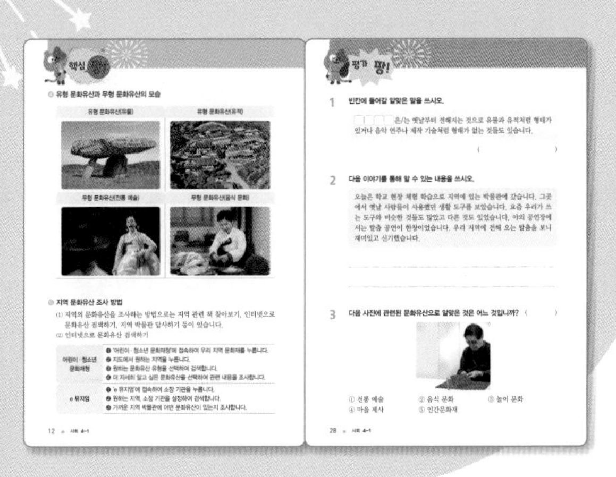

BOOK 4 정답 톡톡

정확한 정답과 친절한 해설

정답과 해설로 실력을 점검하고 부족한 개념은 한눈에 쏙쏙 으로 보충할 수 있습니다.

사회와 나를 친한 사이로 만드는 공부 비법

비법 1 사회 공부를 위한 맞춤 계획표를 작성해요!

공부를 시작하기 전에 나만의 맞춤 계획표를 작성하여 실천할 약속을 정해요.
내가 만든 맞춤 계획표를 따라 공부하다 보면 어느새 사회와 친한 사이가 되어 있을 거예요.

비법 2 배움 영상을 활용해요!

'개념 톡톡'에 있는 QR 코드를 스마트폰이나 태블릿 PC로 찍으면
교과서의 핵심 내용이 담긴 배움 영상을 볼 수 있어요.
공부를 시작하기 전에 배움 영상을 보며 중요한 개념을 쉽게 파악해요.

비법 3 학교 진도에 맞춰 꾸준히 공부해요!

교과서와 똑같은 순서와 구성으로 개념을 정리하고 활동을 풀이했어요.
학교 진도에 맞춰 공부하다 보면 체계적으로 자기 주도 학습을 실천할 수 있어요.

비법 4 '문제 톡톡'과 '한 손에 톡톡'으로 시험을 대비해요!

학교 시험이 다가오면 '문제 톡톡'에 있는 다양한 문제를 풀어 보며 실력을 확인해요.
작고 가벼운 '한 손에 톡톡'은 시험 기간에 들고 다니면서 활용하기 좋아요.

비법 5 맞은 문제는 빠르게, 틀린 문제는 꼼꼼히 다시 봐요!

공부를 마친 후에 맞은 문제는 빠르게, 틀린 문제는 꼼꼼히 되돌아봐요.
특히 틀린 문제는 꼭 표시해 두었다가 다시 풀어 봐야 해요.
사회와 친해지기 위해서는 복습하는 습관을 들이는 것이 매우 중요해요.

꾸준한 사회 공부를 위한 맞춤 계획표

공부 약속:

스스로 공부할 분량과 날짜를 적고,
계획표에 맞춰 공부한 후에 표시를 합니다.

1일차	2일차	3일차	4일차	5일차
월 일	월 일	월 일	월 일	월 일
~ 쪽	~ 쪽	~ 쪽	~ 쪽	~ 쪽
6일차	**7일차**	**8일차**	**9일차**	**10일차**
월 일	월 일	월 일	월 일	월 일
~ 쪽	~ 쪽	~ 쪽	~ 쪽	~ 쪽
11일차	**12일차**	**13일차**	**14일차**	**15일차**
월 일	월 일	월 일	월 일	월 일
~ 쪽	~ 쪽	~ 쪽	~ 쪽	~ 쪽
16일차	**17일차**	**18일차**	**19일차**	**20일차**
월 일	월 일	월 일	월 일	월 일
~ 쪽	~ 쪽	~ 쪽	~ 쪽	~ 쪽
21일차	**22일차**	**23일차**	**24일차**	**25일차**
월 일	월 일	월 일	월 일	월 일
~ 쪽	~ 쪽	~ 쪽	~ 쪽	~ 쪽
26일차	**27일차**	**28일차**	**28일차**	**30일차**
월 일	월 일	월 일	월 일	월 일
~ 쪽	~ 쪽	~ 쪽	~ 쪽	~ 쪽
31일차	**32일차**	**33일차**	**34일차**	**35일차**
월 일	월 일	월 일	월 일	월 일
~ 쪽	~ 쪽	~ 쪽	~ 쪽	~ 쪽
36일차	**37일차**	**38일차**	**39일차**	**40일차**
월 일	월 일	월 일	월 일	월 일
~ 쪽	~ 쪽	~ 쪽	~ 쪽	~ 쪽
41일차	**42일차**	**43일차**	**44일차**	**45일차**
월 일	월 일	월 일	월 일	월 일
~ 쪽	~ 쪽	~ 쪽	~ 쪽	~ 쪽
46일차	**47일차**	**48일차**	**49일차**	**50일차**
월 일	월 일	월 일	월 일	월 일
~ 쪽	~ 쪽	~ 쪽	~ 쪽	~ 쪽

차례

1. 지역의 위치와 특성

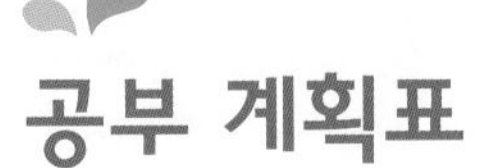

공부 계획표

- 자신의 일정에 맞게 계획을 세워 보고, 실제 학습일을 적어 봅시다.
- 학습을 마무리한 후 얼마나 학습 목표를 달성했는지 스스로 점검해 봅시다.

공부할 내용		쪽수	계획일	달성
단원 열기 지역의 위치와 특성		8~11쪽	월 일	○
1 지도로 본 우리 지역	지도를 보면 세상이 보인다고요?	12~13쪽	월 일	○
	지도 속 약속을 찾아볼까요?	14~15쪽	월 일	○
	방위와 기호로 지도를 읽어 볼까요?	16~17쪽	월 일	○
	얼마나 줄여서 표현한 것일까요?	18~19쪽	월 일	○
	지도에서 높은 산은 어떻게 나타낼까요?	20~21쪽	월 일	○
	일상생활에서 지도를 어떻게 활용할까요?	22~23쪽	월 일	○
	지도를 이용해 우리 지역에 대해 알아볼까요?	24~25쪽	월 일	○
	즐겁게 정리해요, 주제 톡톡 문제	26~29쪽	월 일	○
2 우리 지역의 중심지	필요한 것을 구하려면 어디로 가야 할까요?	32~33쪽	월 일	○
	중심지는 어떤 모습일까요?	34~35쪽	월 일	○
	지역의 중심지는 어디일까요?	36~37쪽	월 일	○
	우리 지역의 중심지를 조사해 볼까요?	38~39쪽	월 일	○
	우리 지역 중심지의 특성을 발표해 볼까요?	40~41쪽	월 일	○
	즐겁게 정리해요, 주제 톡톡 문제	42~45쪽	월 일	○
단원 마무리	단원을 마무리해요, 쪽지 시험	48~50쪽	월 일	○
	단원 톡톡 문제, 서술형 톡톡 문제	51~54쪽	월 일	○

단원 열기 1 지역의 위치와 특성

우리 지역에는 내가 사는 고장을 비롯해 여러 고장이 있어요. 사회 탐험 동아리 친구들과 함께 우리 지역을 탐험해 볼까요?

얘들아, 지역
탐험은 잘했어?
응! 여기는 산과
논밭이 많아.
여기는 공장이
모여 있었어.
여기는 높은
건물들이 많아.
○○상가

이제 우리 모여서
자세히 얘기를 나누자.

그럼 내가 너희들을
태우러 갈게~

교과서 9~10쪽

친구들을 찾아 지역 탐험을 떠나자!

지역 탐험을 시작하기 위해서는 친구들을 만나야 해. 친구들은 왼쪽 그림처럼 지역 탐험에 필요한 물건을 가지고 미로 속에 흩어져 있어. 미로 속에서 친구들을 모두 찾아 지역 탐험을 떠나자!

친구들이 가지고 있는 물건을 지역 탐험에 어떻게 활용할 수 있을지 이야기해 봅시다.

예
- 지도로 길을 찾을 수 있습니다.
- 나침반을 이용하여 방향을 알아볼 수 있습니다.

도움 친구들이 가지고 있는 물건으로 우리 지역의 위치와 특성을 어떻게 살펴볼 수 있을지 생각해 보아요.

이 단원에서 나는

교과서 11쪽

우리 지역의	위치를	설명하고 싶어요.
	특성을	탐구하고 싶어요.
	중심지를	조사하고 싶어요.

예
- 우리 지역의 위치를 설명하고 싶어요.
- 우리 지역의 중심지를 조사하고 싶어요.

도움 제시된 낱말을 연결해 나만의 학습 계획을 세워 보아요.

공부한 날 ___월 ___일

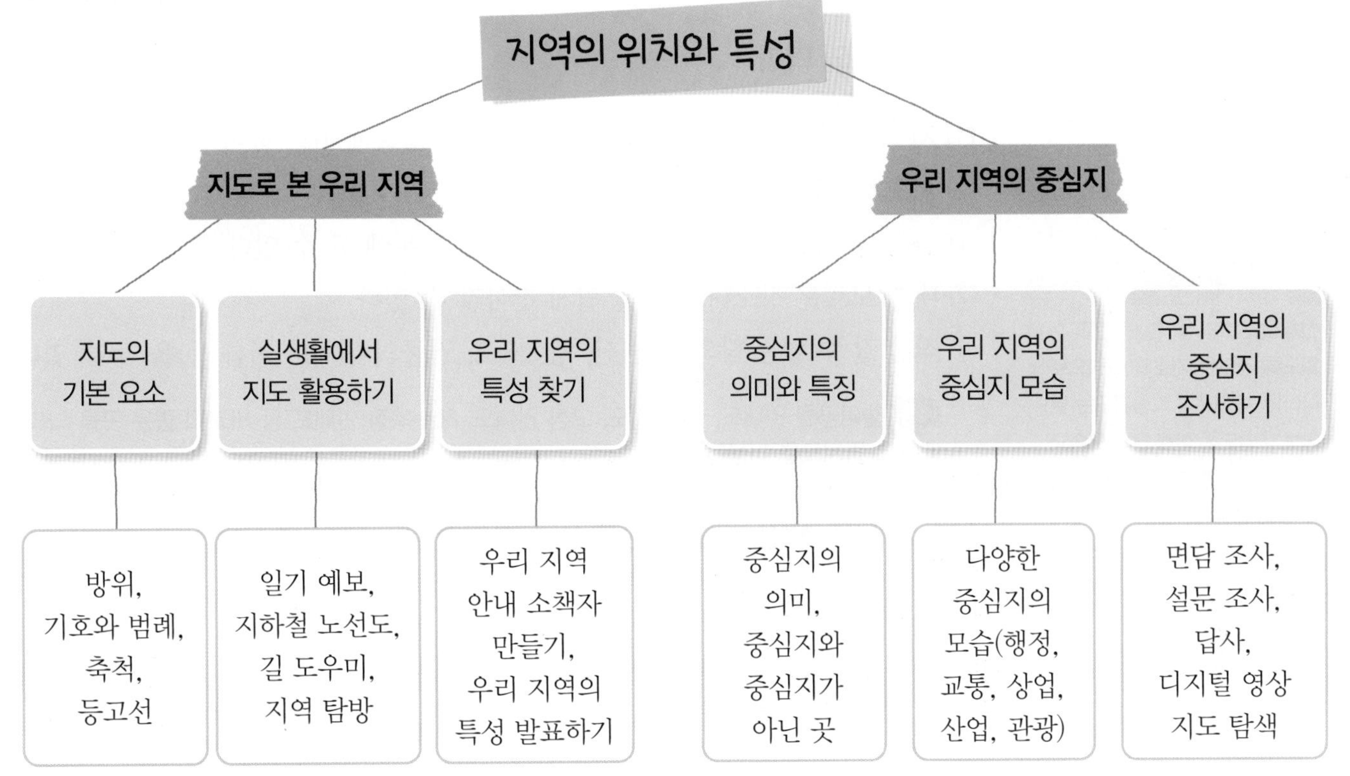

- 지도의 기본 요소를 이해하고 우리 지역 지도에 나타난 지리 정보를 실제 생활에 활용할 수 있어요.
- 지역의 다양한 중심지를 조사하고, 각 중심지의 위치, 모습, 기능의 특징을 설명할 수 있어요.

❶ 지(地) 땅 지	역(域) 지경 역	

❶ 땅을 일정하게 나눈 곳으로, 전체 사회에서 어떤 특징에 따라 구분한 공간입니다. 지역에는 내가 사는 고장뿐만 아니라 여러 고장이 있습니다.

❷ 지(地) 땅 지	도(圖) 그림 도

❷ 우리가 사는 지구 표면을 일정한 비율로 줄여 약속된 기호로 평면에 나타낸 그림을 의미합니다. 여러 가지 목적에 따라 다양한 지도가 있습니다.

❸ 중(中) 가운데 중	심(心) 마음 심	지(地) 땅 지

❸ 어떤 일이나 활동의 중심이 되는 곳입니다. 중심지에는 행정, 경제, 사회, 문화 시설이 있어 많은 지역 주민이 모이게 됩니다.

지도를 보면 세상이 보인다고요?

보충 ❶

◉ 그림지도

전체적인 모습을 한눈에 볼 수 있도록 간단한 기호와 그림으로 나타낸 지도이다. 그림지도는 알아보기 쉽도록 실제 땅의 모습과 비슷하게 표현되어 있다. 고장 안내도, 관광 안내도, 시설 안내도, 약도 등에 주로 사용한다.

1 지도의 의미

(1) **지도:** 위에서 내려다본 땅의 모습을 일정한 약속에 따라 줄여서 나타낸 것이다.

(2) **지도의 필요성**

① 높은 곳에 올라가지 않아도 땅의 모습을 한눈에 볼 수 있다.

② 내가 모르는 장소나 건물을 쉽게 찾아갈 수 있다.

③ 직접 갈 수 없는 땅의 모습(산, 강, 도로, 건물의 위치나 이름 등)을 알 수 있다.

내용+ 놀이공원 안내도, 등산 지도, 고장 안내도, 해수욕장 안내도 등 비교적 좁은 곳을 나타낼 때는 그림지도를 이용한다.

2 지도와 사진, 그림의 공통점과 차이점 속 시원한 활동 풀이

(1) **지도와 사진의 비교**

▲ 지도

▲ 사진

공통점	위에서 내려다본 모습임.
차이점	• 지도는 어느 곳을 나타낸 것인지 쉽게 알 수 있고, 도로나 철도, 지하철역의 위치와 이름 등의 ❶정보가 나타나 있음. • 사진은 땅의 모습을 있는 그대로 볼 수 있지만, 무엇이 있는지 위치나 이름을 정확히 알 수 없음.

(2) **지도와 그림의 비교** 보충 ❶

▲ 지도

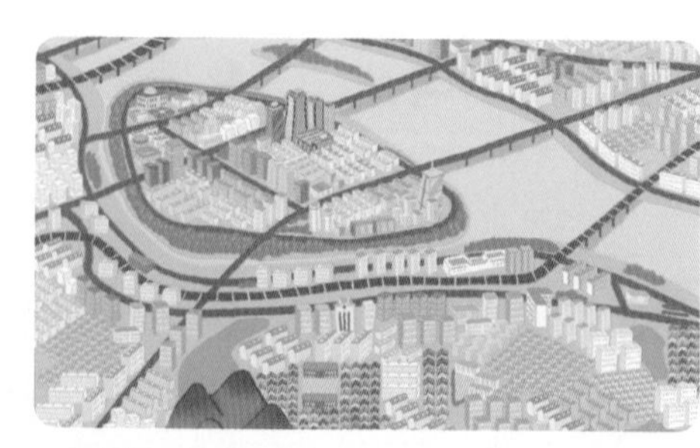
▲ 그림

공통점	위에서 내려다본 모습임.
차이점	• 지도는 일정한 약속에 따라 건물 등을 정해진 ❷기호로 표시함. • 그림은 그리는 사람에 따라 색이나 모양이 달라짐.

용어 사전

❶ **정보**: 관찰이나 측정을 통해 수집한 자료를 실제 문제에 도움이 될 수 있도록 정리한 지식이나 자료를 뜻한다.

❷ **기호**: 어떠한 뜻을 나타내기 위해 쓰이는 부호, 문자 등을 이르는 말이다.

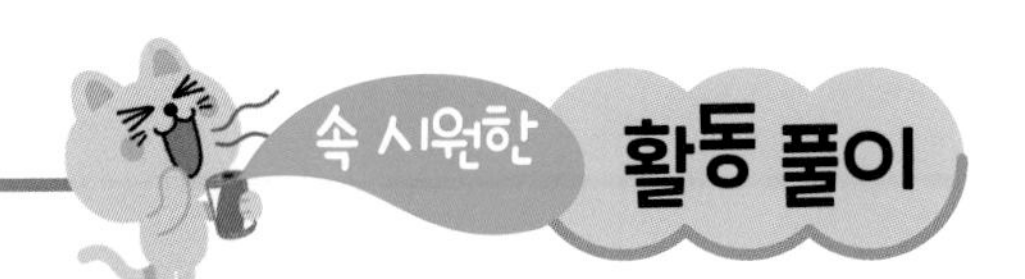

교과서 12~15쪽

같은 지역을 나타낸 지도와 사진, 그림을 비교하여 공통점과 차이점을 이야기해 봅시다.

	지도	사진	그림
종류			
공통점	• 땅의 모습을 나타내고 있음. • 땅 위에 무엇이 있는지 나타내고 있음. • 위에서 내려다본 모습을 나타내고 있음.		
차이점	• 건물이나 길 이름 등의 정보가 담겨 있음. • 일정한 약속에 따라 땅의 모습을 표현함.	• 실제 땅의 모습이 그대로 나타나 있음. • 가려져서 보이지 않는 곳도 있음.	• 그리는 사람에 따라 색이나 모양이 달라질 수 있음. • 실제 모습과 다르게 표현될 수 있음.

정답과 해설 2쪽

1 **위에서 내려다본 땅의 모습을 일정한 약속에 따라 줄여서 나타낸 것이 무엇인지 쓰시오.**

( )

2 **서로 관련 있는 내용끼리 바르게 선으로 연결하시오.**

(1) 땅의 모습을 있는 그대로 볼 수 있다. • • ㉠ 지도

(2) 그리는 사람에 따라 색과 모양이 달라질 수 있다. • • ㉡ 사진

(3) 위에서 내려다본 땅의 모습을 일정한 약속에 따라 줄여서 나타냈다. • • ㉢ 그림

탐구해요 지도 속 약속을 찾아볼까요?

보충 ❶

◉ **우리나라의 지도**

우리나라에서는 국토 교통부에 속한 국토 지리 정보원에서 국가 기본도를 만들고 있다. 이를 바탕으로 사회 곳곳에서 다양한 형태의 지도가 활용되고 있다.

보충 ❷

◉ **지도를 본다 VS 지도를 읽는다**

지도에는 각종 기호, 방위, 색깔 등 다양한 정보가 표시되어 있기 때문에 단순히 '본다'라는 의미보다는 '읽는다'라고 표현하는 것이 바람직하다.

용어 사전

❶ **요소**: 어떤 사물에 꼭 필요한 성분 또는 근본 조건을 뜻한다.

1 실제 지역의 모습을 지도로 나타내기

(1) 지역의 모습을 지도로 나타낼 때 해결해야 할 문제점

① 넓은 땅의 모습을 줄여서 나타내야 한다.

② 어떤 방향을 위쪽으로 하여 그릴지 정해야 한다.

③ 산, 하천, 도로, 건물 등을 나타내려면 지도의 약속을 알아야 한다.

(2) 지도의 ❶요소가 필요한 이유: 복잡한 땅의 모습을 지도로 만들 때 많은 문제가 생기기 때문에 지도의 요소가 필요하다. 속 시원한 활동 풀이 보충 ❶, ❷

2 지도의 요소 살펴보기

제목
- 어느 지역을 나타낸 지도인지 또는 지도의 내용이 무엇인지 알려 줌.
- 눈에 쉽게 띄도록 지도의 위쪽에 표시함.

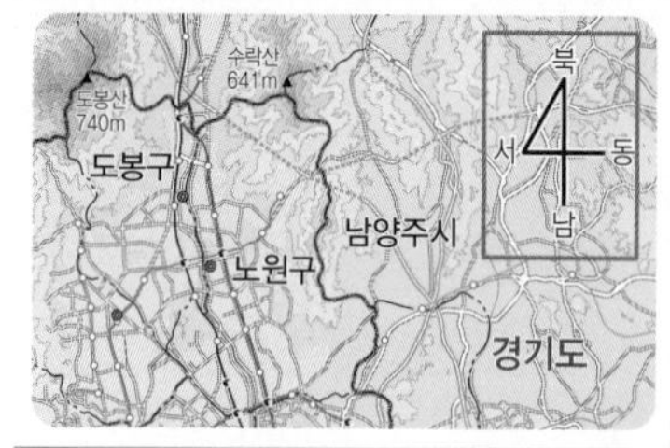

방위표
- 지도에서 동서남북의 방향을 알려 주는 표시임.
- 방위표가 없는 경우에는 북쪽을 위쪽으로 하여 지도를 그림.

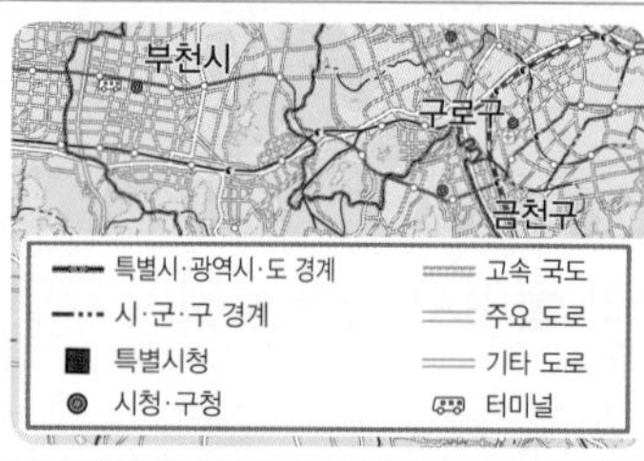

기호와 범례
- 산, 하천, 도로, 건물 등을 약속된 간단한 기호를 사용하여 나타냄.
- 지도에 쓰인 기호와 그 뜻을 범례로 표현함.

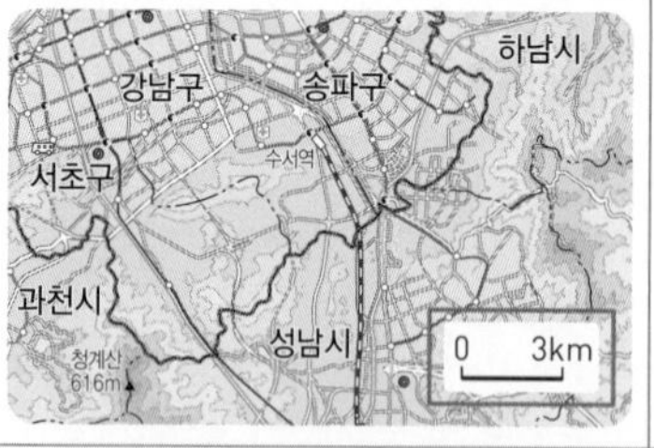

축척
- 지도에서 땅의 모습을 실제보다 줄여서 그리고 실제 길이를 알 수 있게 막대로 표시함.
- 왼쪽 지도에서 막대의 길이가 실제 거리 3km를 뜻함.

등고선
- 땅의 높이가 같은 곳을 선으로 연결하고 색깔을 이용해 땅의 높낮이를 나타냄.
- 산의 높이를 숫자로 표시함.

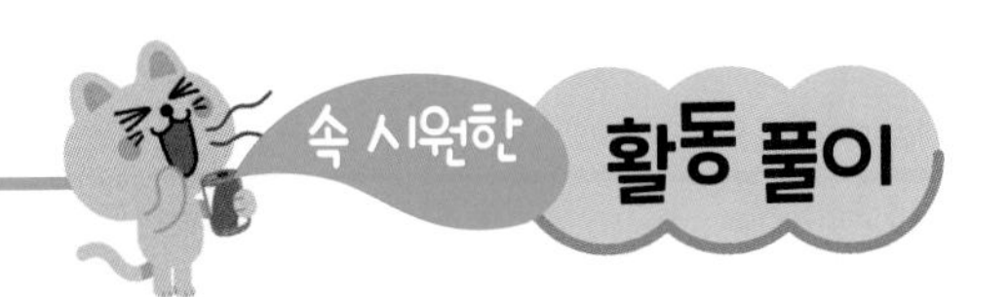

교과서 16~17쪽

사진에서 친구들이 궁금해하는 것들을 오른쪽 지도에서 찾아보고 연결된 선의 빈칸에 알맞은 붙임 딱지를 붙여 봅시다.

잠깐! 확인해요

지도의 다양한 요소를 알면 지도를 올바르게 읽을 수 있습니다. (○, ×) (○)

정답과 해설 2쪽

1 **내용이 맞으면 ○표, 틀리면 ×표를 선택하시오.**

(1) 일정한 약속에 따라 지역의 실제 모습을 나타낸 것을 사진이라고 합니다. (○, ×)

(2) 실제 모습을 지도로 표현하기 위해 지도의 약속이 필요합니다. (○, ×)

2 **지도에서 우리 지역이라는 것을 나타내기 위한 지도의 요소가 무엇인지 쓰시오.** (　　　)

방위와 기호로 지도를 읽어 볼까요?

보충 ❶

◉ **방위의 어원**

방위의 '방'(方)은 한자로 모서리를 뜻한다. 동양에서는 전통적으로 '하늘은 둥글고 땅은 네모지다.'라고 생각했기 때문에 방위란 네모난 땅의 각 모서리를 나타낸 위치의 이름이다.

보충 ❷

◉ **바라보는 방향**

앞쪽, 뒤쪽, 왼쪽, 오른쪽과 같은 표현으로 위치를 설명하면 말하는 사람이 바라보는 방향에 따라 위치가 달라진다. 따라서 어디를 바라보고 있든지 변하지 않는 위치 표현 방식이 필요하다.

1 지도에서 방위표 이용하기

(1) 방위와 방위표 보충 ❶

① 방위: 방향의 위치로, 일정한 기준을 중심으로 방향을 말할 때 사용한다.

② 방위표: 지도에서 동서남북의 방위를 알려 주는 표시이다.

(2) 방위가 필요한 까닭 보충 ❷

① 정확한 위치를 설명하기 위해서는 바라보는 방향에 따라 위치가 변하지 않아야 하기 때문이다.

② 방위를 이용하면 바라보는 방향에 관계없이 기준을 정하여 동서남북으로 위치를 나타낼 수 있다.

(3) 방위를 이용한 위치 표현

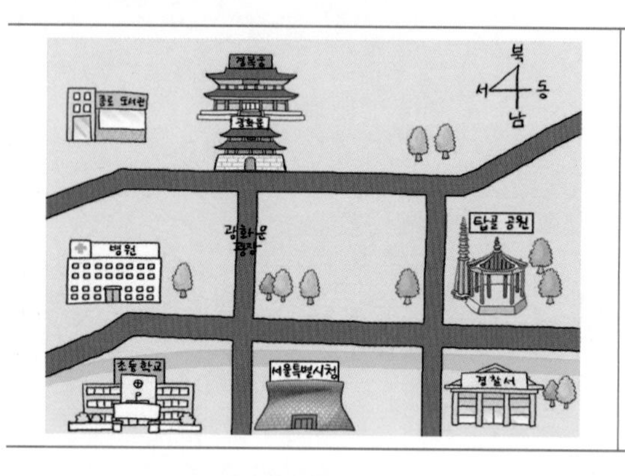

- 종로 도서관을 기준으로 동쪽에 ❶경복궁이 있습니다.
- 서울특별시청을 기준으로 북쪽에 광화문이 있습니다.
- 병원을 기준으로 남쪽에 초등학교가 있습니다.

(4) 지도에 방위표가 없을 때: 지도의 위쪽이 북쪽, 아래쪽이 남쪽, 오른쪽이 동쪽, 왼쪽이 서쪽이다.

2 지도의 기호와 범례 살펴보기

(1) 기호와 범례

① 기호: 학교, 산, 우체국, 과수원 등을 간략히 표현한 것이다.

② 범례: 지도에 쓰인 기호와 그 기호의 뜻을 나타낸 것이다.

(2) 기호가 필요한 까닭: 지도를 그릴 때 실제 모습을 그대로 나타내면 복잡하고, 한눈에 알아보기 어렵기 때문이다.

(3) 다양한 기호 속 시원한 활동 풀이

기호	뜻	기호	뜻	기호	뜻	기호	뜻
	학교		우체국	▲	산		과수원
	병원	卍	절		공항	⚓	항구

내용+ 범례를 참고하면 보다 쉽고 정확하게 지도를 읽을 수 있다.

용어 사전

❶ **경복궁:** 서울특별시 종로구에 있는 조선 시대의 궁궐로, 1395년에 지어졌다.

교과서 18~21쪽

친구와 함께 방위와 기호를 이용해 지도를 읽어 봅시다.

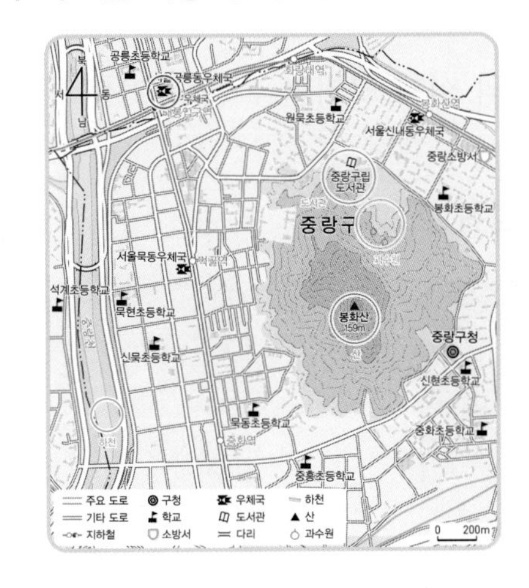

1 붙임❷의 항공 사진을 지도와 겹쳐 보고, 기호와 범례가 필요한 까닭을 말해 봅시다.

예 실제 모습을 그대로 나타내면 복잡하기 때문에 약속된 기호를 사용해 간단하게 나타냅니다.

2 지도에서 보기의 장소를 찾아 ○표를 해 봅시다.

보기 우체국 산 과수원 하천 도서관

3 방위를 이용해 다양한 장소의 위치를 말해 봅시다.

예 • 봉화산의 북쪽에는 중랑구립도서관이 있습니다.
• 묵현초등학교의 서쪽에는 중랑천이 있습니다.

4 우리 지역 지도를 활용해 다양한 곳의 위치를 말해 봅시다.

예 중랑구청은 봉화초등학교의 남쪽에 있습니다.

잠깐! 확인해요

지도에서 ☐☐☐을/를 보면 동서남북의 방향을 알 수 있습니다. (방위표)

정답과 해설 2쪽

1 내용이 맞으면 ○표, 틀리면 ×표를 선택하시오.

(1) 지도에서 방위표가 없는 경우 지도의 위쪽이 북쪽입니다. (○, ×)

(2) 범례를 보면 지도에 쓰인 기호의 뜻을 알 수 있습니다. (○, ×)

2 지도에서 실제 모습을 간략하게 표현한 것이 무엇인지 쓰시오. ( )

얼마나 줄여서 표현한 것일까요?

1 지도에서 축척의 의미 알아보기

(1) **축척:** 지도에서 실제 거리를 줄인 정도로, 축척에 따라 나타낼 수 있는 실제 범위가 다르다.

(2) **축척이 필요한 까닭:** 지역의 실제 크기만큼 큰 종이를 구하기 어렵기 때문에 줄여서 나타내야 한다.

(3) **축척에 따라 다른 지도의 범위** 보충 ❶

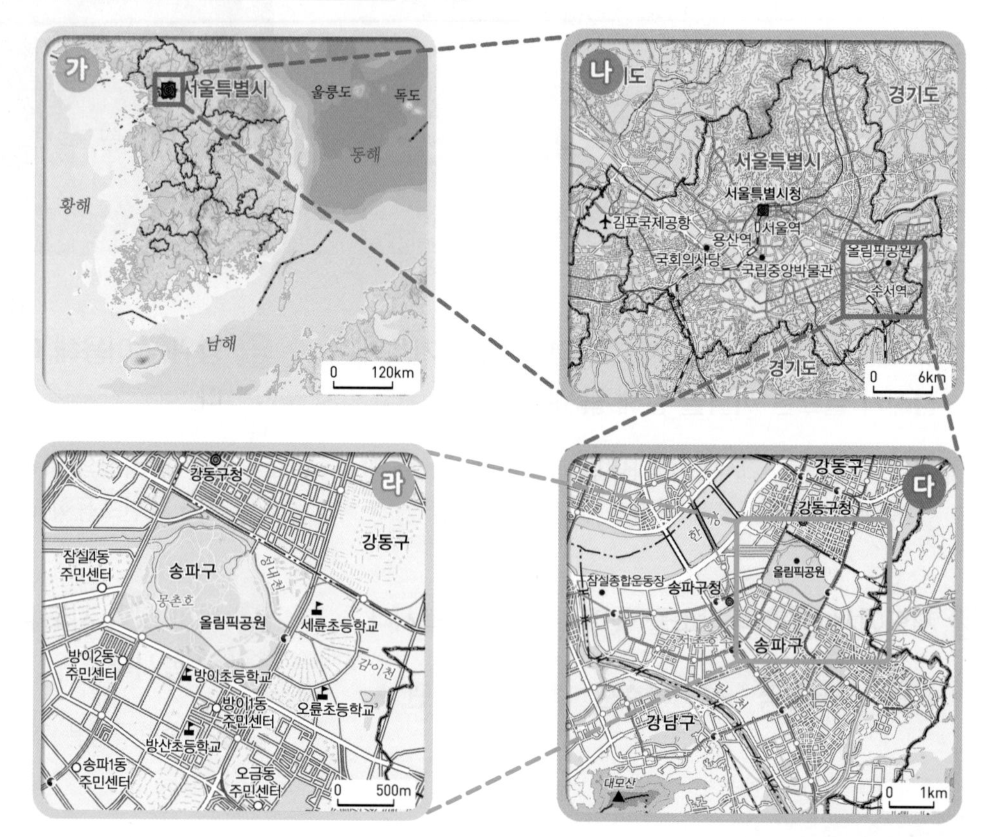

① (가)는 우리나라, (나)는 서울특별시, (다)는 송파구, (라)는 동네를 중심으로 나타낸 지도이다.

② 같은 크기의 지도이지만 축척에 따라 줄인 정도가 다르기 때문에 지도에 나타난 범위가 다르다.

내용+ (가)가 가장 많이 줄여서 표현한 지도이고, (나), (다), (라) 순으로 줄인 정도가 작아진다.

2 지도상 두 지점의 실제 거리 구하기 (속 시원한 활동 풀이)

0 1km	• 지도에서 이 막대만큼의 거리가 실제 거리 1km라는 의미임. • 축척 막대자를 사용하면 두 ❶지점 사이의 실제 거리를 쉽게 구할 수 있음. 보충 ❷

보충 ❶

◉ **축척과 지도의 범위**

축척이 클수록 좁은 지역을 상대적으로 자세하게 나타낼 수 있고, 축척이 작을수록 넓은 지역을 간략하게 나타낼 수 있다.

보충 ❷

◉ **축척 막대자**

0cm	1cm	2cm	3cm
지도상의 거리			
실제 거리			
0cm	1km	2km	3km

위의 축척 막대자는 지도에서 1cm가 실제 거리 1km를 뜻한다.

용어 사전

❶ **지점:** 땅 위의 일정한 점을 뜻한다.

교과서 22~23쪽

축척 막대자를 사용해 지도상 두 지점의 실제 거리를 구해 봅시다.

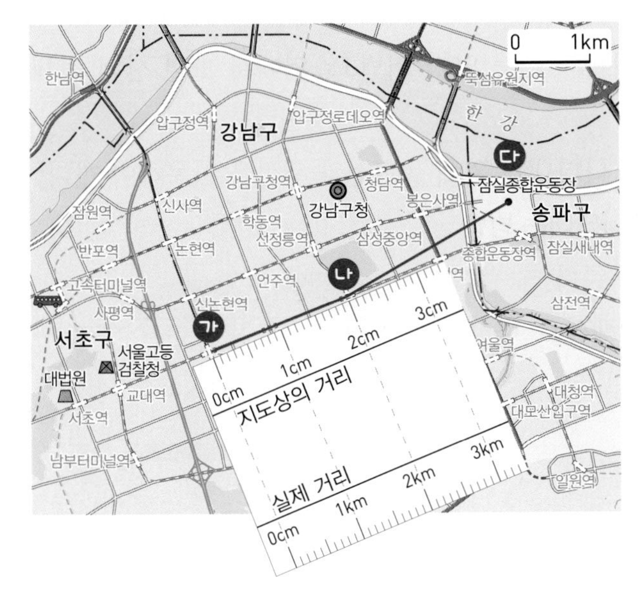

1 붙임❷ 축척 막대자와 붙임❸ 지도를 준비합니다.

2 붙임❸ 지도에서 거리를 알고 싶은 두 지점을 정합니다.

3 축척 막대자를 이용해 두 지점 사이의 거리를 확인합니다.

예 (가)와 (나) 지점 사이의 거리를 축척 막대자를 이용해 재면 지도상의 거리가 2cm이므로 실제 거리는 2km입니다.

4 우리 지역 지도에서 두 지점을 정해 실제 거리를 구해 봅니다.

예 (나)와 (다) 지점 사이의 거리를 축척 막대자를 이용해 재면 2.5cm이므로 실제 거리는 2.5km입니다.

지도에서 실제 거리를 줄인 정도를 ☐☐(이)라고 합니다. (축척)

확인 톡! 톡!

정답과 해설 2쪽

1 빈칸에 들어갈 알맞은 말을 쓰시오.

지도를 그릴 때는 실제 땅의 모습을 줄여서 나타냅니다. 이처럼 지도에서 실제 거리를 줄인 정도를 ☐☐(이)라고 합니다.

( )

2 내용이 맞으면 ○표, 틀리면 ×표를 선택하시오.

(1) 크기가 같은 지도는 모두 나타낸 실제 범위가 같습니다. (○, ×)

(2) 축척을 알면 지도상 두 지점 간의 거리를 재어 실제 거리를 구할 수 있습니다. (○, ×)

(3) 지도를 만들 때 지역의 실제 크기대로 만들 수 없기 때문에 축척을 사용합니다. (○, ×)

지도에서 높은 산은 어떻게 나타낼까요?

보충 ❶

◉ **등고선을 통해 알 수 있는 것**

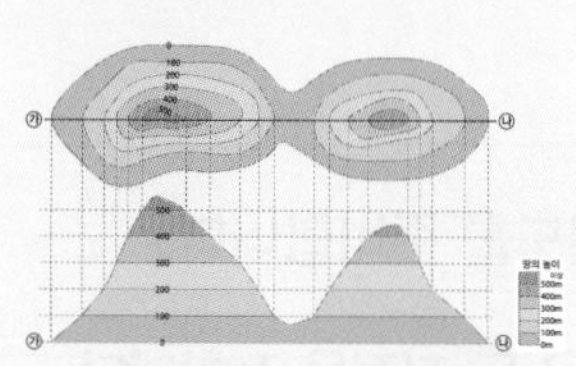

땅의 경사가 급할수록 등고선의 간격이 좁고, 경사가 완만할수록 등고선의 간격을 넓게 그리기 때문에 등고선을 살펴보면 산의 모양을 추측할 수 있다.

보충 ❷

◉ **등고선 모양과 산의 모양**

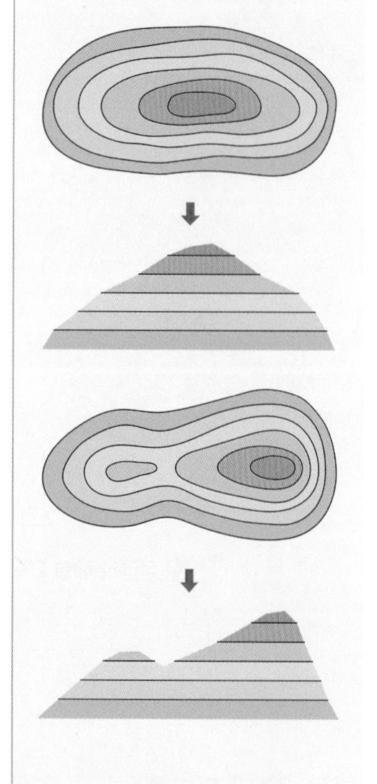

용어 사전

❶ **범위**: 일정하게 한정된 영역을 뜻한다.

1 지도에서 땅의 높낮이를 나타내는 방법 알아보기

(1) 등고선: 땅의 높이가 같은 곳을 연결한 선이다. 보충 ❶,❷

(2) 등고선이 필요한 까닭

① 산을 위에서 내려다보면 산의 높낮이를 알기 어렵고, 옆에서 보면 산의 전체 ❶범위를 알기 어렵다.

② 땅의 높낮이를 평평한 지도에 나타내기 위해 등고선과 색깔을 활용해야 한다.

(3) 등고선을 이용해 땅의 높이를 나타내는 방법

① 등고선마다 실제 높이를 적어 준다.

② 땅의 높이가 높을수록 진한 색깔로 나타낸다.

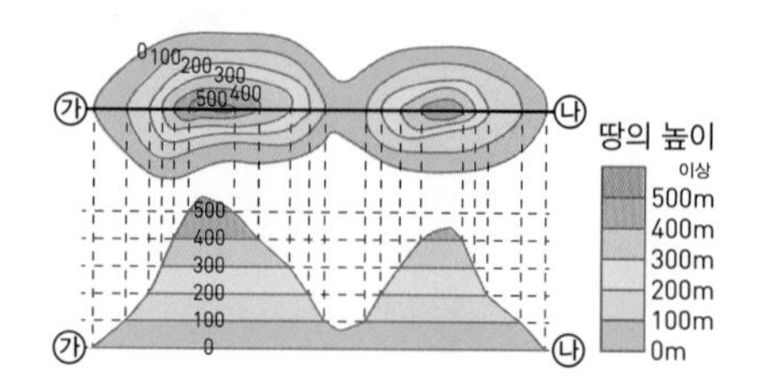

2 등고선 모형 살펴보기

(1) 등고선 모형 만들기 속 시원한 **활동 풀이**

❶ 붙임❹ 를 뜯는다.
❷ 기둥을 접어 초록색 블록 위에 붙이고, 노란색 블록을 올린다.
❸ 노란색 블록 위에 기둥을 붙이고, 갈색 블록을 올린다.
❹ 고동색 블록을 갈색 블록 위에 올려 완성한다.

(2) 등고선 모형을 통해 알 수 있는 것: 산의 모양과 가장 높은 곳을 알 수 있다.

활동 도우미 직접 등고선 모형 만들기

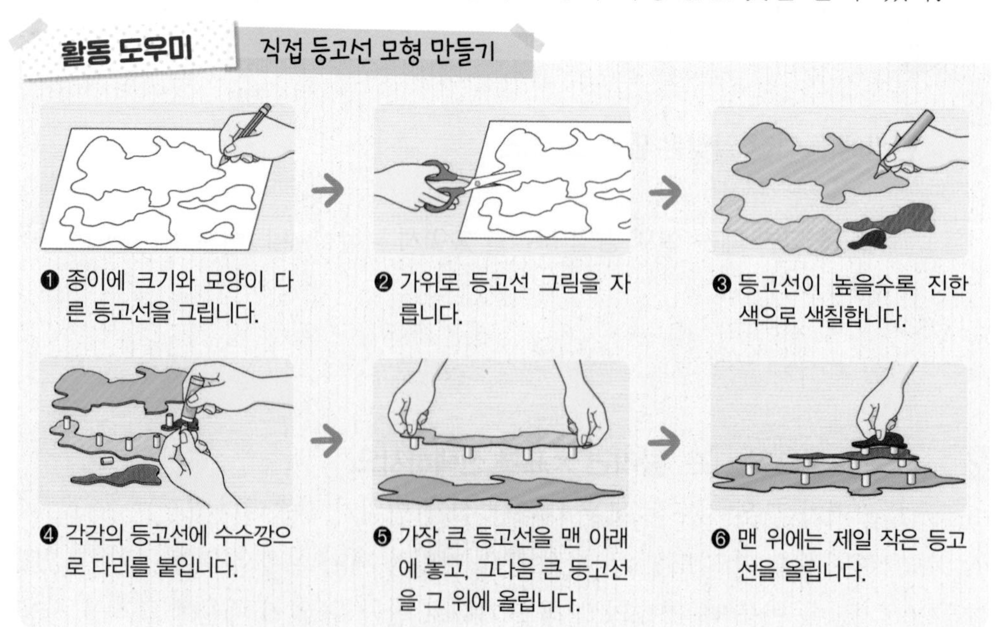

❶ 종이에 크기와 모양이 다른 등고선을 그립니다.
❷ 가위로 등고선 그림을 자릅니다.
❸ 등고선이 높을수록 진한 색으로 색칠합니다.
❹ 각각의 등고선에 수수깡으로 다리를 붙입니다.
❺ 가장 큰 등고선을 맨 아래에 놓고, 그다음 큰 등고선을 그 위에 올립니다.
❻ 맨 위에는 제일 작은 등고선을 올립니다.

교과서 24~27쪽

등고선 모형을 만들어 탐구해 봅시다.

• 내가 만든 등고선 모형의 위에서 본 모습과 옆에서 본 모습을 직접 그려 보기

위에서 본 모습

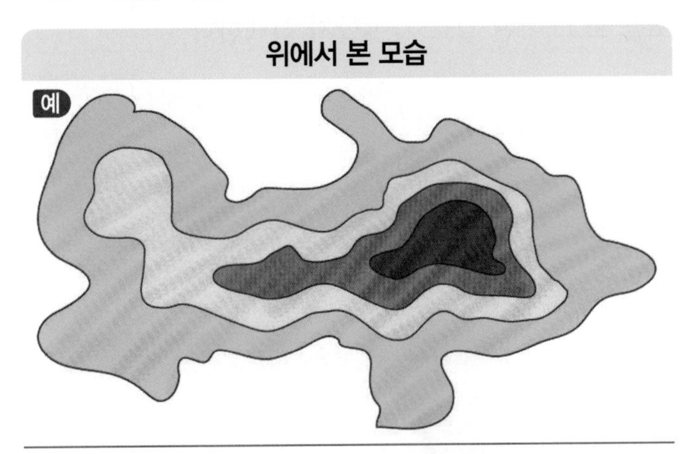

옆에서 본 모습

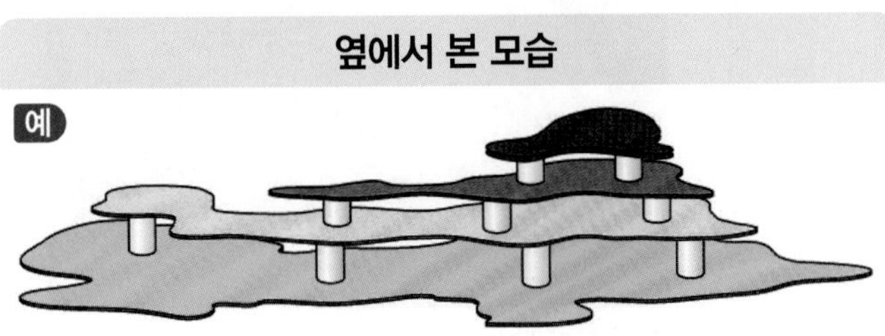

• 등고선 모형과 실제 등고선 비교하기

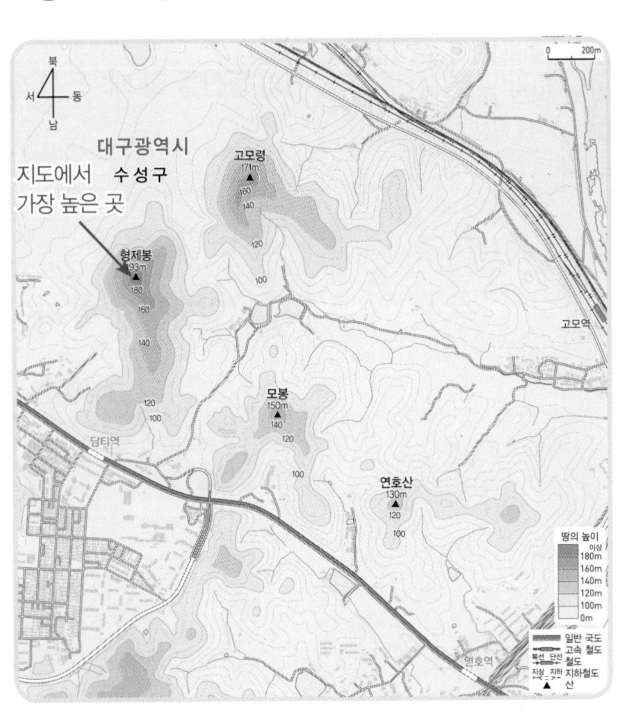

예 내가 만든 등고선은 형제봉을 나타낸 것입니다.

잠깐! 확인해요

지도에서 땅의 높낮이를 나타내기 위해서는 ☐☐☐을/를 이용합니다. (등고선)

정답과 해설 2쪽

1 땅의 높이가 같은 곳을 연결한 선으로, 지도에서 땅의 높낮이를 알 수 있는 것이 무엇인지 쓰시오.

( )

2 내용이 맞으면 ○표, 틀리면 ×표를 선택하시오.

(1) 산을 위에서 내려다본 사진으로는 산의 실제 높낮이를 알기 어렵습니다. (○ , ×)

(2) 색깔을 이용해 땅의 높낮이를 나타낼 때 땅의 높이가 높을수록 색이 진해집니다. (○ , ×)

탐구해요

1 1 지도로 본 우리 지역

일상생활에서 지도를 어떻게 활용할까요?

보충 ❶

◉ **지도의 종류**

지도는 어떤 내용을 담고 있는지에 따라 일반도와 주제도로 나눌 수 있다. 일반도는 산과 토지, 강과 바다 등의 자연환경과 건물 등의 위치와 이름이 표현된 지도이고, 주제도는 교통 지도, 관광 안내도, 일기도처럼 주제가 있는 지도이다.

❶ 일상생활에서 지도의 활용 속 시원한 활동 풀이 보충 ❶

(1) **날씨를 설명할 때:** 지도를 이용해 일기 예보를 한다.

(2) **다른 장소로 이동할 때:** 지하철 노선도를 보고 어떤 지하철을 탈지 알아본다.

(3) **길을 찾을 때:** 길 도우미를 활용해 어떤 길로 가야하는지 알아본다.

(4) **등산을 할 때:** 등산 안내도를 보고 어떤 길로 가야할지 선택한다.

❷ 일상생활 속 다양한 지도

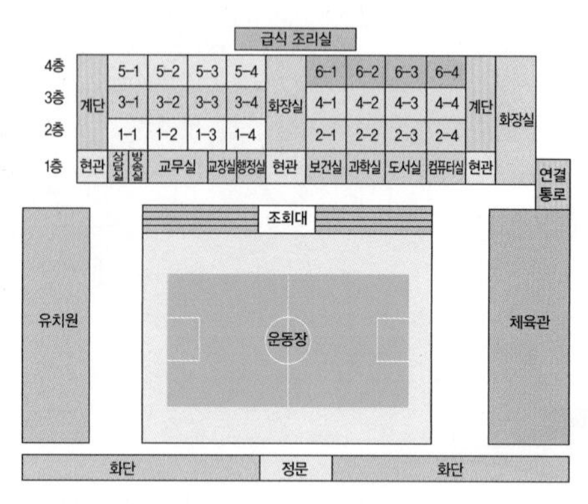

▲ 학교 안내도

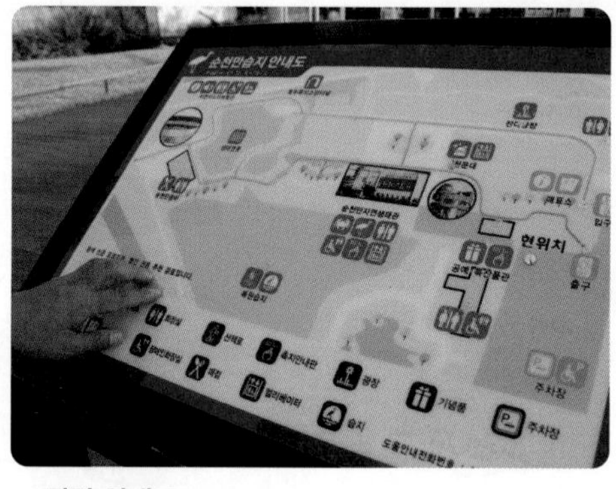

▲ 관광 안내도

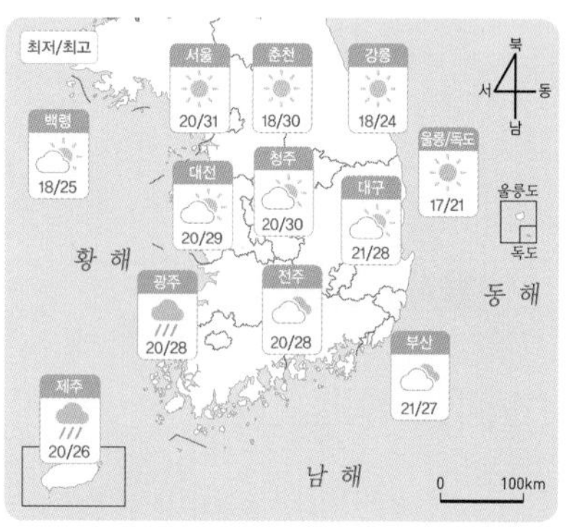

▲ ❶일기도

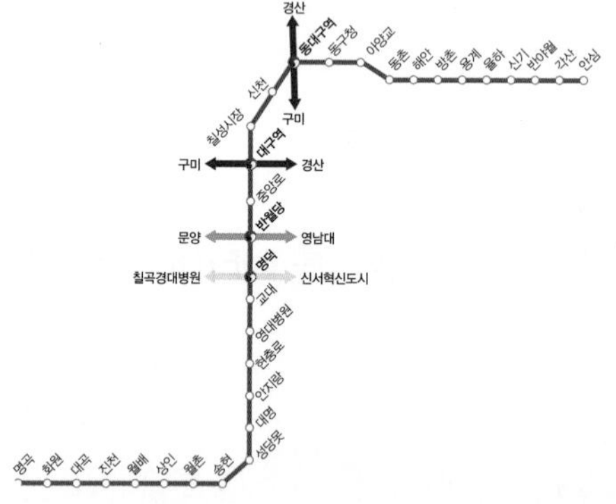

▲ 지하철 노선도

▲ ❷길 도우미

▲ 등산 안내도

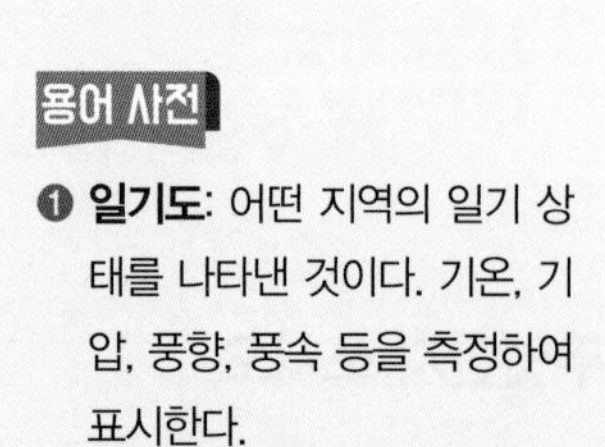

용어 사전

❶ **일기도:** 어떤 지역의 일기 상태를 나타낸 것이다. 기온, 기압, 풍향, 풍속 등을 측정하여 표시한다.

❷ **길 도우미:** 내비게이션을 가리키는 말로, 지도를 바탕으로 빠른 길을 찾아줘 길을 찾는 데 도움을 주는 프로그램을 뜻한다.

교과서 28~29쪽

사례를 참고해 친구들과 다양한 지도를 활용한 지역 탐방 계획을 세워 봅시다.

• 가고 싶은 장소 정하기

박물관	시장	도서관
예 어린이 전시회에 가고 싶기 때문임.	예 우리 지역의 유명한 음식을 많이 팔기 때문임.	예 우리 지역과 관련된 책을 읽고 싶기 때문임.

• 학교를 기준으로 한 가고 싶은 장소의 위치 찾아보기

예 • 박물관은 우리 학교의 서쪽에 있습니다.
• 시장은 우리 학교의 북쪽에 있습니다.
• 도서관은 우리 학교의 동쪽에 있습니다.

• 탐방 순서 정해 보기

예 학교 → 박물관 → 시장 → 도서관 → 학교

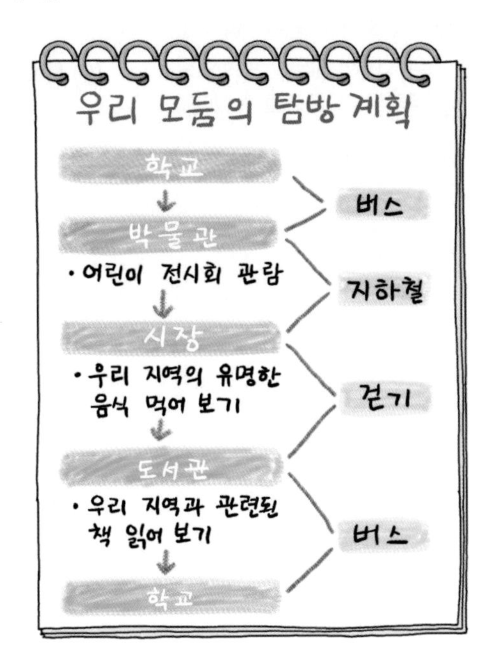

잠깐! 확인해요

우리는 일상생활에서 다양한 지도를 활용합니다. (○, ×) (○)

정답과 해설 2쪽

1 지도를 바탕으로 목적지까지 가는 빠른 길을 찾을 수 있도록 도움을 주는 프로그램이 무엇인지 쓰시오.

( )

2 내용이 맞으면 ○표, 틀리면 ×표를 선택하시오.

(1) 일기도는 길을 찾을 때 주로 활용합니다. (○, ×)

(2) 우리는 일상생활에서 다양한 지도를 이용합니다. (○, ×)

(3) 등산 안내도를 활용하면 등산할 때 어떤 길들이 있는지 알 수 있습니다. (○, ×)

지도를 이용해 우리 지역에 대해 알아볼까요?

보충 ❶

◉ **백지도**

지도의 윤곽과 경계 등만 그려져 있어서 각종 정보를 써넣을 수 있는 지도이다. 국토 지리 정보원의 '어린이 지도 여행'에서 각 지역의 백지도를 받을 수 있다.

❶ 지도로 알아보는 우리 지역

(1) **지도에서 알 수 있는 우리 지역의 정보:** 우리 지역의 위치와 범위, 모양, 특성을 알 수 있다.

(2) **❶백지도에서 우리 지역의 위치와 범위 살펴보기** 보충 ❶

▲ 백지도

서울특별시의 위치

- 서울특별시는 충청남도의 북쪽에 있음.
- 서울특별시는 강원도의 서쪽에 있음.
- 서울특별시는 북쪽, 동쪽, 남쪽으로 경기도와 접해 있음.

대구광역시의 위치

- 대구광역시는 강원도의 남쪽에 있음.
- 대구광역시는 전라북도의 동쪽에 있음.
- 대구광역시는 북쪽, 동쪽, 서쪽으로 경상북도와 접해 있음.

❷ 우리 지역의 ❷특성

(1) **우리 지역의 특성 조사하기**

① 다양한 지도를 준비한다.

▲ 일반도

▲ 관광 안내도

② 방위, 기호, 등고선 등 지도의 요소를 활용해 지역의 특성을 찾아낸다.

(2) **지도를 이용해 우리 지역에 대해 알아보기** 속 시원한 **활동 풀이**

❶ 백지도에서 우리 지역을 찾아 색칠하고 지역의 크기와 모양을 살펴본다.
❷ 방위를 이용해 우리 지역의 위치를 설명한다.
❸ 지도를 읽고 알게 된 우리 지역의 특성을 발표한다.

용어 사전

❶ **백지도**: 각종 정보를 써넣기 위한 기본도로, 지도의 기본적인 윤곽과 경계 등이 그려진 지도이다.

❷ **특성**: 일정한 사물에만 있는 특수한 성질을 뜻한다.

우리 지역의 위치와 범위

예 대전광역시의 위치
- 대전광역시는 전라북도의 북쪽에 있습니다.
- 대전광역시는 경상북도의 서쪽에 있습니다.
- 대전광역시는 서쪽으로 충청남도와 접해 있습니다.
- 대전광역시는 동쪽으로 충청북도와 접해 있습니다.

우리 지역의 특성

예 우리 지역에는 유성 온천, 엑스포 과학 공원 등 다양한 관광지가 있습니다.

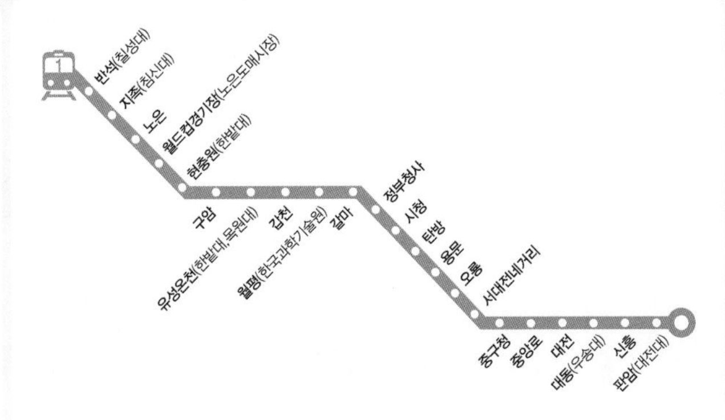

예 우리 지역에는 지하철 1호선이 운행하고 있고, 총 22개의 지하철역이 있어 교통이 편리합니다.

정답과 해설 2쪽

1 **지도를 이용해 우리 지역에 대해 알아보는 방법을 순서대로 기호를 쓰시오.**

㉠ 지도를 읽고 알게 된 우리 지역의 특성을 발표합니다.
㉡ 백지도에서 우리 지역을 찾아 색칠하고 지역의 크기와 모양을 살펴봅니다.
㉢ 방위를 이용해 우리 지역의 위치를 설명합니다.

( )

'지도로 본 우리 지역'에서 배운 내용을 떠올리며 문제를 풀고 정답을 색칠했을 때 보이는 그림을 찾아봅시다.

도움 지도를 나타낼 때 사용하는 약속에는 무엇이 있는지 생각해 보아요.

핵심 꿀꺽 질문

위에서 내려다본 그림이나 사진과 다르게 지도가 갖는 특징은 무엇인가요?

지도로 실제 지역을 나타낼 때 사용하는 약속에는 무엇이 있나요?

우리 생활에서 지도를 어떻게 활용할 수 있나요?

1 **다음에서 설명하는 것으로 알맞은 것은 어느 것입니까?** (　　　)

> 위에서 내려다본 땅의 모습을 일정한 약속에 따라 줄여서 나타낸 것입니다.

① 기호　② 방위　③ 위치
④ 지도　⑤ 지역

중요

2 **다음 지도의 ㉠~㉣에 해당하는 지도의 요소가 무엇인지 쓰시오.**

(1) ㉠: (　　　　　)　(2) ㉡: (　　　　　)
(3) ㉢: (　　　　　)　(4) ㉣: (　　　　　)

3 **방위에 대한 설명으로 알맞은 것을 보기 에서 두 가지 골라 기호를 쓰시오.**

보기
> ㉠ 어떤 장소의 위치를 설명할 때 사용한다.
> ㉡ 지도에서는 동서남북을 범례로 나타낸다.
> ㉢ 일정한 기준을 중심으로 나타낸 방향이다.
> ㉣ 지도에 방위표가 없다면 지도 위쪽이 남쪽이다.

4 **지도와 사진, 그림에 대한 설명으로 알맞은 것은 어느 것입니까?** (　　　)

① 사진은 땅의 모습을 있는 그대로 볼 수 없다.
② 지도는 그리는 사람에 따라 색과 모양이 다를 수 있다.
③ 위에서 내려다본 땅의 모습을 나타낸 것을 모두 지도라고 한다.
④ 그림은 내려다본 땅의 모습을 일정한 약속에 따라 그린 것이다.
⑤ 지도를 보면 우리가 사는 여러 지역의 다양한 정보를 읽을 수 있다.

5 **다음과 같은 이유로 필요한 지도의 요소로 알맞은 것은 어느 것입니까?** (　　　)

> 지도를 그릴 때 실제 모습을 그대로 나타내면 복잡하고, 한눈에 알아보기 어렵습니다.

① 기호　② 방위
③ 제목　④ 축척
⑤ 등고선

6 **서로 관련있는 내용끼리 바르게 선으로 연결하시오.**

(1) [기호] •　　• ㉠ 산
(2)  •　　• ㉡ 우체국
(3) [기호] •　　• ㉢ 과수원
(4) [기호] •　　• ㉣ 학교

7 다음과 같이 지도에 쓰인 기호를 모아 설명하는 것이 무엇인지 쓰시오.

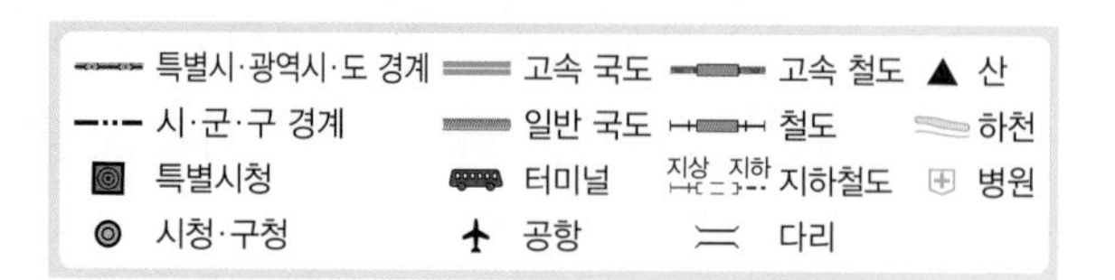

8 빈칸에 들어갈 알맞은 말은 어느 것입니까? (　　　)

> 지도를 그릴 때는 실제 땅의 모습을 줄여서 나타냅니다. 지도에서 실제 거리를 줄인 정도를 ☐☐(이)라고 합니다.

① 그림　② 기호　③ 범례　④ 사진　⑤ 축척

중요

9 두 지도에 대한 설명으로 알맞지 않은 것은 어느 것입니까? (　　　)

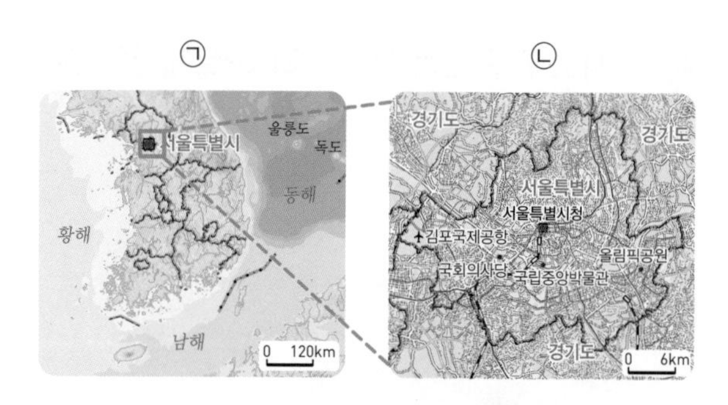

① ㉠ 지도의 범위는 우리나라 전체이다.
② ㉡ 지도는 서울특별시를 나타낸다.
③ ㉡ 지도에서는 ㉠ 지도와 달리 실제 거리를 구할 수 있다.
④ ㉠, ㉡ 지도 모두 축척이 있다.
⑤ 같은 크기의 지도라도 축척에 따라 나타내는 범위가 다를 수 있다.

10 다음 지도의 요소를 보고 알 수 있는 것을 보기 에서 골라 기호를 쓰시오.

0　　3km

보기
㉠ 땅의 높낮이를 알 수 있다.
㉡ 동서남북의 방향을 알 수 있다.
㉢ 지도에서 실제 거리를 구할 수 있다.
㉣ 복잡한 실제 모습을 간단하게 나타낸다.

11 땅의 높낮이를 평평한 지도 위에 표현하는 방법으로 알맞은 것은 어느 것입니까? (　　　)

① 기호　② 범례　③ 등고선　④ 방위표　⑤ 축척 막대자

12 다음과 같은 산의 모양을 등고선으로 나타낸 것으로 알맞은 것을 보기 에서 골라 기호를 쓰시오.

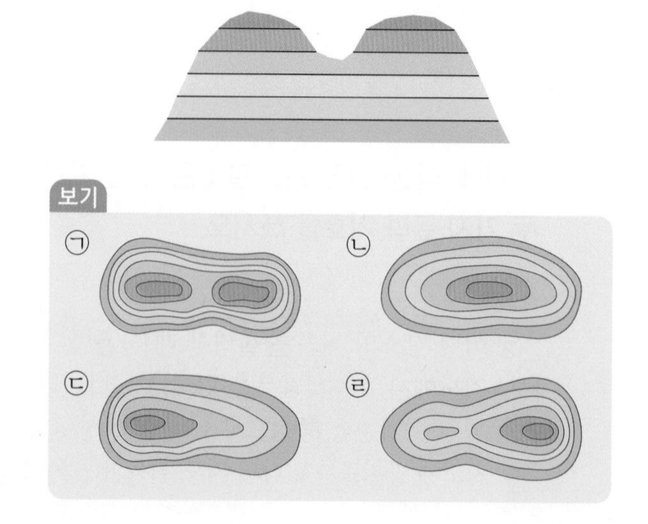

13 **지도에서 땅의 높낮이를 알 수 있는 방법으로 알맞은 것은 어느 것입니까?** (　　　)

① 색깔로 땅의 높낮이를 알 수 있다.
② 색깔이 진할수록 땅의 낮은 부분이다.
③ 등고선과 색깔로 산이 얼마나 넓은 곳에 걸쳐 있는지 알기 어렵다.
④ 높은 산을 위에서 내려다보면 땅의 높낮이를 한눈에 쉽게 알 수 있다.
⑤ 등고선은 땅의 높낮이를 알기 위해 땅의 높이가 서로 다른 곳을 연결한 것이다.

14 **다음 그림과 같이 지도를 바탕으로 빠른 길을 찾아 주는 프로그램이 무엇인지 쓰시오.**

15 **다음과 같이 지도의 윤곽과 경계만 표시한 지도는 무엇인지 쓰시오.**

워드 클라우드와 함께하는 서술형 문제

[16-17] 워드 클라우드의 단어를 이용하여 서술형 문제의 답을 쓰시오.

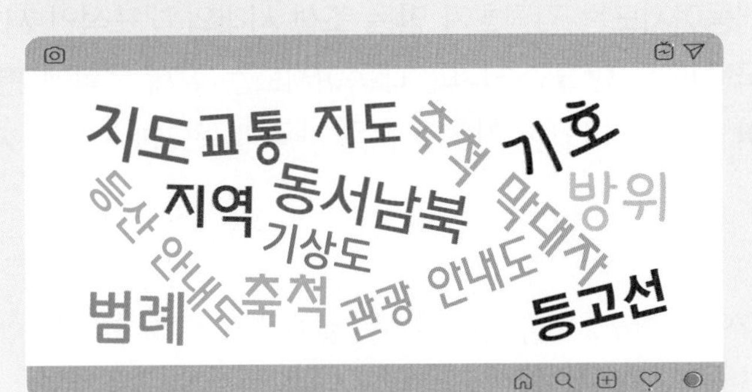

16 **다음 우리 지역의 지도를 읽고 방위를 이용해 다양한 장소의 위치를 서술하시오.**

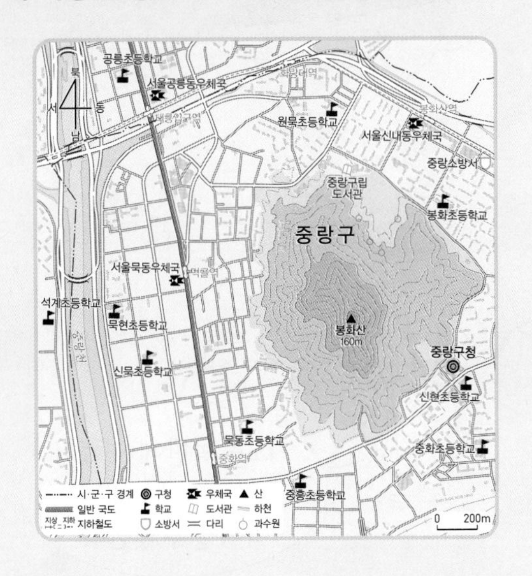

17 **우리 생활에서 지도가 필요한 상황과 그때 사용하는 지도를 서술하시오.**

대동여지도

대동여지도는 김정호가 만든 조선 시대의 대표적인 지도입니다. 김정호는 옛 지도와 지리서를 참고하여 전국 지도를 만들었습니다. 대동여지도는 실제 생활에 편리하게 활용할 수 있도록 10리(약 4km)마다 점을 찍어 놓았고, 다양한 기호와 선을 사용해 중요한 지형과 지역을 표시했답니다.

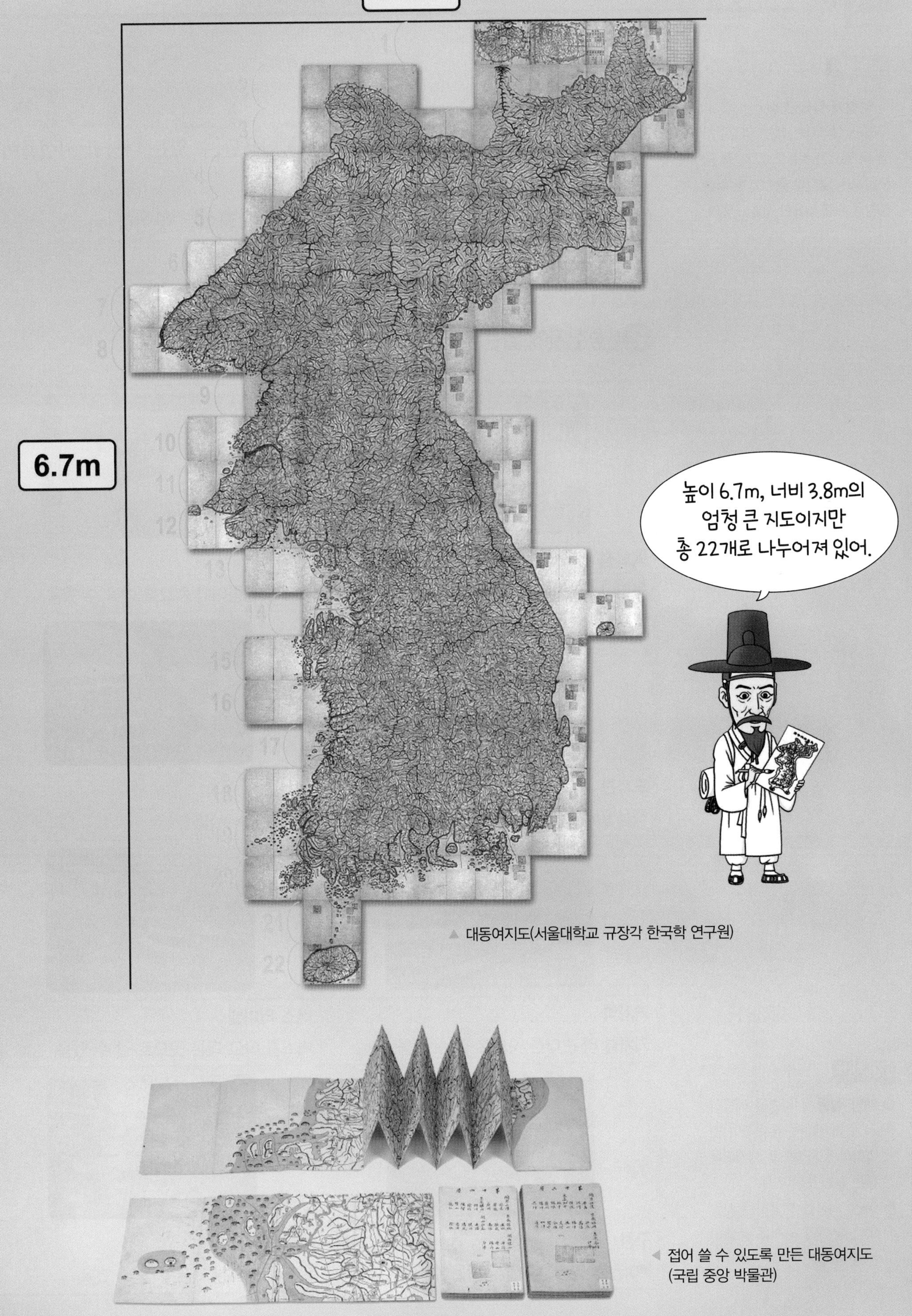

▲ 대동여지도(서울대학교 규장각 한국학 연구원)

◀ 접어 쓸 수 있도록 만든 대동여지도 (국립 중앙 박물관)

필요한 것을 구하려면 어디로 가야 할까요?

보충 ❶

◉ **생활에 필요한 것**
우리가 살아가는 데는 의식주처럼 꼭 필요한 것들도 있고, 꼭 필요하지는 않지만 즐겁고 편리한 생활을 위해 필요한 것들도 있다.

1 중심지의 의미

(1) 사람들이 생활에 필요한 것을 구하거나 이용할 수 있는 다양한 시설들이 모여 있는 곳이다. 보충 ❶

(2) 사람들이 어떤 일이나 활동을 하기 위해 많이 모이는 곳이다.

2 중심지에 있는 다양한 시설 속 시원한 활동 풀이

	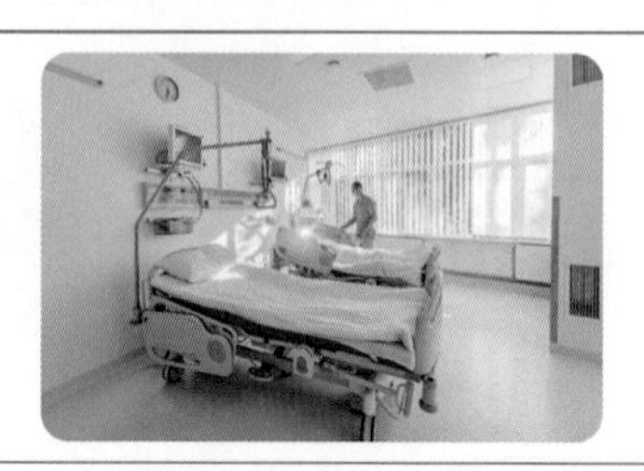
백화점 옷이나 다양한 물건을 살 수 있음.	**병원** ❶예방 접종이나 치료를 받을 수 있음.
	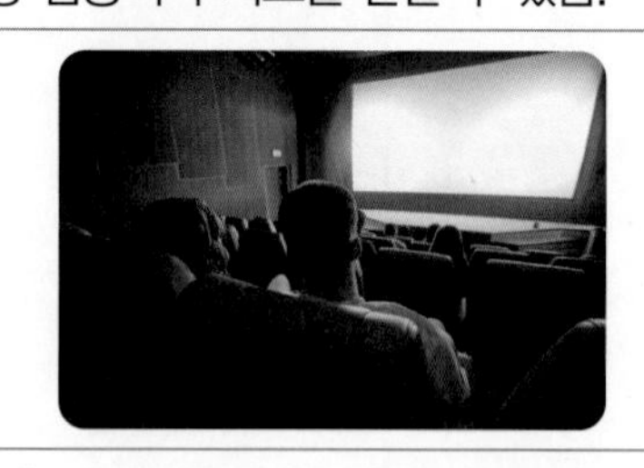
도서관 책을 읽고 빌릴 수 있음.	**영화관** 영화를 볼 수 있음.

기차역 기차를 타고 다른 곳으로 갈 수 있음.	**버스 터미널** 버스를 타고 다른 곳으로 갈 수 있음.

구청 ❷여권 등의 서류를 발급받을 수 있음.	**시장** 음식에 필요한 재료를 살 수 있음.

용어 사전

❶ **예방 접종**: 전염병을 예방하기 위해 백신을 투여하여 면역력이 인공적으로 생기도록 하는 일을 뜻한다.

❷ **여권**: 외국을 여행하는 사람의 신분이나 국적을 증명하는 문서이다.

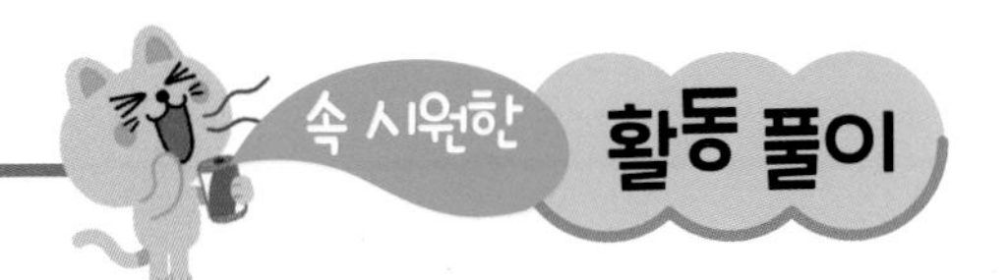

교과서 34~35쪽

다 함께 활동

왼쪽 그림의 사람들이 필요한 것을 구하거나 이용하려면 어디로 가야 하는지 그림에서 찾아 ○표를 하고, 그곳에서 무엇을 할 수 있는지 적어 봅시다.

정답과 해설 3쪽

1 **사람들이 어떤 일이나 활동을 하기 위해 모이는 곳이 무엇인지 쓰시오.** (   )

2 **내용이 맞으면 ○표, 틀리면 ×표를 선택하시오.**

(1) 시장에 가면 음식에 필요한 재료를 살 수 있습니다. (○ , ×)

(2) 다른 지역에 가는 버스를 타기 위해 기차역에 갑니다. (○ , ×)

(3) 병원에서는 예방 접종을 할 수 있습니다. (○ , ×)

탐구해요

중심지는 어떤 모습일까요?

보충 ❶

◉ **거리 보기 기능**
디지털 영상 지도의 거리 보기 기능과 다양한 지도 애플리케이션에서 제공하는 거리뷰 기능을 활용하면 직접 가 보지 않아도 쉽게 중심지의 모습을 확인할 수 있다.

❶ 중심지의 특징

(1) 중심지와 중심지가 아닌 곳의 모습 비교하기

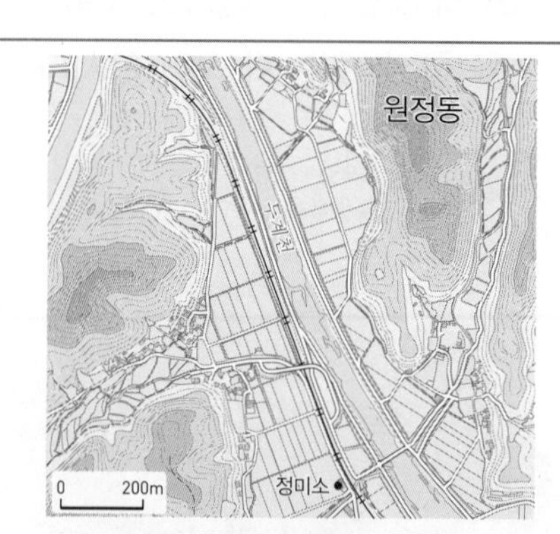

중심지인 곳의 모습	중심지가 아닌 곳의 모습
• 크고 높은 건물들이 많이 있음. • 길이 넓고 복잡함.	• 논밭이 보이고, 집의 높이가 낮음. • 산이 있고 한가로워 보임.

(2) 중심지의 특징

① 다양한 상점들이 모여 있고, 시청, 교육청, 경찰청 같은 기관이 있다.
② 사람들이 많이 모여 복잡하다.
③ 길이 넓고 자동차들이 많이 있다.
④ 기차역이나 지하철역, 버스 터미널과 같은 다양한 교통 시설이 있다.

❷ 우리 고장 중심지의 모습

(1) **중심지의 모습을 살펴보는 방법:** 지도, ❶디지털 영상 지도, 사진 등을 활용해 살펴볼 수 있다.

(2) 우리 고장 중심지의 모습 알아보기 속 시원한 **활동 풀이** 보충 ❶

❶ 중심지에 가 본 경험을 이야기하고, 지도를 이용해 중심지의 위치를 찾아본다.
❷ 지도의 기호와 범례를 보고 중심지에 어떤 장소가 있는지 살펴본다.
❸ 디지털 영상 지도를 이용해 중심지의 실제 모습을 확인한다.
❹ 중심지 모습의 특징을 찾아 친구들과 이야기해 본다.

용어 사전

❶ **디지털 영상 지도**: 인공위성이나 항공기에서 찍은 사진을 이용해 만든 지도이다.

교과서 36~37쪽

우리 고장 중심지의 모습을 알아봅시다.

1 중심지에 가 본 경험을 이야기하고, 지도를 이용해 중심지의 위치를 찾아봅니다.

예 • 가족과 함께 백화점에 가 본 적이 있습니다. • 영화관에 가서 친구들과 함께 영화를 봤습니다.

2 지도의 기호와 범례를 보고 중심지에 어떤 장소가 있는지 살펴봅니다.

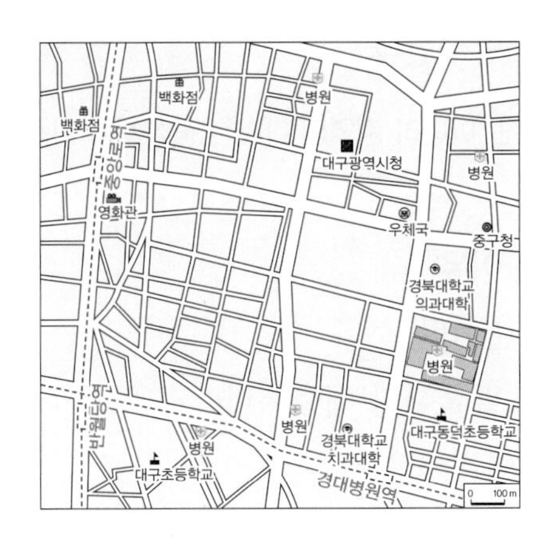

예 시청, 구청, 우체국, 병원, 초등학교, 대학교, 백화점, 영화관, 지하철역 등이 있습니다.

3 디지털 영상 지도를 이용해 중심지의 실제 모습을 확인합니다.

예 길이 크고 복잡하고 다양한 건물들이 모여 있습니다.

4 중심지 모습의 특징을 찾아 친구들과 이야기해 봅니다.

예 • 고장의 중심지에는 다양한 상점이 많이 있습니다.
• 고장의 중심지에는 시청, 구청, 우체국 등 다양한 기관이 있습니다.

중심지의 위치와 주요 장소를 알아볼 때 필요한 자료는 (지도 / 통계)입니다. (지도)

확인 톡! 톡!

정답과 해설 3쪽

1 서로 관련 있는 내용끼리 바르게 선으로 연결하시오.

(1) 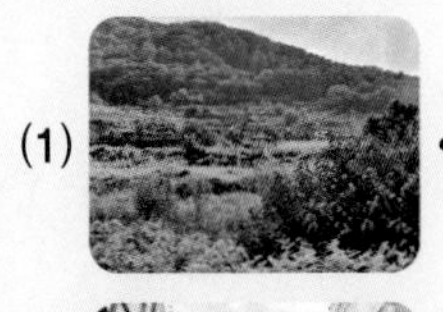 • • ㉠ 중심지인 곳 • • ⓐ 높은 건물들이 많고 상점과 병원, 식당 등이 모여 있습니다.

(2)  • • ㉡ 중심지가 아닌 곳 • • ⓑ 집들이 몇 채 보이고 자연환경이 많습니다.

지역의 중심지는 어디일까요?

보충 ❶

◉ 산업 단지

산업 시설과 그 산업 시설에서 일하는 사람들을 위한 다양한 시설을 집단적으로 짓기 위해 계획적으로 개발한 구역이다.

1 고장 사람들이 찾는 지역의 중심지

(1) 고장 사람들이 찾는 다양한 중심지 ㉰ 대전광역시 서구 속 시원한 활동 풀이

① 고장인 서구에 있는 백화점에 옷을 사러 간다.

② 다른 고장인 대덕구에 있는 대덕 산업 단지로 출근한다.

③ 다른 고장인 중구에 있는 야구장에 야구 경기를 보러 간다.

④ 다른 고장인 동구에 있는 기차역에서 기차를 타고 다른 지역에 간다.

⑤ 다른 고장인 유성구에 있는 온천을 방문한다.

내용+ 고장 사람들은 우리 고장의 중심지뿐만 아니라 지역의 다양한 중심지를 이용한다.

(2) 고장 사람들이 다양한 중심지를 찾는 이유

① 지역에는 다양한 중심지가 있기 때문이다.

② 사람들이 살아가는 데 다양한 것이 필요하기 때문이다.

③ 필요한 기능을 제공하는 중심지가 여러 곳 있기 때문이다.

④ 우리 고장의 중심지에서는 원하는 것을 구하거나 이용할 수 없기 때문이다.

2 중심지의 기능

(1) 다양한 중심지의 기능

❶행정의 중심지	• 행정에 관련된 일을 처리할 수 있음. • 시청, 경찰서, 법원 등이 있음.
교통의 중심지	• 기차, 버스 등을 이용해 다른 고장이나 지역으로 이동할 수 있음. • 기차역, 버스 터미널 등이 있음.
❷상업의 중심지	• 옷, 식재료, 생필품 등 우리 생활에 필요한 물건을 살 수 있음. • 전통 시장, 백화점, 상점 등이 있음.
❸산업의 중심지	• 물건을 만드는 등 다양한 일을 할 수 있음. • 공장, 산업 단지, 회사 등이 있음. 보충 ❶
관광의 중심지	• 유명한 관광지나 다양한 문화유산을 볼 수 있음. • 유적지, 놀이공원 등이 있음.

(2) 다양한 중심지의 기능을 통해 알 수 있는 점

① 지역에는 지역의 환경이나 주민들의 생활 양식을 반영한 다양한 중심지가 있다.

② 중심지마다 모습과 기능이 다르다.

③ 다양한 중심지를 통해 지역의 전체적인 특징을 알 수 있다.

내용+ 각 중심지는 하나의 기능을 하기도 하고 여러 기능을 하기도 한다.

용어 사전

❶ **행정**: 정부가 나라를 다스리기 위해서 하는 여러 가지 일이나 사무를 뜻한다.

❷ **상업**: 상품을 사고파는 행위를 통해 이익을 얻는 일을 뜻한다.

❸ **산업**: 사람의 생활을 경제적으로 풍요롭게 하기 위해 물건이나 서비스를 생산하는 사업을 뜻한다.

교과서 38~41쪽

그림 속 고장 사람들이 가려고 하는 중심지 위치를 오른쪽 지도에서 찾아 붙임 딱지를 붙이고 화살표로 연결해 봅시다.

부모님께 드릴 선물을 사러 백화점에 가야겠어요.

가족과 함께 유성 온천에 갈 거예요.

주말에 야구를 보러 갈 거예요.

내일 기차를 타고 출장을 가야 해요.

와, 합격했어요. 이제 대덕 산업 단지로 출근해요.

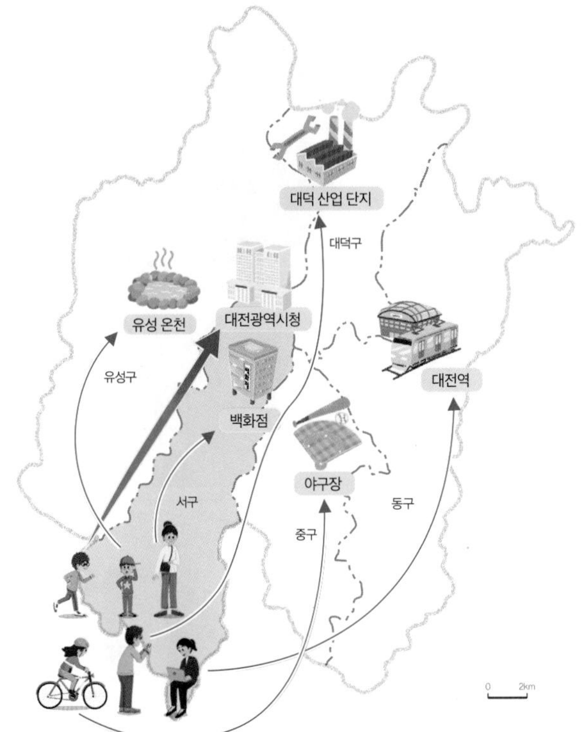

고장 사람들은 우리 고장의 중심지만을 이용합니다. (○, ×) (×)

확인 톡! 톡!

1 다음 문장에 해당하는 중심지의 기능을 보기에서 골라 기호를 쓰시오.

보기
㉠ 행정 ㉡ 교통 ㉢ 상업 ㉣ 산업 ㉤ 관광

(1) 시청, 법원 등에서 행정에 관련한 일을 처리할 수 있습니다. ( )
(2) 시장, 백화점 등이 있어 필요한 물건을 살 수 있습니다. ( )
(3) 버스 터미널 등이 있어 다른 지역을 갈 때 사람들이 모입니다. ( )
(4) 지역의 유명한 관광지나 문화유산을 보기 위해 사람들이 갑니다. ( )
(5) 물건을 만드는 공장이나 회사에 사람들이 일하려고 모입니다. ( )

우리 지역의 중심지를 조사해 볼까요?

보충 ❶

◉ **답사**
중심지의 실제 모습을 확인할 수 있는 좋은 방법이지만 중심지의 거리가 멀 경우 답사하는 것이 어려울 수 있다. 그럴 때는 디지털 영상 지도의 위성 사진, 거리 보기 기능 등을 이용해 직접 가지 않고도 중심지의 여러 모습을 확인할 수 있다.

1 지역의 중심지를 조사하는 방법

	**관련 자료 찾아보기** • 지역이 소개된 책이나 신문, 지도 등을 살펴보기 • 가능한 많은 자료를 찾아 꼼꼼하게 읽고 정리하기
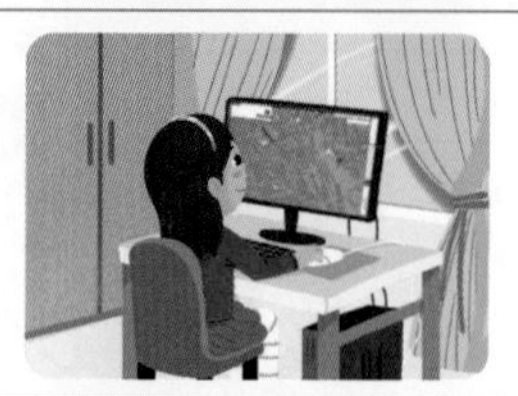	**인터넷 찾아보기** • 인터넷을 활용해 조사하고자 하는 지역의 위성 사진이나 디지털 영상 지도 살펴보기 • 공공 기관 누리집을 방문하기
	**직접 물어보기(❶면담 조사)** • 선생님이나 지역을 잘 아는 사람을 직접 만나 의견 물어보기 • 질문할 내용을 미리 정리하기
	**직접 찾아가기(답사)** 보충 ❶ • 지역의 중심지에 직접 찾아가서 중심지의 모습을 자세히 살펴보기 • 중심지에 가서 무엇을 조사할지 미리 정하기

내용+ 지역의 중심지와 관련된 질문지를 만들어 많은 사람을 대상으로 ❷설문 조사를 해볼 수도 있다.

2 우리 지역 중심지 조사

(1) 중심지 찾기 속 시원한 활동 풀이

① 우리 지역에 어떤 중심지가 있는지 찾아본다.

② 행정, 교통, 상업, 산업, 관광 등 다양한 기능을 중심으로 생각해 본다.

(2) 중심지 조사하기

① 지도를 이용해 중심지의 위치를 조사한다.

② 중심지에 있는 시설, 사람들이 중심지를 찾는 까닭 등 중심지의 기능을 조사한다.

③ 직접 답사하거나 디지털 영상 지도의 거리 보기 기능을 이용해 중심지의 모습을 조사한다.

(3) 조사한 내용 정리하기

① 조사하면서 알게 된 중심지의 위치, 기능, 모습 등을 정리한다.

② 중심지를 나타낸 그림이나 사진을 함께 정리한다.

용어 사전

❶ **면담**: 서로 만나서 이야기하는 것을 뜻한다.

❷ **설문**: 조사를 하거나 자료를 얻기 위해 어떤 주제에 대해 물어보는 문제이다.

교과서 42~43쪽

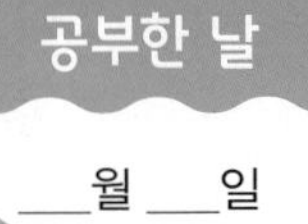

___월 ___일

지역화 다 함께 활동

우리 지역의 중심지를 조사해 봅시다.

1 중심지 찾기 예 **관광의 중심지:** 대전광역시 유성구

2 중심지 조사하기

• **위치** 예

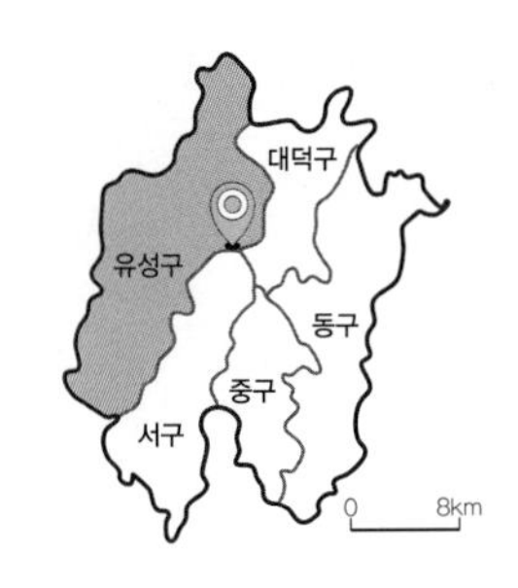

• **기능:** 예 유성구에는 유성 온천, 엑스포 공원 등의 유명한 관광지가 있어 사람들이 여가를 즐기고 관광을 하기 위해 옵니다.

• **모습:** 예 높고 큰 건물이 모여 있고, 주변에 음식점, 가게 등이 많았습니다.

3 조사한 내용 정리하기 예

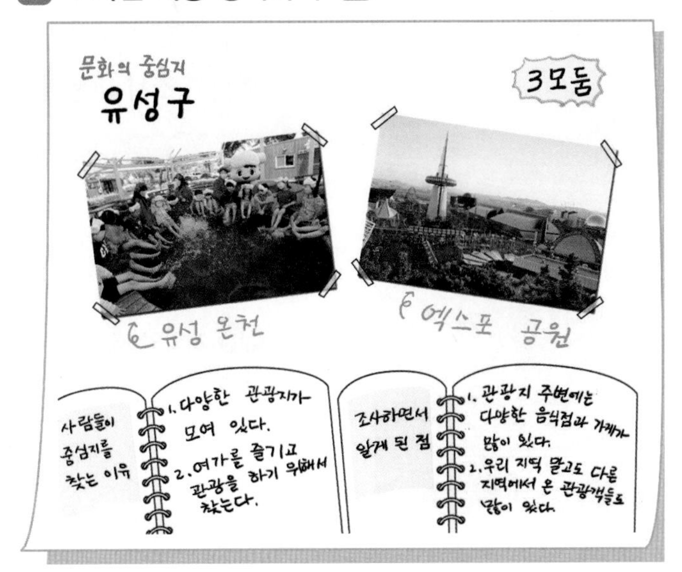

책, 신문, 인터넷, 답사 등을 통해 우리 지역 □□□을/를 조사할 수 있습니다. (중심지)

확인 톡! 톡!

정답과 해설 3쪽

1 **중심지에 직접 찾아가 중심지의 모습을 자세히 살펴보는 것이 무엇인지 쓰시오.** (   )

2 **빈칸에 들어갈 알맞은 말을 보기 에서 골라 기호를 쓰시오.**

보기

㉠ 위치   ㉡ 기능   ㉢ 모습

(1) 중심지에는 어떤 □□이/가 있는지 알아보기 위해서는 중심지에 어떤 시설이 있는지, 사람들이 중심지를 찾는 까닭이 무엇인지 조사합니다. (   )

(2) 우리가 조사하는 중심지의 □□이/가 어디인지 알아보기 위해서는 지도를 이용해 중심지의 □□을/를 찾을 수 있습니다. (   )

(3) 중심지는 어떤 □□일지 알아보기 위해서는 직접 찾아가거나 디지털 영상 지도의 거리 보기 등을 이용해 봅니다. (   )

우리 지역 중심지의 특성을 발표해 볼까요?

보충 ❶

◉ **중심지의 변화**

이전에 중심지가 아니었던 곳도 교통과 통신의 발달이나 대규모 개발로 인해 새로운 중심지가 될 수 있다. 반대로 중심지였던 곳이 중심지의 기능을 잃을 수도 있다.

▲ 세종시의 과거 모습

▲ 세종시의 현재 모습

❶ 우리 지역의 중심지 조사 내용 발표

(1) 발표할 내용 정리하기 보충 ❶

① 중심지의 위치

② 사람들이 중심지를 방문하는 까닭

③ 중심지의 모습

④ 중심지를 조사하면서 새롭게 알게 된 점

(2) 중심지 조사 내용 발표하기 속 시원한 활동 풀이

❶ 칠판 가운데에 우리 지역 지도를 붙인다.
❷ 지난 시간에 만든 조사 자료를 칠판에 붙여 발표한다.
❸ 발표한 내용으로 우리 지역의 특성을 정리한다.

내용+ 지역의 지도나 백지도를 활용해 각 기능의 중심지를 지도에 표시하면 우리 지역의 특성을 한눈에 볼 수 있다.

❷ 중심지 조사 내용 발표를 통해 알 수 있는 점

(1) 우리 지역에 있는 여러 기능의 중심지와 각 중심지의 위치를 알 수 있다.

(2) 우리 지역에서 행정, 교통, 상업, 산업, 관광 등이 발달한 곳을 알 수 있다.

(3) 중심지의 모습이 어떠한지 알 수 있다.

활동 도우미 ❶병풍책 만들기

❶ 종이를 바깥쪽으로 반 접습니다.

❷ 종이를 왼편과 오른편을 각각 안쪽으로 반 접습니다.

❸ 종이를 펼쳐 위쪽에 '우리 지역의 특성'이라고 제목을 씁니다.

❹ 중심지의 기능에 따라 4개의 면에 나누어 조사 내용을 적습니다.

❺ 가장 왼쪽 면의 뒷면에 지역의 지도를 붙여 중심지의 위치를 표시합니다.

❻ 접은 선에 따라 종이를 접어 병풍책을 완성합니다.

용어 사전

❶ **병풍**: 바람을 막거나 무엇을 가리기 위해 또는 장식용으로 방 안에 치는 물건이다.

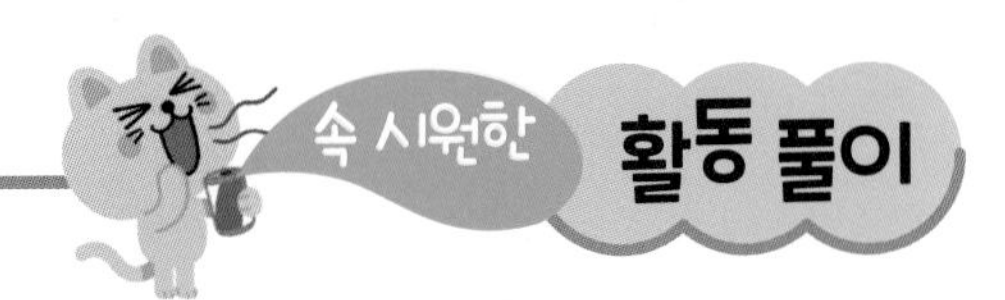

교과서 44~45쪽

우리 지역의 다양한 중심지

예

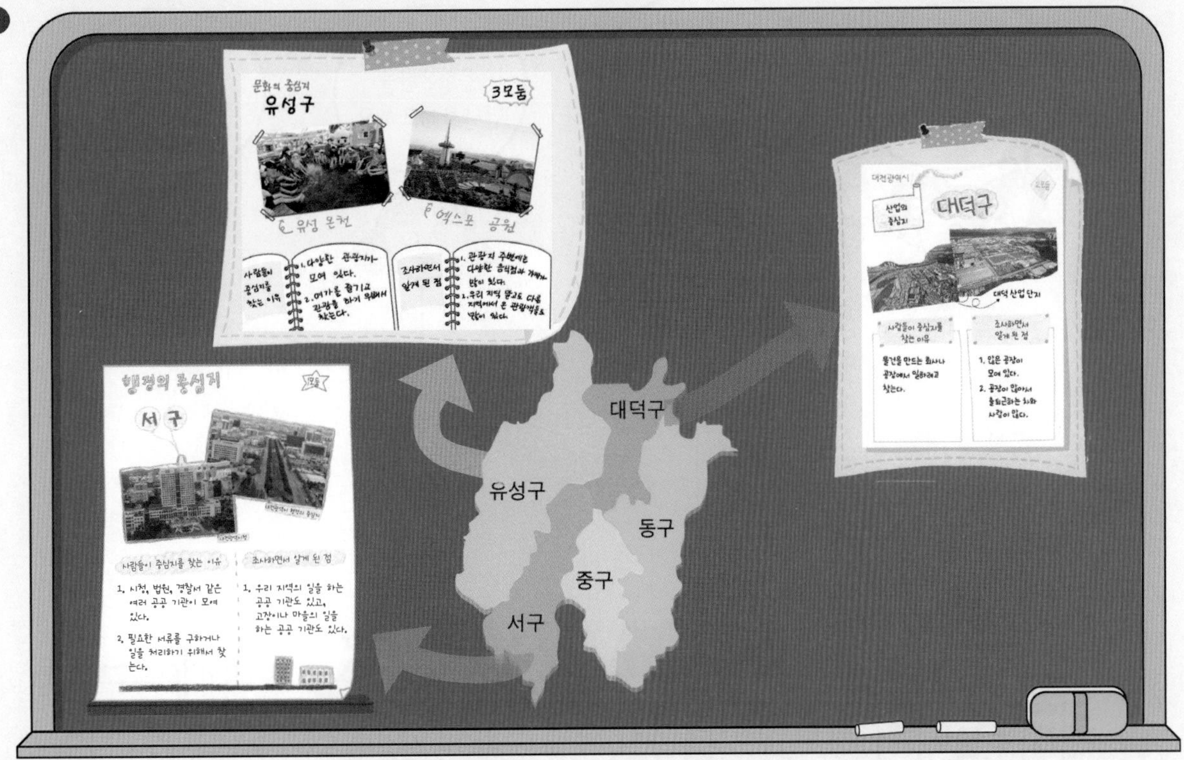

우리 지역의 특성	예 우리 지역에는 다양한 중심지가 있습니다. 다양한 행정 기능이 모여 있는 서구가 있고, 산업 단지가 모여 있어 산업의 중심지인 대덕구도 있습니다. 엑스포 공원과 유성 온천이 있는 유성구는 관광을 하기 위해 사람들이 모여듭니다. 우리 지역에는 다양한 중심지가 있어 사람들이 편리하게 이용하고 있습니다.

정답과 해설 3쪽

1 **우리 지역 중심지의 특성을 정리하는 방법을 순서대로 기호를 쓰시오.**

㉠ 발표한 내용으로 우리 지역의 특성을 정리합니다.
㉡ 칠판 가운데에 우리 지역 지도를 붙입니다.
㉢ 지난 시간에 만든 조사 자료를 칠판에 붙여 발표합니다.

( )

'우리 지역의 중심지'에서 배운 내용을 떠올리며 사람들이 필요한 것을 구하려면 어떤 중심지에 가야 하는지 선을 연결해 봅시다.

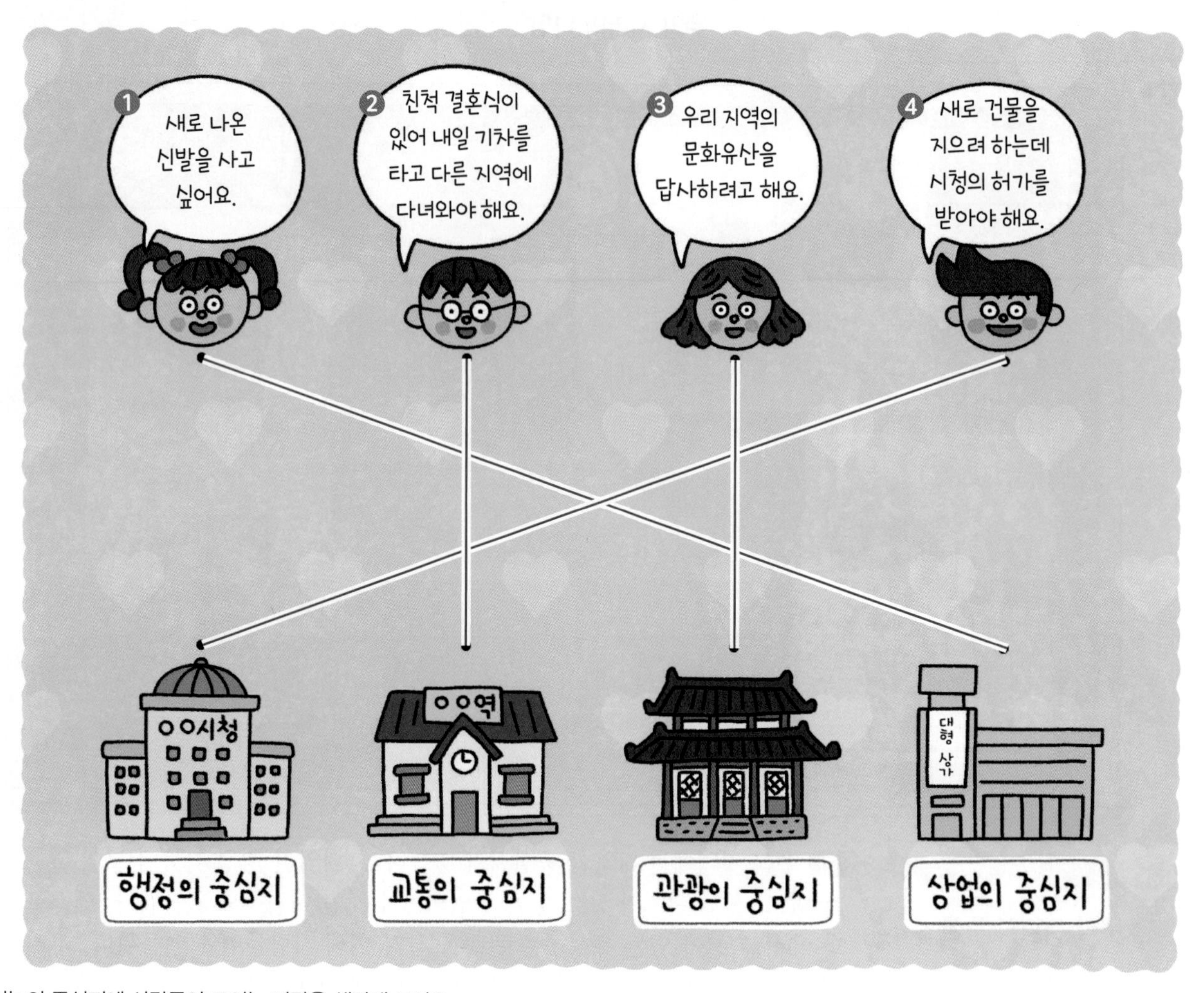

각 기능의 중심지에 사람들이 모이는 까닭을 생각해 보아요.

핵심 꿀꺽 질문

중심지란 무엇인가요?

고장 사람들이 여러 지역의 중심지를 이용하는 까닭은 무엇인가요?

지역에는 어떤 기능의 중심지들이 있을까요?

1 **다음 글에서 설명하는 것으로 알맞은 것은 어느 것입니까?** (　　　)

> 고장에는 사람들이 필요한 것을 구하거나 이용할 수 있는 다양한 시설들이 모여 있는 곳이 있습니다. 이처럼 사람들이 어떤 일이나 활동을 하기 위해 모이는 곳을 말합니다.

① 병원　② 기차역　③ 도서관
④ 백화점　⑤ 중심지

2 **다음 가족의 대화를 보고 이번 주말에 방문할 곳을 보기에서 모두 골라 기호를 쓰시오.**

보기
㉠ 구청　㉡ 병원　㉢ 기차역
㉣ 도서관　㉤ 백화점　㉥ 영화관

중요

3 **사람들이 필요한 것을 구하거나 이용할 수 있는 시설에 대한 설명으로 알맞지 않은 것은 어느 것입니까?** (　　　)

① 병원에서는 다양한 책을 볼 수 있다.
② 영화를 보기 위해 영화관을 이용한다.
③ 보건소에서는 예방 접종을 할 수 있다.
④ 음식에 필요한 재료를 사기 위해 시장에 간다.
⑤ 다른 지역으로 이동하기 위해 기차역이나 버스 터미널을 찾는다.

4 **다음 사진과 같은 장소에 대한 설명으로 알맞은 것은 어느 것입니까?** (　　　)

① 높은 건물이 많다.
② 다양한 상점과 병원, 식당이 모여 있다.
③ 산 아래 높이가 낮은 집들이 몇 채 있다.
④ 시청과 구청, 경찰청 등 다양한 기관이 있다.
⑤ 사람들이 필요한 것을 구하기 위해 찾는다.

5 **지도와 같은 중심지에서 볼 수 있는 시설을 쓰시오.**

6 **우리 고장 중심지의 모습을 알아보는 방법으로 알맞지 않은 것은 어느 것입니까?** (　　　)

① 지도를 이용해 중심지의 위치를 찾는다.
② 중심지에 가 본 경험을 서로 이야기한다.
③ 통계 자료로 중심지의 위치를 알 수 있다.
④ 디지털 영상 지도를 이용해 중심지의 실제 모습을 확인한다.
⑤ 지도의 기호와 범례를 보고 중심지에 어떤 장소가 있는지 살펴본다.

중요

7 다음 사진을 보고 중심지의 특징으로 알맞은 것을 보기에서 두 가지 골라 기호를 쓰시오.

보기

㉠ 복잡하게 보인다.
㉡ 논과 밭이 보인다.
㉢ 산이 있고 집들이 몇 채 있다.
㉣ 길이 넓고 자동차가 많이 있다.

8 빈칸에 공통으로 들어갈 말로 알맞은 것은 어느 것입니까? (　　　)

우리 지역에는 다양한 □□의 중심지가 있습니다. 어떤 중심지에는 여러 □□이 섞여 있기도 합니다.

① 교통　② 관광
③ 기능　④ 산업
⑤ 행정

9 시장, 백화점 등 필요한 물건을 사려는 사람들이 모이는 중심지로 알맞은 것은 어느 것입니까? (　　　)

① 교통의 중심지　② 관광의 중심지
③ 산업의 중심지　④ 상업의 중심지
⑤ 행정의 중심지

10 중심지에 대한 설명으로 알맞은 것을 보기에서 모두 골라 기호를 쓰시오.

보기

㉠ 지역마다 크고 작은 중심지가 있다.
㉡ 고장 사람들이 지역의 중심지를 찾는 까닭은 다양하다.
㉢ 우리 고장의 사람들은 다른 지역의 중심지를 이용하지 않는다.
㉣ 사람들이 필요한 물건을 구하거나 시설을 이용하기 위해 중심지를 찾는다.

11 다음 사진과 같은 모습을 볼 수 있는 중심지로 알맞은 것은 어느 것입니까? (　　　)

① 교육의 중심지　② 교통의 중심지
③ 문화의 중심지　④ 산업의 중심지
⑤ 상업의 중심지

12 중심지에 사람들이 모이는 까닭으로 알맞지 않은 것은 어느 것입니까? (　　　)

① 일을 하기 위해 산업의 중심지에 간다.
② 상업의 중심지에는 물건을 사거나 팔기 위해 모인다.
③ 지역의 유명한 관광지나 문화유산을 보기 위해 관광의 중심지에 모인다.
④ 시청, 경찰서 등에서 관련된 일을 처리하기 위해 교육의 중심지를 찾는다.
⑤ 다른 지역으로 이동하기 위해 기차역이나 버스 터미널과 같은 교통의 중심지를 찾는다.

13 중심지의 위치를 살펴보는 데 필요한 것으로 알맞은 것을 보기 에서 골라 기호를 쓰시오.

보기
㉠ 기호 ㉡ 범례 ㉢ 지도
㉣ 축척 ㉤ 등고선

____

14 지역의 중심지를 조사하는 방법으로 알맞지 않은 것은 어느 것입니까? ( )

① 인터넷을 활용해 조사한다.
② 지역을 잘 아는 어른들에게 여쭤본다.
③ 선생님께 우리 지역에 대해 질문한다.
④ 현장에 직접 찾아가 조사하지 않는다.
⑤ 지역이 소개된 책이나 신문을 살펴본다.

15 지역의 중심지를 조사하는 과정을 순서대로 기호를 쓰시오.

㉠ 중심지 찾기
㉡ 중심지 조사하기
㉢ 조사한 내용 정리하기

____

16 다음은 지역의 중심지를 조사해 정리한 것입니다. 어떤 특징을 정리한 것인지 보기 에서 골라 기호를 쓰시오.

우리 지역의 중심지인 대전광역시청은 주변에 높은 건물이 많고 다양한 상점이 있습니다.

보기
㉠ 기능 ㉡ 모습 ㉢ 위치

____

워드 클라우드와 함께하는 서술형 문제

[17-18] 워드 클라우드의 단어를 이용하여 서술형 문제의 답을 쓰시오.

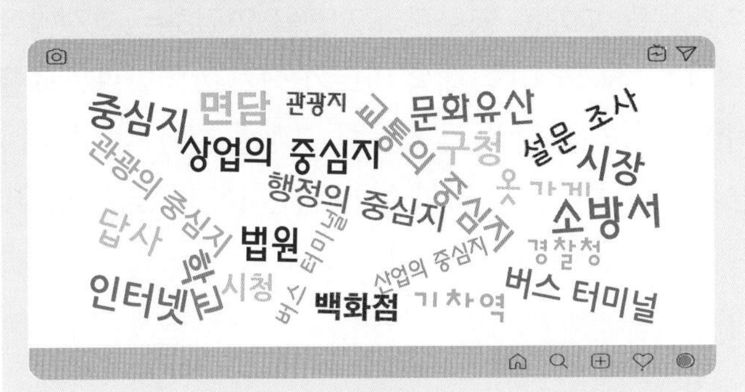

17 우리 지역 중심지를 조사하는 방법을 한 가지 서술하시오.

- **조사할 중심지:** 대전광역시청
- **조사 방법:** ______________
- **조사할 내용:** 대전광역시청의 위치, 기능, 모습

____

____

18 다음 발표 자료를 보고 동구가 어떤 기능의 중심지인지 쓰고, 이와 같은 중심지에 가면 이용할 수 있는 시설을 서술하시오.

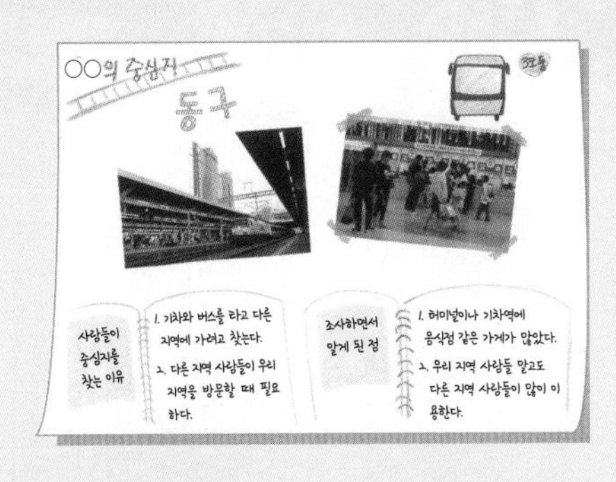

____

____

다시 살아난 중심지

춘천 육림 고개는 영화관과 시장을 연결하는 고갯길로, 다양한 상점이 있어 많은 사람이 모이던 중심지였습니다. 하지만 이후 대형 마트가 생기고 영화관까지 문을 닫으면서 사람들의 발길이 끊기기 시작했습니다. 이렇게 활기를 잃어 가던 육림 고개는 청년 상인들이 자리를 잡고 음식점, 빵집, 사진관, 소품샵 등 다양한 상점을 새로 열면서 다시 살아나기 시작하였습니다. 이제 육림 고개는 청년의 언덕이라고 불리며 많은 관광객이 찾는 곳이 되었답니다.

▲ 육림 고개로 연결되던 영화관의 이름이 육림 극장이었다. 육림 극장에는 일 년에 약 20만 명의 사람들이 영화를 보려고 찾아왔었다.

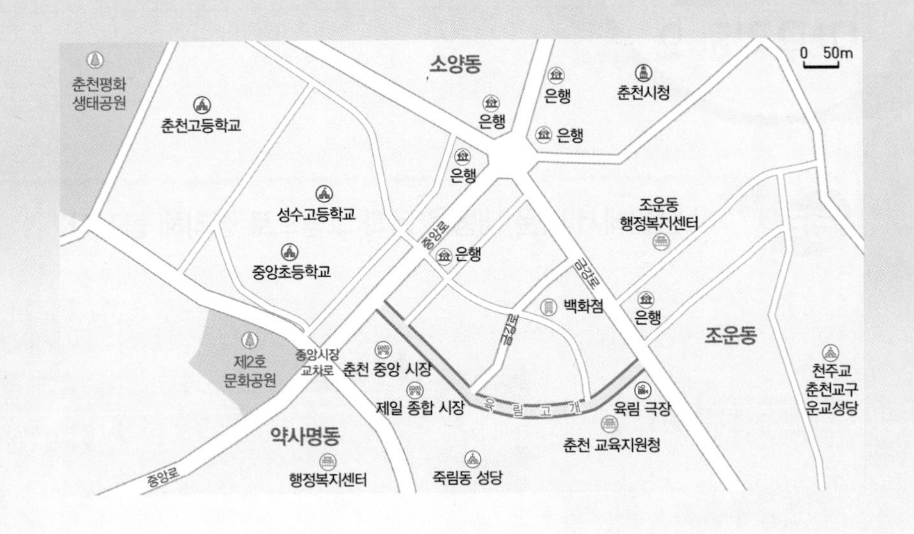
0 50m
소양동
춘천평화 생태공원
춘천고등학교
은행
춘천시청
성수고등학교
중앙초등학교
중앙로
조운동 행정복지센터
금강로
백화점
조운동
제2호 문화공원
중앙시장 교차로
춘천 중앙 시장
제일 종합 시장
육림 고개
육림 극장
천주교 춘천교구 운교성당
약사명동
춘천 교육지원청
행정복지센터
죽림동 성당

가게를 열 때 춘천시청에서 많은 도움을 받았어.
청년 카페
구경할 곳이 많아서 좋다~
육림고개
청년몰
고갯길이 활기를 되찾으니 옛날 생각도 나고 좋구만.
새로 생긴 가게뿐만 아니라 생긴지 오래된 가게들도 함께 섞여 있구나.
육림고개

단원을 마무리해요

1. 지역의 위치와 특성

콕콕 정리 이 단원에서 배운 내용을 글과 그림으로 정리해 봅시다.

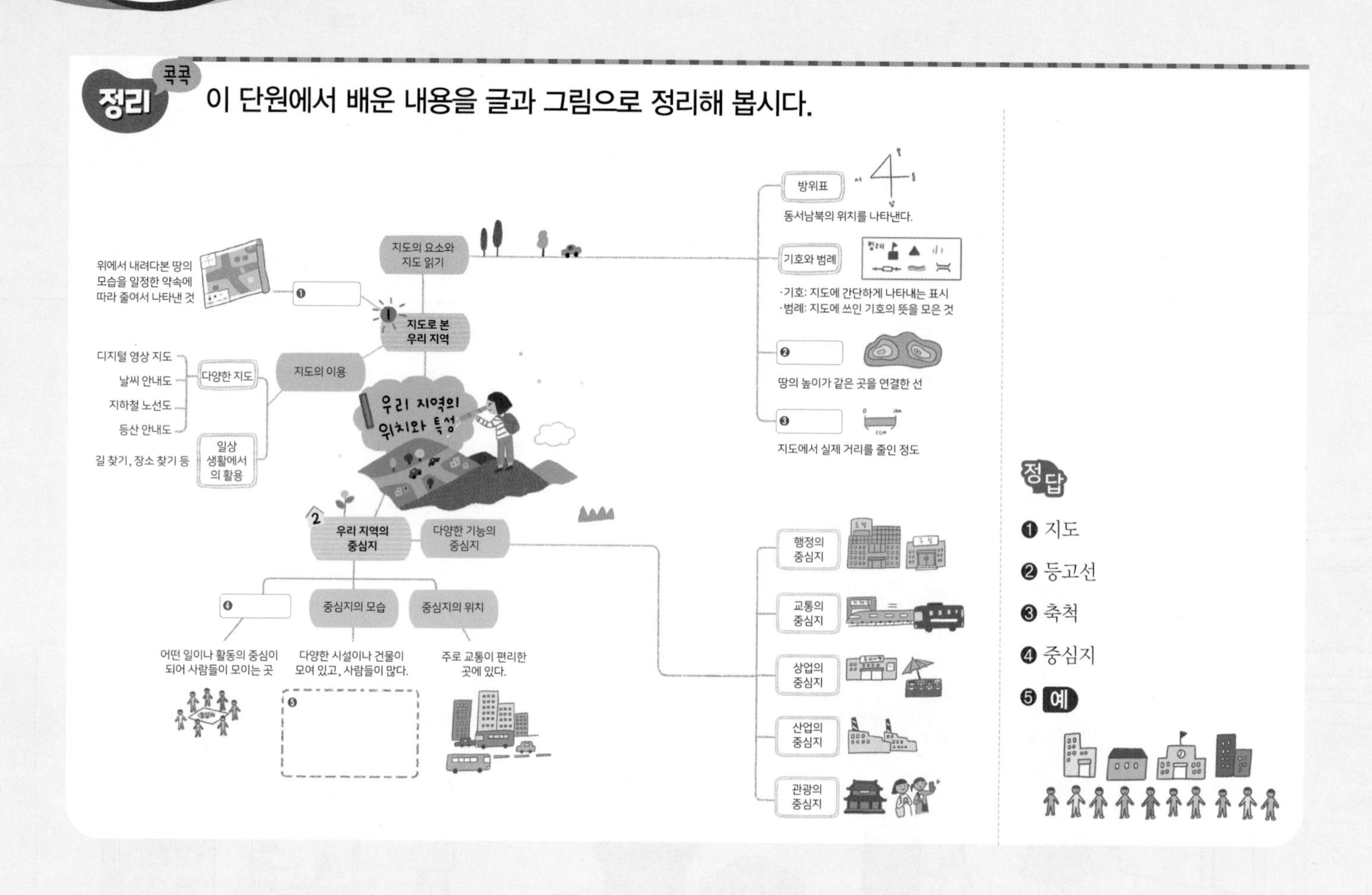

정답

❶ 지도
❷ 등고선
❸ 축척
❹ 중심지
❺ 예

팡팡 창의 지도에 쓰이는 기호와 범례를 만들어 봅시다.

만드는 방법

❶ 그림 속 마을의 장소에 어울리도록 기호를 만들어 봅니다.

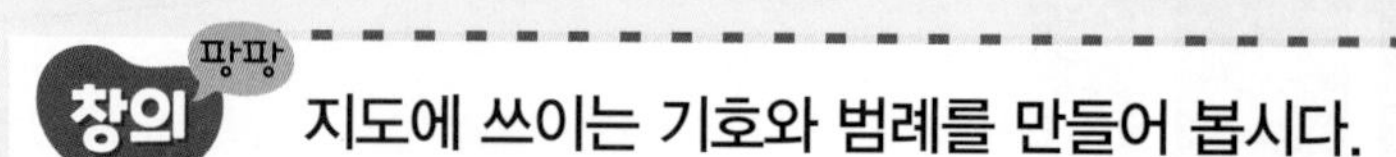

예

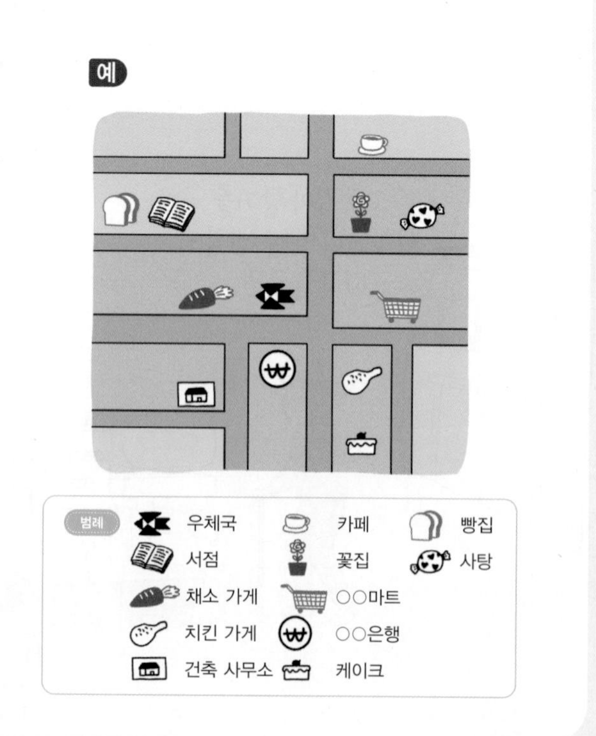

세상 속으로 내가 바라는 중심지 만들기

1단계 바라는 중심지 계획하기

예
- 공원이 많으면 좋겠습니다.
- 어린이 도서관이 가까이에 있으면 좋겠습니다.
- 병원이 가까이에 있어 다니기 편하면 좋겠습니다.
- 맛있는 음식점이 많이 있으면 좋겠습니다.
- 크고 작은 도로가 잘 연결되어 있으면 좋겠습니다.

2단계 중심지 모형 만들기

예

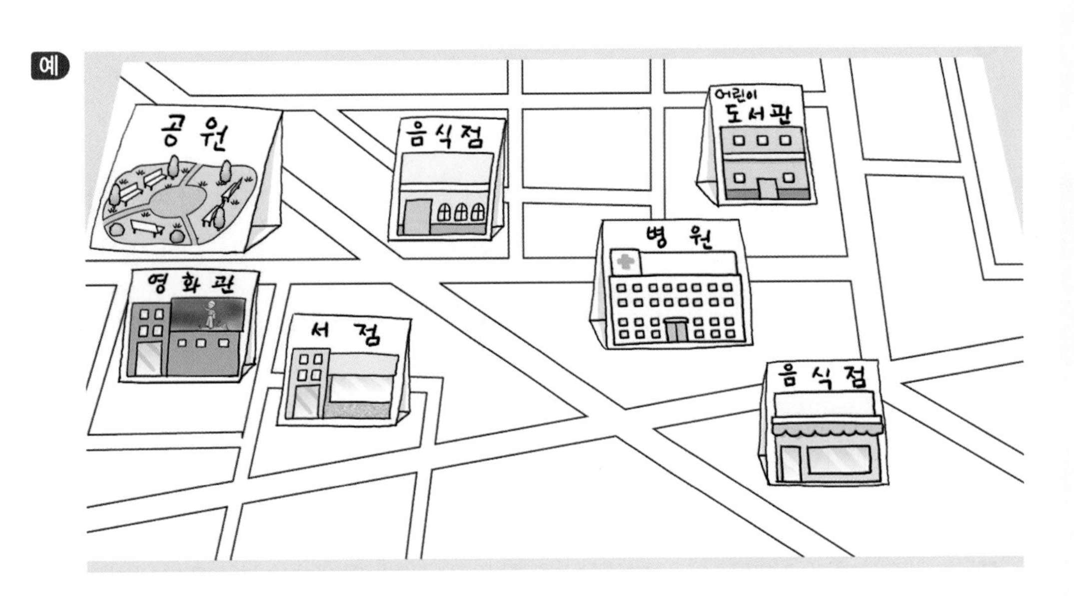

3단계 만든 중심지 소개하기

예 제가 만든 중심지는 생활에 편리한 것들이 모여 있는 중심지입니다. 공원이 많아 언제든지 편하게 휴식할 수 있습니다. 또 학교 가까이에 어린이 도서관이 있어 책을 빌리러 가기에 편리합니다. 큰길 주변에는 병원, 영화관, 음식점 등 다양한 시설이 있어 쉽게 이용할 수 있습니다.

쪽지 시험

정답과 해설 4쪽

1 위에서 내려다본 땅의 모습을 일정한 약속에 따라 줄여서 나타낸 것을 (　　　　)(이)라고 합니다.

2 지도에서 어떤 장소의 위치를 설명할 때는 (방위 / 기호)를 사용합니다. 지도에 (방위표 / 범례)가 없다면 지도의 위쪽이 북쪽입니다.

3 실제 우리 지역의 모습은 매우 복잡하고 한눈에 알아보기 어렵습니다. 이때 사용하는 것이 기호입니다. 기호는 실제 모습을 지도에 간략하게 표현한 것이고, 범례는 기호와 그 의미를 모아 둔 것입니다. (○ , ×)

4 (　　　　)은/는 실제 거리를 지도에 줄인 정도입니다. 이에 따라 같은 크기의 지도라도 나타낼 수 있는 실제 범위가 달라집니다.

5 등고선은 땅의 (높이 / 온도)가 같은 곳을 연결한 선입니다. 등고선을 보면 땅의 높낮이를 알 수 있습니다.

6 우리는 생활 속에서 다양한 지도를 사용합니다. 각 지역의 날씨를 알려 주는 (　　　　), 길을 찾을 때 활용하는 (　　　　), 다양한 등산로를 보여 주는 등산 안내도 등 사용하는 목적에 따라 여러 종류의 지도가 있습니다.

7 지도는 우리가 사는 지역의 위치와 모습 등 다양한 정보를 담고 있습니다. 지도를 활용하면 우리 지역의 (　　　　)을/를 알 수 있습니다.

8 중심지란 사람들이 어떤 일이나 활동을 하기 위해 모이는 곳입니다. 중심지인 곳은 낮은 건물이 듬성듬성 보이며, 중심지가 아닌 곳은 논밭이나 비닐하우스 등을 많이 볼 수 있습니다. (○ , ×)

9 행정, 교통, 상업, 산업, 관광 등 지역마다 다양한 (　　　　)의 중심지가 있습니다. 어떤 중심지는 여러 가지가 섞여 있습니다.

10 지역의 중심지를 조사할 때는 먼저 중심지를 찾고, 중심지에 대해 조사한 후 조사 내용을 정리합니다. 이때 찾아가 직접 보고 조사하는 방법을 (　　　　)(이)라고 합니다.

1 서로 관련 있는 내용끼리 바르게 선으로 연결하시오.

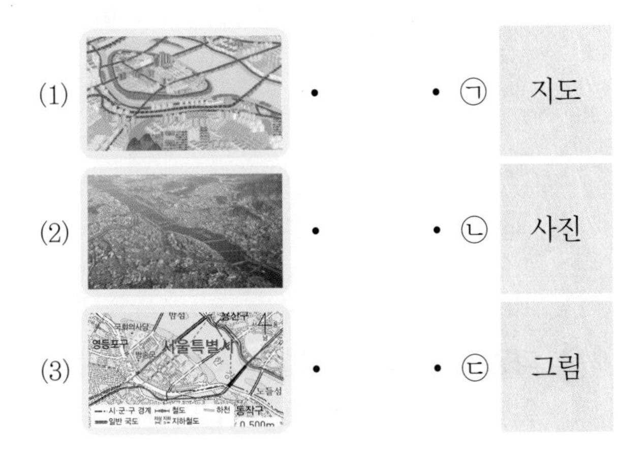

2 빈칸에 들어갈 말로 알맞은 것은 어느 것입니까? (　　)

> 지도를 보면 우리가 사는 지역의 다양한 □□을/를 알 수 있습니다.

① 기호　② 방위　③ 범례
④ 정보　⑤ 지역

3 지도, 그림, 사진에 대한 설명으로 알맞지 않은 것은 어느 것입니까? (　　)

① 사진은 실제 있는 그대로의 모습을 보여 준다.
② 위에서 내려다보고 그린 것은 모두 지도이다.
③ 그림은 그리는 사람에 따라 색과 모양이 다를 수 있다.
④ 지도에는 우리가 살고 있는 땅의 모습과 특징이 나타난다.
⑤ 지도를 보면 어떤 지역, 어떤 고장을 나타낸 것인지 쉽게 알 수 있다.

4 빈칸에 들어갈 알맞은 말을 쓰시오.

> 지도를 바르게 읽기 위해서는 제목, 기호 등과 같은 지도의 □□을/를 알아야 합니다.

5 지도에서 실제 산의 모습을 간단하게 나타낸 기호를 보기에서 골라 기호를 쓰시오.

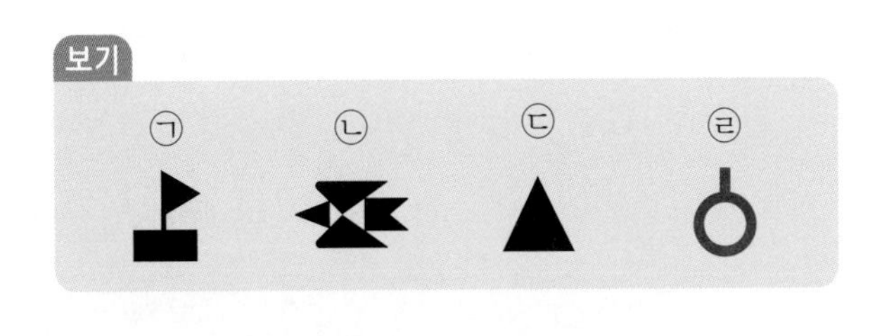

6 다음 그림과 같이 지도의 많은 기호를 한데 모아 그 뜻을 나타낸 것으로 알맞은 것은 어느 것입니까? (　　)

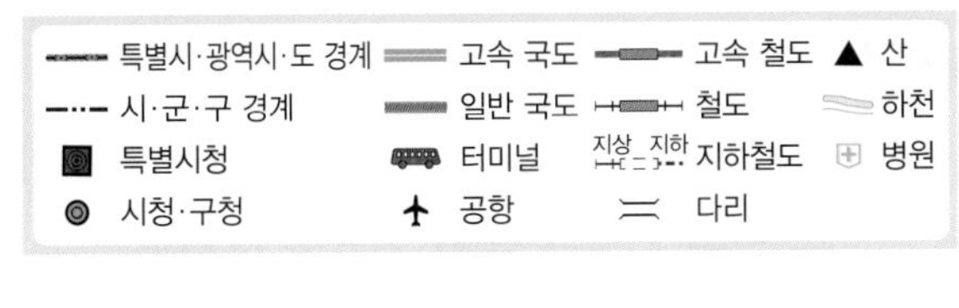

① 방위　② 방향　③ 범례
④ 제목　⑤ 축척

중요

7 축척에 대한 설명으로 알맞은 것은 어느 것입니까? (　　)

① 땅의 높낮이를 알 수 있다.
② 지도에서 실제 거리를 구할 수 있다.
③ 복잡한 실제 모습을 간단하게 나타낸다.
④ 지도에서 동서남북의 방향을 알 수 있다.
⑤ 실제 모습을 위에서 내려다보고 그린 것이다.

8 지도에서 땅의 높낮이를 알기 위해 사용하는 것이 무엇인지 쓰시오.

9 **실제 땅의 모습을 얼마나 줄였는지 알 수 있도록 표시한 것을 다음 지도에서 골라 기호를 쓰시오.**

10 **다음 지도 중에서 더 넓은 지역을 한눈에 살필 수 있는 지도를 골라 기호를 쓰시오.**

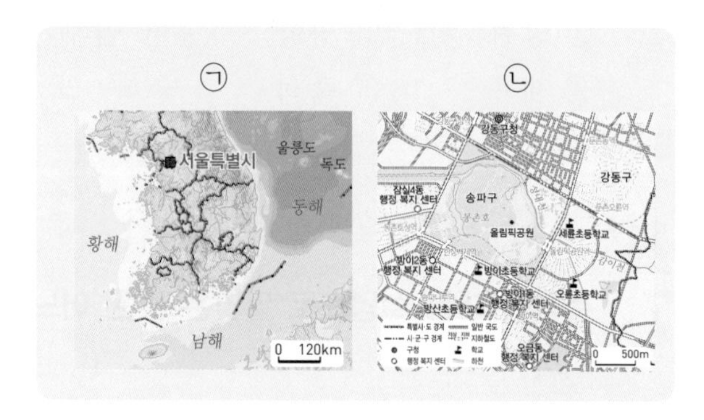

11 **우리가 일상생활에 사용하는 지도 중에서 관광지의 정보를 소개하는 지도로 알맞은 것은 어느 것입니까?** (   )

① 기상도
② 백지도
③ 교통 지도
④ 관광 안내도
⑤ 등산 안내도

12 **다음 글에서 설명하는 것이 무엇인지 쓰시오.**

> 사람들이 필요한 것을 구하거나 이용하려고 찾거나 많이 모이는 곳입니다.

13 **다양한 기관이나 시설에 사람이 모이는 이유로 알맞지 않은 것은 어느 것입니까?** (   )

① 병원에서는 예방 접종을 한다.
② 시장에서는 음식의 재료를 구할 수 있다.
③ 책을 읽거나 빌리기 위해 도서관에 간다.
④ 다른 지역에 가기 위해 기차역을 이용한다.
⑤ 학예회에 입을 옷을 구하러 영화관에 간다.

14 **다음 지도가 나타내는 곳의 특징으로 알맞은 것을 보기 에서 두 가지 골라 기호를 쓰시오.**

보기
㉠ 비닐하우스와 논밭이 많이 보인다.
㉡ 지도와 같은 곳을 중심지라고 한다.
㉢ 물건을 사고파는 상점이 많이 보인다.
㉣ 길이 좁고 사람이 많이 보이지 않는다.
㉤ 산 아래 높이가 낮은 집들이 몇 채 있다.

정답과 해설 4쪽

15 다음 글에서 설명하는 중심지로 알맞은 것은 어느 것입니까? (　　)

> 물건을 만드는 공장이나 회사에서 일하려는 사람들이 많이 모입니다.

① 교통의 중심지　② 관광의 중심지
③ 산업의 중심지　④ 상업의 중심지
⑤ 행정의 중심지

16 사진의 장소와 중심지의 기능을 바르게 연결한 것은 어느 것입니까? (　　)

① 법원, 구청-교통의 중심지
② 법원, 구청-산업의 중심지
③ 백화점, 시장-교육의 중심지
④ 백화점, 시장-상업의 중심지
⑤ 백화점, 시장-행정의 중심지

17 사람들이 중심지를 찾는 이유로 알맞은 것을 보기에서 두 가지 골라 기호를 쓰시오.

보기
㉠ 교통의 중심지는 물건을 사고팔러 간다.
㉡ 상업의 중심지는 다른 고장이나 지역으로 이동하기 위해 찾는다.
㉢ 관광의 중심지는 여가를 보내거나 유적지를 관람하기 위해 방문한다.
㉣ 행정의 중심지는 여권 발급 등 우리 생활에 필요한 서류와 일을 처리하러 간다.

18 중심지를 조사할 때 서로 관련 있는 내용끼리 바르게 선으로 연결하시오.

(1)	직접 가서 중심지를 살펴본다.	• • ㉠	위치
(2)	지도를 이용해 조사한다.	• • ㉡	기능
(3)	사람들이 중심지를 찾는 까닭 등을 조사한다.	• • ㉢	모습

19 우리 지역의 중심지를 조사하는 방법으로 알맞지 않은 것은 어느 것입니까? (　　)

① 직접 찾아가 자세히 보고 기록한다.
② 중심지를 가 본 경험은 사용하지 않는다.
③ 선생님이나 지역을 잘 아는 어른께 여쭤본다.
④ 우리 지역이 소개된 책이나 신문을 찾아본다.
⑤ 인터넷에서 우리 지역의 위성 사진을 찾아본다.

20 다음과 같은 기능을 보이는 중심지와 관련이 적은 곳은 어느 것입니까? (　　)

① 공장　② 법원
③ 시청　④ 경찰서
⑤ 우체국

[1-3] **다음 지도를 보고 물음에 답하시오.**

1 **위 지도에서 가장 높은 곳을 찾아 쓰고, 땅의 높낮이를 어떻게 알 수 있는지 서술하시오.**

2 **위 지도에서 공릉초등학교와 서울공릉동우체국의 실제 거리를 구하는 방법을 실제 거리를 포함하여 서술하시오.**

3 **위 지도를 읽고 알 수 있는 우리 지역의 정보를 두 가지 이상 서술하시오.**

[4-6] **우리 지역 중심지를 조사한 내용을 보고 물음에 답하시오.**

4 **위 지도를 보고 대덕구의 위치적 특징을 서술하시오.**

5 **대덕구와 같은 산업의 중심지에 있는 시설을 쓰고, 사람들이 모이는 까닭을 서술하시오.**

(1) 시설:

(2) 사람들이 모이는 까닭:

6 **우리 지역의 중심지를 조사할 때 활용할 수 있는 방법을 두 가지 이상 서술하시오.**

2 우리가 알아보는 지역의 역사

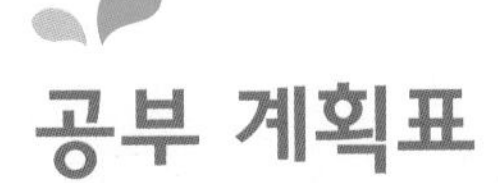

공부 계획표

- 자신의 일정에 맞게 계획을 세워 보고, 실제 학습일을 적어 봅시다.
- 학습을 마무리한 후 얼마나 학습 목표를 달성했는지 스스로 점검해 봅시다.

공부할 내용		쪽수	계획일	달성
	단원 열기 우리가 알아보는 지역의 역사	56~59쪽	월 일	◯
1 우리 지역의 문화유산	문화유산에는 무엇이 있을까요?	60~61쪽	월 일	◯
	지역을 대표하는 유형 문화유산에는 무엇이 있을까요?	62~63쪽	월 일	◯
	지역의 무형 문화유산에는 무엇이 있을까요?	64~65쪽	월 일	◯
	우리 지역의 문화유산을 조사해 볼까요?	68~69쪽	월 일	◯
	우리 지역의 문화유산 소개 자료를 전시해 볼까요?	70~71쪽	월 일	◯
	즐겁게 정리해요, 주제 톡톡 문제	72~75쪽	월 일	◯
2 우리 지역의 역사적 인물	누가 역사적 인물일까요?	78~79쪽	월 일	◯
	지역에는 어떤 역사적 인물이 있을까요?	80~81쪽	월 일	◯
	지역의 역사적 인물을 조사해 볼까요?	82~83쪽	월 일	◯
	우리 지역의 역사적 인물에 대해 조사한 내용을 정리해 볼까요?	84~85쪽	월 일	◯
	우리 지역의 역사적 인물을 소개해 볼까요?	86~87쪽	월 일	◯
	즐겁게 정리해요, 주제 톡톡 문제	88~91쪽	월 일	◯
단원 마무리	단원을 마무리해요, 쪽지 시험	94~96쪽	월 일	◯
	단원 톡톡 문제, 서술형 톡톡 문제	97~100쪽	월 일	◯

단원 열기 2 우리가 알아보는 지역의 역사

타임머신으로 변신한 큐리봇을 타고 과거로 왔어요. 사라진 지역의 소중한 보물을 찾아볼까요?

교과서 52~55쪽

내가 간 곳에는
탈춤을 추는 사람이
갑자기 사라졌대.

내가 간 곳은
임금님께 바치기로
한 도자기가 없어졌어.

나는 성곽에 갔는데,
이 지역을 지키는 장군님이
사라져서 난리가 났었어.

나는 유명한 절에 갔는데,
사람들이 소원을 빌던
불상이 없어져서
스님들이 울상이었어.

이런, 지역의 소중한
보물들이 없어졌구나!
분명 지역 곳곳에 숨어 있을 거야.
우리 같이 찾아보자!

교과서 53~54쪽

사회랑 놀아요 지역의 소중한 보물을 찾아라!

? **지역의 문화유산과 역사적 인물이 사라진다면 어떤 일이 일어날지 상상해 봅시다.**

예 • 지역에서 옛날 사람들이 즐기던 춤을 알 수 없습니다.
• 지역을 대표하는 문화유산을 볼 수 없습니다.

도움 지역 사람들의 이야기를 바탕으로 사라진 보물을 찾아 보아요.

교과서 55쪽

이 단원에서 나는

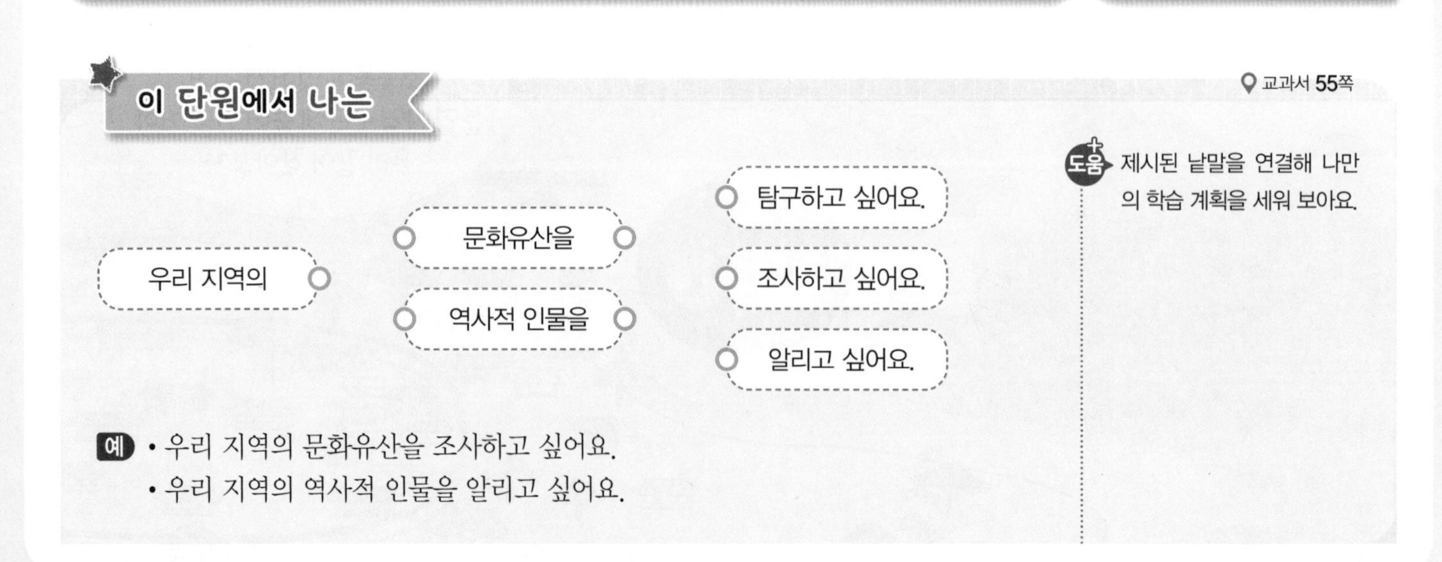

예 • 우리 지역의 문화유산을 조사하고 싶어요.
• 우리 지역의 역사적 인물을 알리고 싶어요.

도움 제시된 낱말을 연결해 나만의 학습 계획을 세워 보아요.

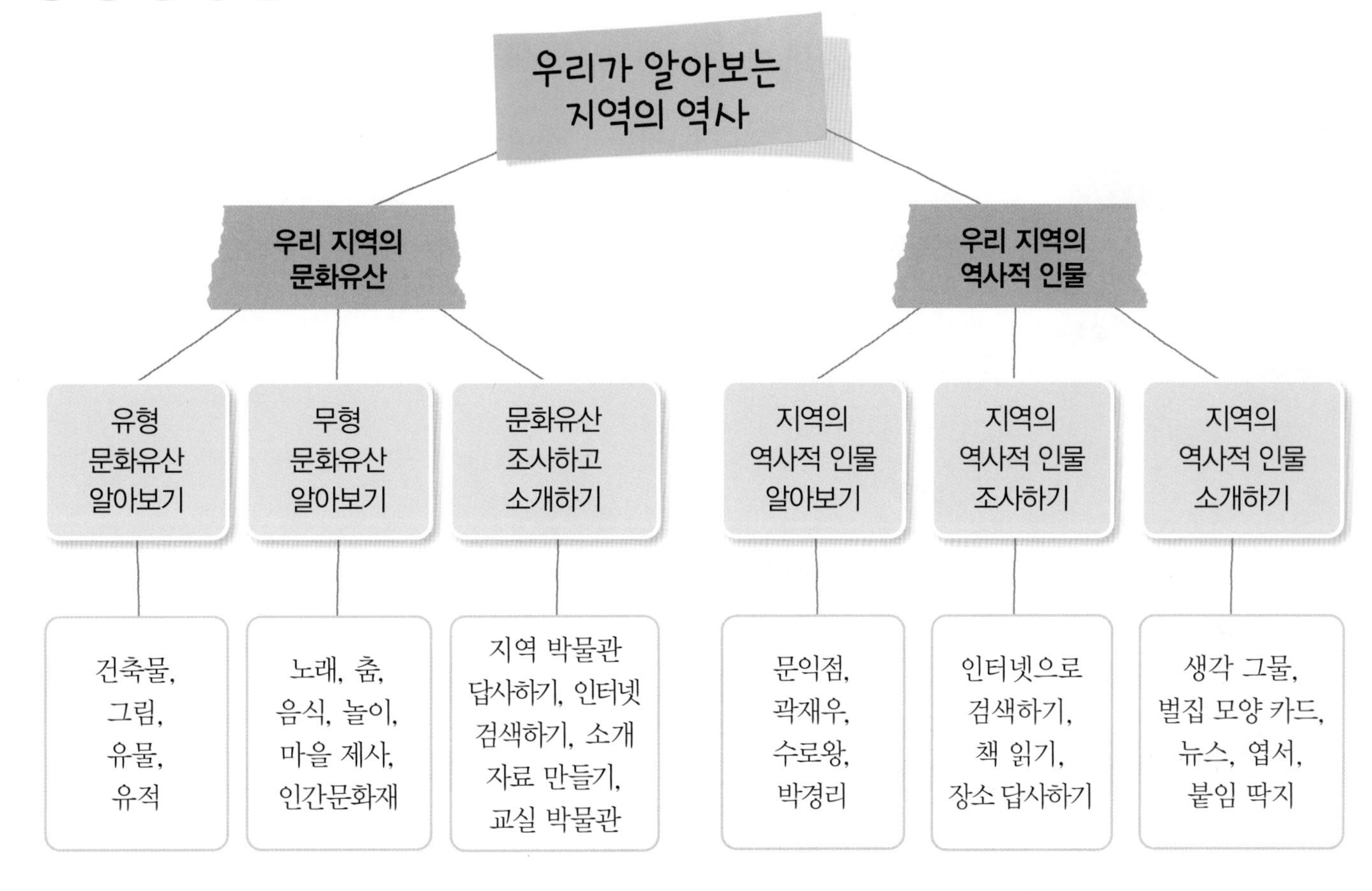

- 우리 지역에 있는 문화유산을 통해 지역의 역사와 특징을 알 수 있어요.
- 우리 지역과 관련된 역사적 인물의 삶을 통해 지역의 역사를 이해할 수 있어요.

미리 맛보는 핵심 용어

❶ 문(文)	화(化)	재(財)
글월 문	될 화	재물 재

❶ 문화 활동에 의해 창조된 가치가 뛰어난 사물을 말합니다.

❷ 역(歷)	사(史)
지날 역	사기 사

❷ 사람들이 살아가는 사회 변화의 과정 또는 그 기록을 말합니다.

❸ 인(人)	물(物)
사람 인	물건 물

❸ 당대의 인물로 뛰어난 사람을 말합니다.

문화유산에는 무엇이 있을까요?

보충 ❶

◉ 유형 문화유산: 서울 숭례문

조선 시대 한양 도성의 정문으로, 우리나라의 대표적인 유형 문화유산이다.

보충 ❷

◉ 무형 문화유산: 종묘 제례악

조선 시대 역대 왕과 왕비에게 제사를 지낼 때 무용과 노래, 악기를 사용하여 연주하는 음악으로, 우리나라의 대표적인 무형 문화유산이다.

1 문화유산의 의미

(1) **문화유산**: 옛날부터 전해지는 것 중에 잘 보존해 다음 세대에 물려줄 만한 가치가 있는 것이다.

(2) **문화유산을 통해 알 수 있는 것**: 그 지역의 역사와 ❶전통문화를 알 수 있다.

2 문화유산의 사례 속 시원한 활동 풀이

(1) 문화유산의 종류

❷유형 문화유산	오래된 건축물이나 그림처럼 형태가 있는 것 보충 ❶
❸무형 문화유산	음악 연주나 제작 기술처럼 형태가 없는 것 보충 ❷

(2) 박물관에서 볼 수 있는 문화유산

▲ 옛날 사람들이 사용했던 오래된 물건

▲ 야외 전시장의 탑과 ❹석상

▲ 판소리 공연

▲ 풍물놀이

내용+ 우리나라의 대표적인 박물관으로 국립 중앙 박물관(서울특별시), 국립 민속 박물관(서울특별시) 등이 있다.

용어 사전

❶ **전통**: 어떤 공동체에서 옛날부터 전하여 내려오는 생각이나 행동 등을 뜻한다.

❷ **유형**: 형상이나 형체가 있는 것들을 말한다.

❸ **무형**: 형상이나 형체가 없는 것들을 말한다.

❹ **석상**: 돌을 조각하여 만든 사람이나 동물의 형상이다.

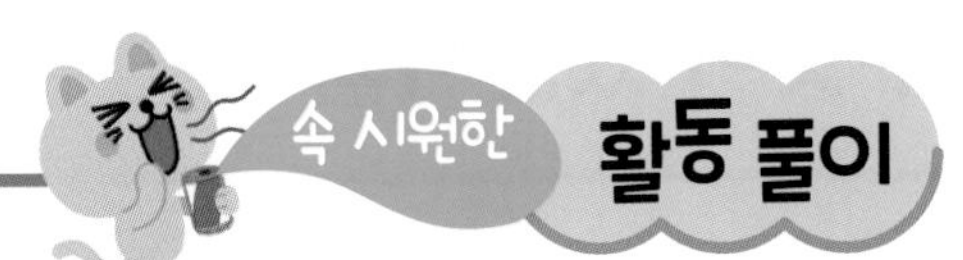

교과서 56~57쪽

지역화 다 함께 활동

1 문화유산을 직접 본 경험을 친구들과 이야기해 봅시다.

예 • 우리 지역의 박물관에서 옛날 사람들의 생활 도구를 보았습니다.
• 가족들과 공연장에 가서 판소리를 감상했습니다.

2 그림에서 유형 문화유산과 무형 문화유산을 찾아 붙임 딱지를 붙여 봅시다.

정답과 해설 7쪽

1 오래된 건축물이나 그림처럼 형태가 있는 문화유산을 나타내는 말이 무엇인지 쓰시오.
( )

2 음악 연주나 제작 기술처럼 형태가 없는 문화유산을 나타내는 말이 무엇인지 쓰시오.
( )

3 문화유산을 통해 알 수 있는 것이 무엇인지 두 가지 쓰시오. ( )

탐구해요

지역을 대표하는 유형 문화유산에는 무엇이 있을까요?

1 유형 문화유산의 의미

(1) **유형 문화유산:** 유물과 유적 등 옛날 사람들이 남긴 오래된 흔적이다. 보충 ❶

(2) **유형 문화유산으로 알 수 있는 것:** 지역의 역사, 옛날 사람들의 생활 모습 등을 알 수 있다.

2 우리 지역의 유형 문화유산 (속 시원한 활동 풀이)

	**고인돌**(인천광역시 강화군) 큰 돌로 만든 옛날 사람들의 무덤으로, 이 지역에 아주 먼 옛날부터 사람이 살았다는 사실을 알 수 있음. 보충 ❷
	**백제 금동 대향로**(국립 부여 박물관) 충청남도 부여군 능산리 절터에서 발견된 백제의 ❶향로로, 부여군은 백제의 옛 수도였기 때문에 백제와 관련된 문화유산이 많음. 보충 ❸
	**무령왕릉**(충청남도 공주시) 충청남도 공주시 금성동의 송산에 있는 백제 제25대 무령왕과 왕비의 무덤으로, 공주시는 백제의 옛 수도였기 때문에 백제와 관련된 문화유산이 많음.
	**양동 마을**(경상북도 경주시) 경상북도 경주시에 있는 역사 마을로, 같은 성씨의 사람들이 수백 년 동안 모여 살아 조선의 전통문화가 잘 유지되고 있음.
	**하회 마을**(경상북도 안동시) 경상북도 안동시에 있는 역사 마을로, 오래된 기와집과 초가집이 잘 보존되어 있어 다양한 전통문화를 경험할 수 있음.
	**군산 ❷근대 문화유산 거리**(전라북도 군산시) 백여 년 전 군산시의 항구를 중심으로 형성된 마을로, 당시 중심지의 모습을 상상해 볼 수 있음.
	**익산 근대 역사관**(전라북도 익산시) 백여 년 전 익산시의 모습을 알려 주는 역사관으로, 당시 사람들의 생활 모습을 알 수 있음.

보충 ❶

◉ **유물과 유적**
유물은 현재까지 남아 있는 옛날 물건, 유적은 옛날 사람들이 지은 건축물 또는 역사적 사건이 일어난 곳이다.

보충 ❷

◉ **고인돌**
고인돌이라는 명칭은 납작한 돌덩이 밑에 돌을 고인 모습을 하고 있어서 붙여졌다.

보충 ❸

◉ **백제**
삼국 시대에 지금의 경기도, 충청도, 전라도 일대에 있던 나라로, 지금의 부여와 공주를 수도로 삼았다.

용어 사전

❶ **향로:** 향을 피우는 데 사용하는 기구이다.

❷ **근대:** 얼마 지나지 않은 가까운 과거의 시대를 말한다.

우리 지역을 대표하는 유형 문화유산 중 하나를 정하여 소개해 봅시다.

- 문화유산 이름: 예 남산 한옥 마을
- 소개한 까닭: 예 지역의 전통문화가 잘 남아 있기 때문입니다.

유형 문화유산으로 지역의 역사와 옛날 생활 모습을 알 수 있습니다. (○, ×) (○)

정답과 해설 7쪽

1 **인천광역시에 남아 있는 문화유산으로, 먼 옛날 사람들의 무덤을 나타내는 말이 무엇인지 쓰시오.**

( )

2 **빈칸에 들어갈 알맞은 말을 써 봅시다.**

충청남도 공주시는 백제의 옛 수도였기 때문에 백제와 관련된 문화유산이 많이 남아 있습니다. 이곳에서 백제의 왕과 왕비인 무덤인 □□□□을/를 볼 수 있습니다.

( )

탐구해요

지역의 무형 문화유산에는 무엇이 있을까요?

1 무형 문화유산의 특징

(1) **무형 문화유산:** 사람들의 풍속이 담긴 노래와 춤, 음식, 놀이, 마을 제사 등이다.

(2) **무형 문화유산으로 알 수 있는 것:** 지역의 자연환경이나 사람들의 생활 등을 알 수 있다.

(3) **무형 문화유산의 전수:** 무형 문화유산은 사람에서 사람으로 전해진다. 보존할 가치가 큰 기술과 ❶예능을 전수받은 사람을 인간문화재라고 한다.

2 우리 지역의 무형 문화유산 (속 시원한 활동 풀이)

전통 예술		전라북도는 「춘향가」와 같은 판소리가 유명하며 이 지역에서는 세계 소리 축제가 열림. 판소리에 담긴 이야기를 통해 옛날 사람들의 예술 문화와 삶을 알 수 있음. 보충 ❶
음식 문화		전라남도는 요리 재료가 풍부해 음식 문화가 발달했는데, 특히 남도 의례 음식이라는 한상차림이 유명함. 전라남도의 자연환경과 관련된 전통 음식 문화임. 보충 ❷
놀이 문화		경상북도 안동시에서는 매년 음력 정월 대보름에 차전놀이라는 ❷민속놀이를 함. 고려를 세운 왕건과 후백제를 세운 견훤이 이곳에서 싸운 데서 유래한다는 이야기도 있음.
마을 제사		부산광역시부터 강원도 해안에 이르는 지역에서는 동해안 별신굿이라는 마을 제사를 지냄. 옛날 사람들이 물고기를 많이 잡고, 바다에서 안전하기를 기원하는 마음을 담아 제사를 지냈다는 사실을 알 수 있음.
인간 문화재		충청북도에는 그림과 글씨를 보관할 때 필요한 액자, 병풍 등을 만드는 ❸배첩이 전해지고 있음. 옛날에 그림을 어떻게 보관했는지 알 수 있음.
		충청남도에는 이 모시풀로 섬유를 만드는 한산 모시 짜기가 전해지고 있음. 옛날부터 이 지역에 질 좋은 모시풀이 많이 자랐던 것을 알 수 있음.

보충 ❶

◉ **판소리**

부채를 든 소리꾼이 북을 치고 고수의 북장단에 맞추어 노래(창), 말(아니리), 몸짓(발림)을 섞어 이야기를 엮어 내는 공연을 말한다. 별주부와 토끼의 이야기를 담은 「수궁가」와 남원 지역의 사랑 이야기를 담은 「춘향가」가 잘 알려져 있다.

보충 ❷

◉ **남도 의례 음식**

전라남도의 농산물, 수산물을 재료로 하여 지역 특유의 조리법으로 만든 음식이다.

용어 사전

❶ **예능:** 연극, 무용, 음악, 가요, 대중 연예, 영화, 민속놀이 등을 말한다.

❷ **민속놀이:** 민간에 전해 오는 놀이로, 각 지역의 풍속과 생활 모습이 반영되어 있다.

❸ **배첩:** 그림이나 글씨 등 서화의 뒷면에 종이를 덧붙여 두루마리, 족자, 병풍, 책, 접 등의 다양한 형태로 꾸미는 기법을 말한다.

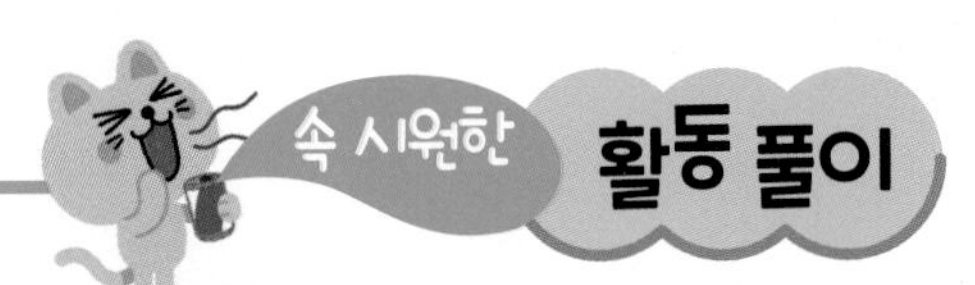

교과서 62~64쪽

앞의 사례들을 참고하여 우리 지역에 전해 오는 무형 문화유산을 친구들과 함께 찾아봅시다.

전통 예술	음식 문화	놀이 문화	마을 제사	인간문화재
예 우리 지역에는 경기 민요라는 전통 음악이 전해 옵니다.	예 우리 지역에는 김치를 보관할 수 있는 옹기를 만드는 옹기장이 전해 옵니다.	예 우리 지역에는 이천 거북놀이라는 민속놀이가 전해 옵니다.	예 우리 지역에는 경기도 도당굿이라는 마을굿이 전해 옵니다.	예 우리 지역에는 각종 현악기를 만드는 악기장이 계십니다.

잠깐! 확인해요

무형 문화유산은 춤, 노래, 음식 등의 형태로 전해지고 있습니다. (○, ×) (○)

정답과 해설 7쪽

1 전라남도에서 발달한 전통 음식 문화로, 이 지역의 자연환경과 관련된 한상차림을 나타내는 말이 무엇인지 쓰시오. ( )

2 빈칸에 들어갈 알맞은 말을 써 봅시다.

무형 문화유산은 사람에서 사람으로 전해집니다. 보존할 가치가 큰 기술과 예능을 전수받은 사람을 □□□□□(이)라고 합니다.

( )

우리 곁으로 돌아온 숭례문

국보 숭례문은 조선 시대에 한양 도성의 남쪽 문으로 사용되었습니다. 숭례문에는 '예(禮)를 존중한다.'라는 뜻이 담겨 있으며, 도성의 남쪽에 있다고 해서 '남대문'이라고도 불렀습니다. 숭례문은 오랜 세월 수도 한양의 수비와 방어를 담당했습니다. 그런데 2008년에 발생한 화재로 숭례문의 일부가 훼손되었습니다. 이후 많은 사람이 오랜 시간 노력을 기울인 끝에 숭례문이 다시 우리 곁으로 돌아올 수 있었습니다.

2008년 2월 10일, 숭례문에 발생한 화재로 숭례문 2층 누각과 1층 지붕 일부가 소실되었습니다.

화재를 진압한 이후 우리나라 최고의 장인들과 학계 전문가들이 모여 숭례문 복구를 위해 노력했습니다.

국민들의 소나무 기증
우리의 소중한 문화유산인 숭례문을 되찾기 위해 많은 국민이 복구 작업에 사용해 달라며 자신의 소나무를 기꺼이 기증했습니다.
복구한 숭례문
약 5년간의 공사 끝에 숭례문을 화재 이전의 모습으로 복구했습니다. 숭례문을 둘러싸고 있었던 성벽도 과거의 모습을 되찾았습니다.

우리 지역의 문화유산을 조사해 볼까요?

보충 ❶

◉ **문화유산을 검색할 수 있는 누리집**

• 국가 문화유산 포털 (http://www.heritage.go.kr/)

• 문화유산 채널 (http://www.k-heritage.tv/)

• 전통문화 포털 (http://www.kculture.or.kr/)

❶ 지역 문화유산 조사 방법 생각하기 속 시원한 활동 풀이

(1) **책 읽기를 통한 문화유산 조사:** 학교나 지역 도서관의 역사 서가에서 문화유산과 관련 있는 책을 찾아본다.

(2) **인터넷을 활용한 문화유산 조사:** 인터넷으로 문화재청이나 지역 문화원의 누리집에 들어가 알아보고 싶은 문화유산의 이름을 검색한다. 보충 ❶

(3) **박물관 [1]답사를 통한 문화유산 조사:** 지역의 박물관을 방문해 우리 지역의 대표적인 문화유산을 살펴본다.

❷ 인터넷으로 문화유산 검색하기

(1) **어린이 · 청소년 문화재청:** 문화유산과 관련된 정보를 어린이의 눈높이에 맞춰 제공하고 있다.

❶ '어린이 · 청소년 문화재청'에 접속하여 우리 지역 문화재를 누른다.
❷ 지도에 원하는 지역을 누른다.
❸ 원하는 문화유산 유형을 선택하여 검색한다.
❹ 더 자세히 알고 싶은 문화유산을 선택하여 관련 내용을 조사한다.

(2) **e 뮤지엄:** 전국의 박물관과 미술관이 [2]소장하고 있는 문화유산 정보를 검색할 수 있다.

❶ 'e 뮤지엄'에 접속하여 소장 기관을 누른다.
❷ 원하는 지역, 소장 기관을 설정하여 검색한다.
❸ 가까운 지역 박물관에 어떤 문화유산이 있는지 조사한다.

❸ 지역 박물관 답사하기

(1) **박물관을 답사하기 전에 생각해야 할 점**

① 우리 지역에 어떤 박물관이 있는지 찾아본다.
② 박물관에서 보고 싶은 문화유산은 무엇인지 생각한다.
③ 문화유산에 대해 무엇을 알고 있는지 생각한다.
④ 문화유산이 박물관 어디에 위치해 있는지 알아본다.
⑤ 더 궁금한 점은 무엇인지 생각한다.

(2) **박물관 답사**

❶ 지역 박물관의 위치와 이동 방법, 언제 갈지 답사 일정을 정한다.
❷ 궁금한 사항들을 확인하며 답사 계획을 세워 본다.
❸ 질문을 주고받으며 박물관에 있는 문화유산을 관람하고, 답사 보고서를 작성한다.

용어 사전

❶ **답사:** 문화유산을 직접 찾아가 보고 느끼는 것을 말한다.
❷ **소장:** 자기의 것으로 지니어 간직하는 물건을 말한다.

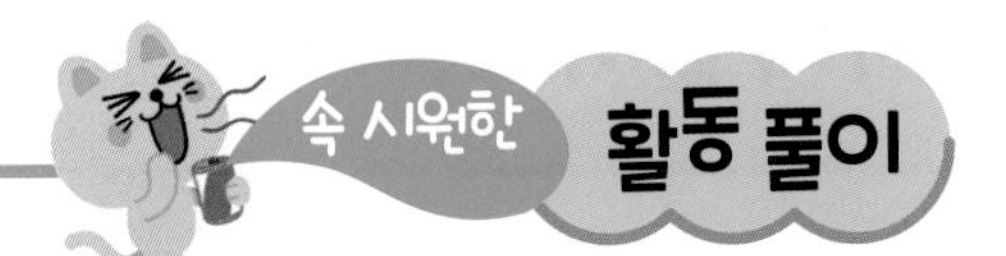

교과서 66~69쪽

기억에 남는 문화유산을 써 보고, 지역의 문화유산을 보호하기 위해 우리가 할 수 있는 일이 무엇인지 생각해 봅시다.

기억에 남는 문화유산	예 국립 부여 박물관의 백제 금동 대향로
문화유산 보호를 위해 우리가 할 수 있는 일	예 • 문화유산 지킴이 봉사 활동을 합니다. • 문화유산을 아끼고 소중히 여기는 마음을 가집니다. • 문화유산을 소개하는 안내 자료를 만들어 나누어 줍니다.

잠깐! 확인해요

□□□에는 지역의 대표적인 문화유산이 전시되어 있습니다. (박물관)

정답과 해설 7쪽

1 **박물관 답사 계획을 순서대로 기호를 쓰시오.**

㉠ 어떤 박물관에 방문할지 정합니다.
㉡ 박물관에서 보고 싶은 문화유산을 생각하며 답사 계획을 세워 봅니다.
㉢ 질문을 주고받으며 박물관에 있는 문화유산을 관람하고, 답사 보고서를 작성합니다.

( )

2 **내용이 맞으면 ○표, 틀리면 ×표를 선택하시오.**

(1) e 뮤지엄에 접속하면 지역 박물관에 어떤 문화유산이 있는지 알 수 있습니다. (○, ×)
(2) 박물관을 답사하기 전에 문화유산이 박물관 어디에 위치해 있는지 알아봐야 합니다. (○, ×)

함께 해요

우리 지역의 문화유산 소개 자료를 전시해 볼까요?

1 우리 지역의 문화유산 소개방법

(1) **다양한 문화유산 소개 방법:** 사진 전시, 안내 책자 만들기, 모형 만들기, 안내 신문 만들기, 포스터 만들기, 입체 지도 만들기 보충 ①,②

(2) **문화유산 소개 자료의 예**

▲ 사진 전시

▲ 모형 만들기

▲ 입체 지도 만들기

2 우리 지역의 문화유산 소개 자료 전시

(1) **문화유산 소개 자료를 ❶전시하는 순서** 속 시원한 활동 풀이

❶ 우리 지역을 대표하는 문화유산을 고르고, 그 까닭을 이야기한다.
❷ 고른 문화유산을 잘 보여 줄 수 있는 전시 방법을 친구들과 의논한다.
❸ 문화유산 소개 자료를 만들고 전시한다.
❹ 문화유산을 아끼는 마음을 담아 친구들에게 설명한다.

(2) **전시 후 느낀 점:** 지역의 문화유산에 대한 소개 자료를 전시하고 문화유산의 우수성과 소중함을 알 수 있다.

활동 도우미 문화유산 안내 책자 만들기

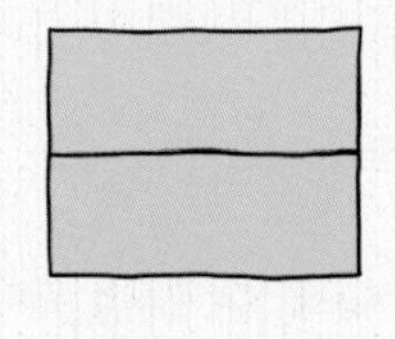
❶ 종이를 반으로 접었다 폅니다.

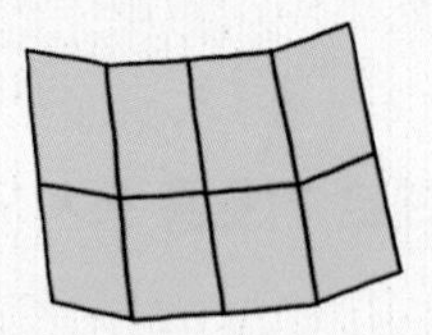
❷ 종이를 8등분이 되도록 접었다 폅니다.

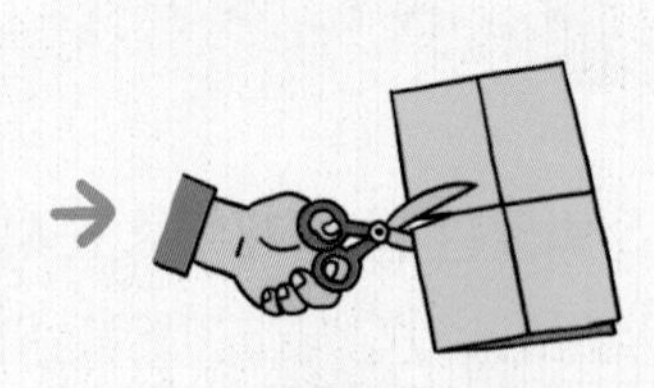
❸ 종이를 세로로 접고 접힌 쪽을 반만 가위로 오립니다.

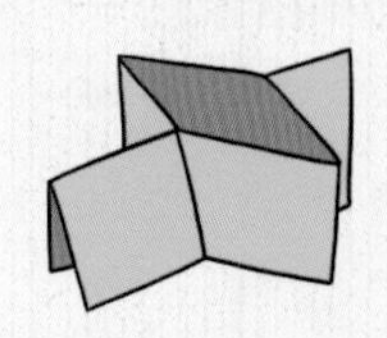
❹ 종이를 가로로 접어서 양 끝을 잡고 가운데로 모읍니다.

❺ 종이를 한 방향으로 8쪽짜리 책을 만듭니다.

❻ 그림을 그리고 설명하는 글을 써서 책자를 완성합니다.

보충 ①

◉ **문화유산 포스터**

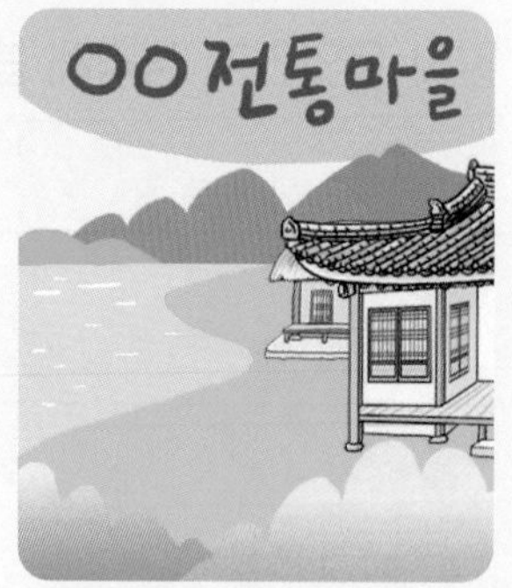

소개하려는 문화유산의 이름과 특징, 가치를 소개하는 짧은 글을 쓴다. 또 문화유산의 특징을 나타낼 수 있는 사진을 붙이거나 그림을 그려 완성한다.

보충 ②

◉ **문화유산 입체 지도**

다양한 형태의 지역 문화유산의 사진을 두 장씩 출력한 후에 두 장을 양면으로 붙여 깃발을 만든다. 실제 문화유산의 위치를 고려하여 지역 지도에 문화유산 깃발을 꽂아서 완성한다.

용어 사전

❶ **전시:** 여러 물품을 한 공간에 벌여 놓고 보임을 말한다.

속 시원한 활동 풀이

교과서 70~71쪽

공부한 날 ___월 ___일

지역의 대표적인 문화유산과 그 까닭	예 백제 금동 대향로, 우리 지역과 관련된 문화유산 중 가장 잘 알려진 것이기 때문입니다.
문화유산 조사 내용	예 • 국립 부여 박물관에서 살펴본 백제 금동 대향로는 용 모양의 향로 받침, 연꽃이 새겨져 있는 향로 몸체, 산봉우리 모습의 향로 뚜껑, 뚜껑 위에 달린 봉황 장식의 네 부분으로 이루어져 있었습니다. • 백제 금동 대향로가 발견된 곳은 원래 백제 왕실의 절터로 알려져 있기 때문에 백제 금동 대향로는 왕실에서 쓰이던 귀한 물건으로 여겨진다고 합니다.
전시 방법	예 백제 금동 대향로 문화유산 포스터 만들기

문화유산 포스터

예

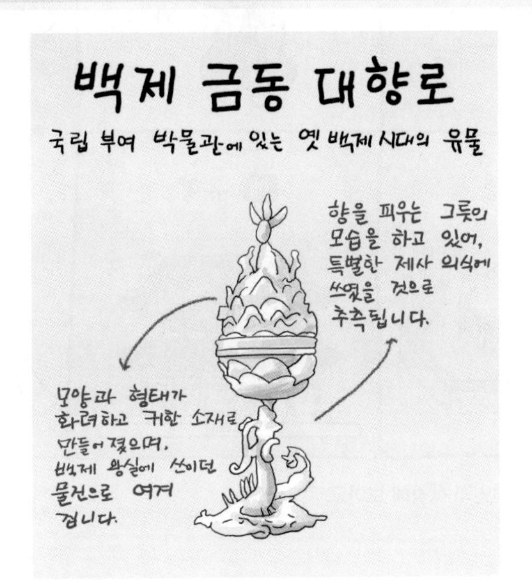

확인 톡! 톡!

정답과 해설 7쪽

1 **문화유산 소개 자료를 전시하는 방법을 순서대로 기호를 쓰시오.**

㉠ 소개하고 싶은 문화유산을 정합니다.
㉡ 문화유산 소개 자료를 만들고 전시합니다.
㉢ 선택한 문화유산을 잘 보여 줄 수 있는 전시 방법을 의논합니다.

( )

'우리 지역의 문화유산'에서 배운 내용을 떠올리며 친구들과 빙고 놀이를 해 봅시다.

도움 유형 문화유산과 무형 문화유산의 특징이 무엇인지 생각해 보아요.

핵심 꿀꺽 질문

우리 지역의 유형 · 무형 문화유산 중에서 가장 기억에 남는 것은 무엇인가요?

우리 지역의 문화유산을 소중히 하기 위해 우리가 할 수 있는 일들 중 가장 기억에 남는 것은 무엇인가요?

우리 지역의 문화유산 소개 · 전시 중 가장 기억에 남는 것은 무엇인가요?

중요

1 빈칸에 들어갈 알맞은 말을 쓰시오.

옛날부터 전해 오는 문화유산 중 유물과 유적처럼 형태가 있는 것을 □□ □□□□(이)라고 합니다.

2 빈칸에 들어갈 알맞은 말을 쓰시오.

문화유산 중 음악 연주나 제작 기술처럼 형태가 없는 것을 □□ □□□□(이)라고 합니다.

중요

3 다음 이야기를 읽고 문화유산을 통해 알 수 있는 것을 쓰시오.

주말에 가족들과 함께 박물관에 다녀왔습니다. 그곳에서 옛날에 쓰던 물건들을 볼 수 있었고, 판소리와 풍물놀이를 감상했습니다. 옛날 사람들이 어떻게 생활했고, 어떤 문화를 즐겼는지 알 수 있었습니다.

4 유형 문화유산으로 알맞은 것을 보기에서 두 가지 골라 기호를 쓰시오.

보기

㉠ 고인돌 ㉡ 판소리
㉢ 무령왕릉 ㉣ 차전놀이
㉤ 동해안 별신굿

5 다음 문화유산의 이름으로 알맞은 것은 어느 것입니까? ( )

① 토기 ② 판소리
③ 하회탈 ④ 차전놀이
⑤ 백제 금동 대향로

6 서로 관련 있는 내용끼리 바르게 선으로 연결하시오.

(1) 고인돌 •
(2) 「춘향가」 •
(3) 차전놀이 •
(4) 하회 마을 •

• ㉠ 무형 문화유산
• ㉡ 유형 문화유산

중요

7 **다음 자료를 보고 문화유산의 특징을 쓰시오.**

오늘 학교에서 '익산 근대 역사관'이라는 곳을 견학했습니다. 그곳을 돌아다니면서 백여 년 전 역사를 알아볼 수 있었습니다. 당시 지역 사람들이 어떻게 생활했는지 공부할 수 있는 좋은 경험을 했습니다.

중요

8 **무형 문화유산의 특징으로 알맞은 것을 보기에서 두 가지 골라 기호를 쓰시오.**

보기

㉠ 오래된 건축물이나 그림 등을 말한다.
㉡ 춤, 노래, 놀이, 음식 등의 형태로 전해지고 있다.
㉢ 대표적으로 고인돌, 무령왕릉, 양동 마을 등이 있다.
㉣ 자연환경이나 사람들의 생활과 관련 있는 문화유산이다.

9 **밑줄 친 '사람'이 무엇인지 쓰시오.**

무형 문화유산은 사람에서 사람으로 전해집니다. 충청북도에는 그림과 글씨를 보관할 때 필요한 액자, 병풍 등을 만드는 배첩이 전해지고 있습니다. 충청남도에는 옛날부터 질 좋은 모시풀이 많이 자라서 모시풀로 섬유를 만드는 한산 모기 짜기가 전해지고 있습니다.

10 **다음 중 마을 제사와 관련 있는 문화유산으로 알맞은 것은 어느 것입니까?** (　　　)

① 판소리　② 차전놀이
③ 무령왕릉　④ 동해안 별산굿
⑤ 남도 의례 음식

11 **다음에서 설명하는 무형 문화유산의 종류로 알맞은 것은 어느 것입니까?** (　　　)

전라남도는 요리 재료가 풍부합니다. 그래서 지역 특유의 조리법으로 만든 한상차림이 유명합니다.

① 놀이 문화　② 마을 제사
③ 음식 문화　④ 전통 예술
⑤ 인간문화재

12 빈칸에 들어갈 알맞은 말을 각각 쓰시오.

지역의 문화유산을 조사하는 방법으로는 인터넷으로 문화유산 □□□□와/과 지역 박물관 □□□□이/가 있습니다.

13 박물관 답사 계획에 들어갈 내용으로 가장 알맞은 것을 보기에서 두 가지 골라 기호를 쓰시오.

보기
㉠ 박물관에서 먹고 싶은 간식
㉡ 문화유산을 보호해야 하는 이유
㉢ 박물관에서 보고 싶은 문화유산
㉣ 문화유산에 대해 알고 있는 내용

중요

14 지역에 있는 박물관을 답사하는 방법을 순서대로 기호를 쓰시오.

㉠ 박물관 답사 계획을 세운다.
㉡ 답사할 박물관과 일정을 정한다.
㉢ 문화유산 답사 보고서를 작성한다.
㉣ 박물관에 있는 문화유산을 관람한다.

워드 클라우드와 함께하는 서술형 문제

[15-16] 워드 클라우드의 단어를 이용하여 서술형 문제의 답을 쓰시오.

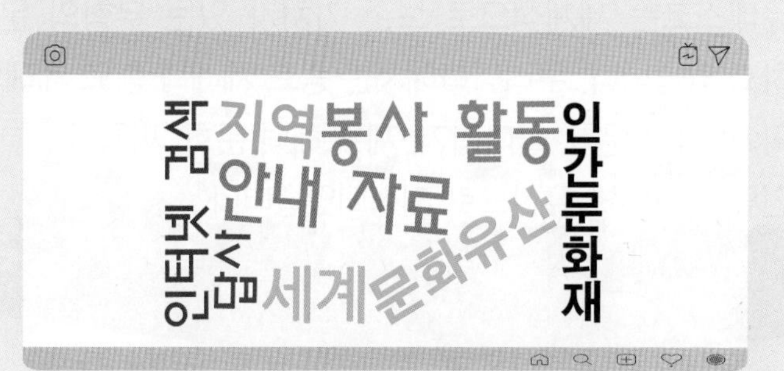

15 다음 이야기를 읽고 문화유산을 위해 우리가 할 수 있는 일을 한 가지 서술하시오.

학교에서 문화유산 소개 자료를 만들어 보니, 우리 문화유산이 얼마나 소중한지 알 수 있었습니다. 그래서 문화유산을 보호하기 위해 우리는 어떤 일을 할 수 있을지 생각해 보았습니다.

16 다음 자료를 보고, 문화유산의 가치를 서술하시오.

▲ 훈민정음해례본

이 문화유산은 유네스코가 지정한 세계 기록 유산으로 세계적으로 보존할 가치가 있는 유산입니다.

유네스코 인류 무형 문화유산

유네스코는 세계적으로 보존 가치가 있는 무형의 문화유산을 '인류 무형 문화유산'으로 지정하여 보호하고 있습니다. 우리나라에서는 종묘 제례와 종묘 제례악, 판소리, 강강술래, 줄타기, 한산 모시 짜기, 김장 문화, 줄다리기, 제주 해녀 문화, 씨름 등 총 20가지의 문화유산이 유네스코 인류 무형 문화유산으로 지정되었습니다.

강강술래

추석, 설, 정월 대보름 등의 밤에 노래를 부르며 노랫소리에 맞춰 많은 여성들이 손에 손을 잡고 둥글게 원을 그리며 춤을 추는 놀이입니다.

김장 문화

늦가을에 가족이나 이웃끼리 모여 많은 양의 김치를 담그는 문화입니다. 김장을 하여 겨울 동안 먹을 김치를 만들고, 어려운 이웃들에게 나누어 주기도 합니다.

줄다리기

두 편으로 나누어 줄을 반대 방향으로 당기는 놀이이며, 승부보다는 마을 사람들이 서로 화합하고 단결하기 위해서 했습니다.

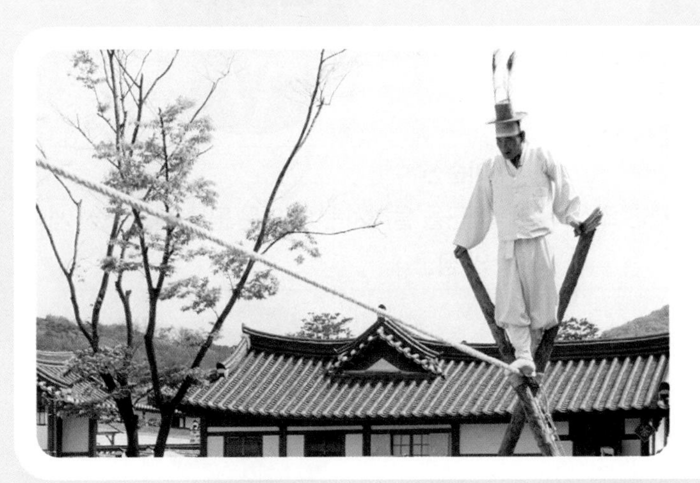

줄타기

공중의 줄 위에서 이야기와 몸짓을 섞어 여러 재주를 부리는 놀이입니다. 줄타기 곡예사가 악사의 반주에 맞춰 바닥에 있는 어릿광대와 서로 이야기를 주고받습니다.

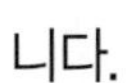

제주 해녀 문화

제주도의 해녀들은 산소 공급 장치 없이 깊게 잠수하여 해산물을 채취합니다. 이들은 잠수를 앞두고 용왕 할머니에게 풍요와 안전을 기원하는 굿을 지냅니다.

생활 속 사회

2 2 우리 지역의 역사적 인물

누가 역사적 인물일까요?

보충 ❶

◉ 『흥부전』과 『심청전』

우리나라의 대표적인 고전 소설이다. 두 소설 모두 조선 시대에 쓰였으며, 한글 소설이자 판소리계 소설이다.

보충 ❷

◉ 세종 대왕의 백성 사랑

세종 대왕은 백성을 사랑했던 어진 왕으로 유명하다. 글을 읽지 못하는 백성들을 위해 훈민정음을 창제했을 뿐만 아니라 백성들에게 자주 혜택을 주고, 죄를 용서해 형벌을 면제해 주기도 했다. 또 7일에 불과했던 노비의 출산 휴가를 100일로 늘리고, 남편에게도 휴가를 주었다.

용어 사전

❶ 위인: 뛰어나고 훌륭한 사람을 말한다.

❶ 책 속의 인물 속 시원한 활동 풀이

(1) 동화 속 주인공 보충 ❶

흥부 『흥부전』의 주인공	**심청** 『심청전』의 주인공

(2) 위인전의 ❶위인

세종 대왕 백성들을 위해 훈민정음을 창제한 조선 시대의 제4대 왕 보충 ❷	**이순신** 왜군을 물리치는 데 많은 공을 세운 조선 시대의 장군

신사임당 조선의 화가이자 문인이며 율곡 이이의 어머니	**장영실** 물시계인 자격루를 만든 조선을 대표하는 과학 기술자

❷ 역사적 인물

(1) **역사적 인물:** 위인전의 위인처럼 실제로 과거에 살았던 인물들을 말한다.

(2) **역사적 인물을 기억해야 하는 까닭:** 세종 대왕, 신사임당처럼 현재 우리의 삶에도 영향을 주기 때문이다.

내용+ 세종 대왕은 만 원권, 신사임당은 오만 원권 화폐에 초상이 담겨 있다.

속 시원한 **활동 풀이**

교과서 74~75쪽

다 함께 활동

1 동화 속 주인공과 위인전의 위인을 구분해 봅시다.

백성을 위해 한글을 만든 세종 대왕은 (동화 속 주인공 / 위인전의 위인)입니다.

거북선을 만들어 나라를 구한 이순신은 (동화 속 주인공 / 위인전의 위인)입니다.

아버지의 눈을 뜨게 하기 위해 애쓴 심청은 (동화 속 주인공 / 위인전의 위인)입니다.

다리 다친 제비까지 치료해 준 흥부는 (동화 속 주인공 / 위인전의 위인)입니다.

오만 원권 지폐의 주인공인 신사임당은 (동화 속 주인공 / 위인전의 위인)입니다.

여러 가지 과학 기구를 발명한 장영실은 (동화 속 주인공 / 위인전의 위인)입니다.

2 위인전을 읽어 본 경험을 친구들과 나누고, 알고 있는 역사적 인물을 이야기해 봅시다.

예 • 세종 대왕의 위인전을 읽고 한글을 만들어주신 것에 대해 감사함을 느꼈습니다.
• 이성계의 위인전을 읽고 이성계가 조선을 세운 왕이라는 것을 알게 되었습니다.

정답과 해설 8쪽

1 빈칸에 들어갈 알맞은 말을 써 봅시다.

주로 위인전에 나오는 위인으로, 실제로 살았으며 우리 삶에 영향을 주는 사람을 □□□ □□(이)라고 합니다.

( )

2 내용이 맞으면 ○표, 틀리면 ×표를 선택하시오.

(1) 장영실은 역사적 인물입니다. (○ , ×)

(2) 심청은 위인전의 위인입니다. (○ , ×)

지역에는 어떤 역사적 인물이 있을까요?

1 지역의 역사적 인물의 의미

(1) **지역의 역사적 인물:** 주로 그 지역에서 태어났거나 살았던 역사적 인물이다.

(2) **지역의 역사적 인물과 관련된 흔적:** 옛날 집, ❶비석, 무덤, 기념관, 박물관 등

① 경상남도 산청군의 산청 목화 축제에서 문익점을 알게 되었다.

② 경상남도 의령군에서 동상을 보고 곽재우를 알게 되었다.

③ 경상남도 김해시의 수로왕릉에 가서 수로왕을 알게 되었다.

④ 경상남도 통영시의 박경리 기념관에서 작가인 박경리를 알게 되었다.

2 다양한 역사적 인물로 알아보는 지역의 역사

(1) 지역의 역사적 인물들 속 시원한 활동 풀이

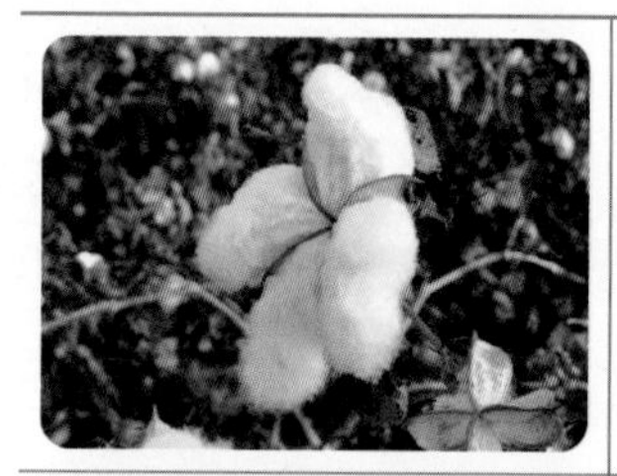

지역 사람들의 생활을 바꾼 인물

문익점: 경상남도 산청군에서 태어난 고려의 학자이자 문신으로, 중국에서 ❷목화씨를 가지고 들어와 그것으로 목화를 재배해서 따뜻한 옷을 만들 수 있었음. 보충 ❶

지역을 지킨 인물

곽재우: 경상남도 의령군에서 태어남. 조선 시대 때 임진왜란이 일어나자 의병을 일으켜 일본군과 싸웠으며, 진주성 전투 등에서 활약했음.

지역에서 나라를 세운 인물

수로왕: 먼 옛날 경상남도 김해시에서 '가야'라는 나라를 세웠음. 이곳에 수로왕의 무덤이 남아 있음. 보충 ❷

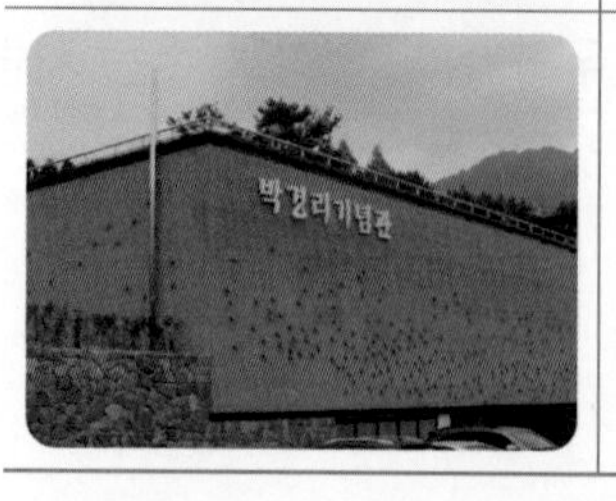

지역을 알린 예술가

박경리: 세계적으로 유명한 작가로 경상남도 통영시에서 태어남. 박경리의 작품에는 지역의 자연과 생활 모습이 잘 담겨져 있음. 보충 ❸

(2) **지역의 역사적 인물의 활약**

① 지역을 근거로 나라를 세우거나 사람들이 더 나은 삶을 살도록 만들기 위해 노력했던 인물들이다.

② 지역과 나라를 지키거나 지역을 알린 인물들도 있다.

보충 ❶

◉ **문익점과 목화 재배**

문익점이 가져온 목화씨로 키운 목화 중 단 한 포기만이 살아남았다. 그것을 다시 가꾸어 3년 만에 목화의 대량 재배가 가능해졌다.

보충 ❷

◉ **가야**

기원 전후부터 6세기 중반까지 낙동강 하류 지역에 있던 여러 국가의 연맹체이다.

보충 ❸

◉ **박경리의 작품과 통영**

박경리의 작품인 『김약국의 딸들』에는 통영을 배경으로 역사적·사회적 변동에 따른 한 가족의 몰락이 나타나 있다.

용어 사전

❶ **비석**: 고인의 업적을 칭송하고 이를 후세에 전하기 위해 문장을 새겨 넣은 돌이다.

❷ **목화**: 아욱과 목화속의 한해살이풀을 통틀어 말한다. 털은 모아서 솜을 만들고 종자는 기름을 짠다.

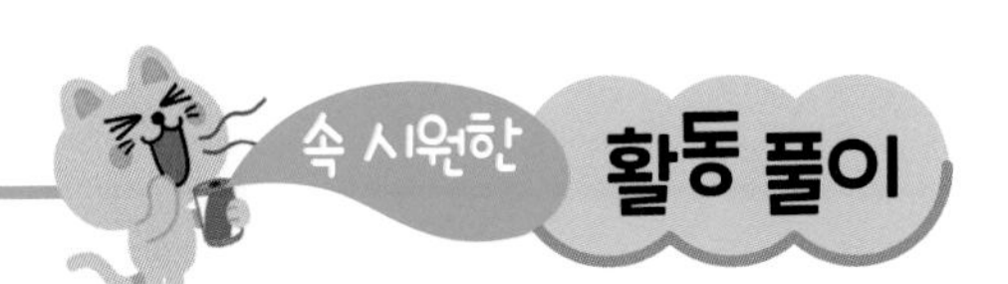

다음 사례를 살펴보고 우리 지역의 역사적 인물과 관련된 장소에 가 본 경험을 발표해 봅시다.

가 본 장소	 예 전형필 가옥
관련된 역사적 인물	예 전형필
알게 된 점	예 우리 지역에서 태어난 전형필은 일제 강점기에 우리나라 최초의 사립 박물관을 지었다고 합니다.

잠깐! 확인해요

지역에는 역사적 인물과 관련된 흔적들이 남아 있습니다. (○, ×) (○)

정답과 해설 8쪽

1 지역 사람들이 더 나은 삶을 살도록 노력한 인물, 지역을 침략한 적과 맞서 싸운 인물, 지역에서 나라를 세운 인물, 지역 사람들의 생활 모습을 예술 작품으로 표현한 인물을 나타내는 말이 무엇인지 쓰시오.

( )

2 서로 관련 있는 내용끼리 바르게 선으로 연결하시오.

(1) 곽재우 • • ㉠ 지역을 지킨 인물

(2) 수로왕 • • ㉡ 지역에서 나라를 세운 인물

(3) 문익점 • • ㉢ 지역 사람들의 생활을 바꾼 인물

지역의 역사적 인물을 조사해 볼까요?

1 역사적 인물 조사 계획 속 시원한 활동 풀이

(1) 인물 선정하기

① 우리 지역의 역사적 인물 중에서 누구를 조사할지 친구들과 논의한다.

② 그 인물을 선정한 까닭을 생각해 본다.

(2) 조사할 내용 생각하기: 역사적 인물의 삶, 활동, 우리 지역과의 ❶관련성 등 선정한 역사적 인물에 대해 조사할 내용을 생각한다.

(3) 역사적 인물 조사하는 방법 알아보기

① 인터넷으로 역사적 인물 검색하기

② 역사적 인물에 대한 책 읽기

③ 역사적 인물과 관련된 장소 답사하기

④ 주변 어른께 여쭈어보기

⑤ 지역 문화원 방문하기 보충 ❶

⑥ 전문가와 면담하기

2 역사적 인물 조사

(1) 인터넷으로 역사적 인물 검색하기

① 지방 자치 단체 누리집의 '문화 관광'에 들어가 본다.

② 한국 역대 인물 종합 정보 시스템 누리집에 접속하여 알고 싶은 인물을 검색해 본다. 보충 ❷

③ 일반 검색창에 '○○ 출신 인물', '○○의 역사적 인물'과 같은 검색어로 검색해 본다.

내용+ 인터넷으로는 쉽고 빠르게 역사적 인물에 대한 자료를 검색할 수 있지만, 꼭 출처를 확인하고 믿을 만한 자료를 골라 사용해야 한다.

(2) 역사적 인물에 대한 책 읽기

❶ 해당 인물을 다루는 책을 도서관이나 인터넷에서 찾는다.
❷ 차례를 활용하여 알고 싶은 내용을 찾아 읽거나, 책의 전체 내용을 읽는다.
❸ 인물에 대한 중요한 내용을 공책에 적는다.

내용+ 역사적 인물에 대한 책에는 작가의 생각이나 느낌, 지어낸 내용도 있을 수 있기 때문에 작가의 생각과 역사적 사실을 구분하면서 책을 읽어야 한다.

(3) 역사적 인물과 관련된 장소 답사하기

❶ 인물과 관련된 유적이나 기념관 등을 답사하고, 사진이나 동영상을 찍는다.
❷ 안내 자료나 입장권을 수집한다.

보충 ❶

◉ **지역 문화원**
어떤 지역의 문화를 한눈에 접할 수 있도록 만들어 놓은 공간이다. 지역 문화원에서는 지역의 주요 인물 및 문화유산과 관련된 행사를 연다. 한국 문화원 연합회 누리집(https://kccf.or.kr/)에 접속하면 각 지역에서 운영하는 문화원을 확인할 수 있다.

보충 ❷

◉ **한국 역대 인물 종합 정보 시스템**
우리 역사의 위인들에 대한 상세한 정보를 담은 인물 사전을 확인할 수 있다.

용어 사전

❶ **관련성**: 서로 관련 있는 성질이나 경험을 말한다. 비슷한 말로는 상관성, 연관성 등이 있다.

교과서 78~83쪽

우리 지역의 역사적 인물에 대한 조사 계획을 세운 후 조사해 봅시다.

조사할 인물	예 곽재우
선정한 까닭	예 우리 지역에 곽재우의 동상이 있기 때문입니다.

<table>
<tr><td rowspan="4">알고 싶은 내용</td><td>궁금하거나 알고 싶은 점</td><td>역사적 인물의 삶</td></tr>
<tr><td>예 곽재우가 어떻게 우리 지역을 지켰는지 궁금합니다.</td><td>예 곽재우가 살았던 시대에 어떤 사건이 있었는지 알아봅니다.</td></tr>
<tr><td>역사적 인물의 활동</td><td>우리 지역과의 관련성</td></tr>
<tr><td>예 곽재우가 어떤 활동을 했고, 그를 도운 사람들은 누구인지 알아봅니다.</td><td>예 곽재우가 관련된 지역 행사가 있는지 알아봅니다.</td></tr>
<tr><td>조사 방법</td><td colspan="2">예 인터넷으로 검색하기 (누리집 이름: 한국 역대 인물 종합 정보 시스템)
예 책 읽기 (책 제목: 홍의 장군 곽재우)
예 관련된 장소 답사하기(방문 장소: 곽재우 생가)
예 기타 (전문가와 면담하기)</td></tr>
<tr><td>조사 일정</td><td colspan="2">예 • 20△△년 △△월 △△일: 인터넷 검색 및 책 읽기
• 20△△년 △△월 △△일: 답사 및 전문가 면담하기
• 20△△년 △△월 △△일: 자료 정리하기</td></tr>
</table>

잠깐! 확인해요

책에 실린 역사적 인물에 대한 이야기는 모두 사실입니다. (○, ×) (×)

정답과 해설 8쪽

1 **역사적 인물을 조사하는 방법을 순서대로 기호를 쓰시오.**

㉠ 어떤 내용을 조사할지 생각합니다.
㉡ 조사하고 싶은 역사적 인물을 선정합니다.
㉢ 조사 방법을 결정한 후에 인물을 조사합니다.

( )

2 **내용이 맞으면 ○표, 틀리면 ×표를 선택하시오.**

(1) 역사적 인물에 대한 책에는 작가의 생각이나 느낌이 들어가 있기도 합니다. (○, ×)
(2) 인터넷으로 지역의 역사적 인물을 조사할 때는 출처를 확인하지 않아도 됩니다. (○, ×)

우리 지역의 역사적 인물에 대해 조사한 내용을 정리해 볼까요?

보충 ❶

◉ **생각 그물**
마인드맵(Mind Map)의 우리말 표현이라고 할 수 있다. 지역의 역사적 인물과 관련된 이야기, 유물·유적, 기념행사 등을 정리할 때 활용된다.

보충 ❷

◉ **벌집 모양 카드**
벌집의 단면, 즉 육각형 모양의 판을 말한다. 특정 주제에 대해 연관되거나 연상되는 단어들로 이야기를 펼치거나 주제에 대한 여러 생각들을 공유할 때 활용된다.

1 역사적 인물에 대한 조사 내용 정리 방법 (속 시원한 활동 풀이)

(1) 시간의 흐름에 따라 정리하기: 역사적 인물의 삶과 활동에서 중요한 일들을 시간의 흐름에 따라 정리한다.

(2) 생각 그물로 정리하기: 역사적 인물에 대해 설명할 내용을 ❶주제별로 간단한 문장과 그림으로 표현한다. 보충 ❶

(3) 벌집 모양 카드로 정리하기: 인물과 관련하여 떠오르는 생각을 낱말로 연결하여 인물에 관한 이야기를 만든다. 보충 ❷

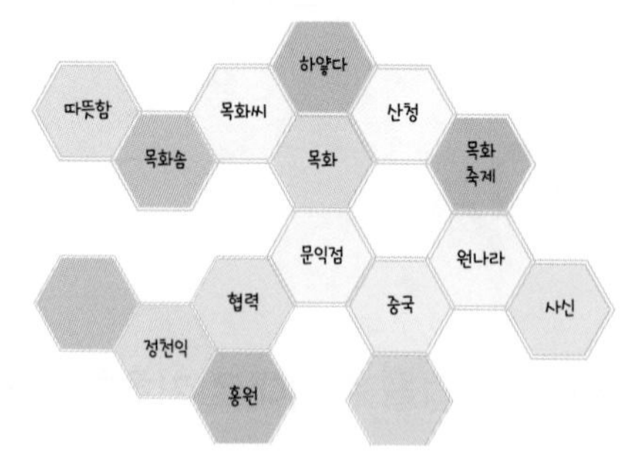

2 조사 후 느낀 점

(1) 우리가 사는 곳에서 무슨 일이 있었는지 알 수 있다.
(2) 당시 사람들은 어떻게 살았는지 알 수 있다.
(3) 조사한 역사적 인물이 우리 지역과 어떤 관련이 있는지 알 수 있다.

용어 사전

❶ **주제:** 대화나 이야기에서 중심이 되는 내용을 말한다.

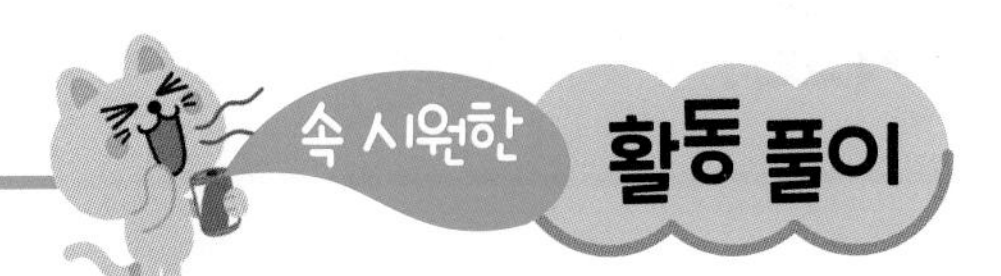

교과서 84~85쪽

역사적 인물의 삶을 여러 방법으로 정리하고, 우리 지역과 관련된 부분을 찾아봅시다.

생각 그물로 정리하기	벌집 모양 카드로 정리하기
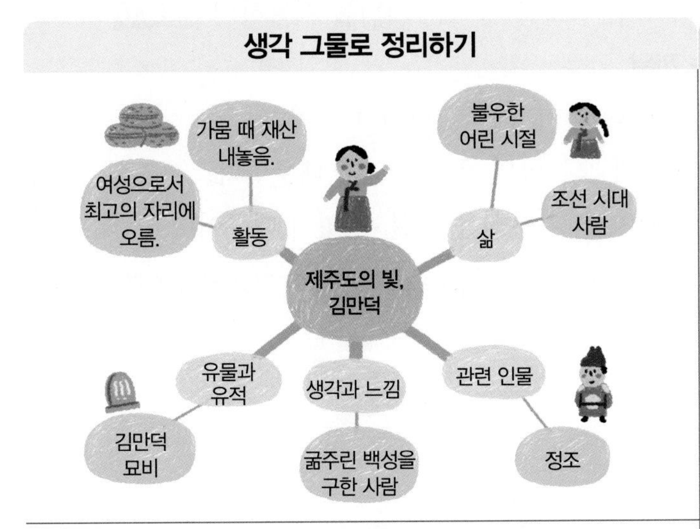	
예 김만덕은 우리 지역에 가뭄이 들자 자신의 재산을 내놓아 먹을 것을 나누어 주었습니다.	예 곽재우는 우리 지역에서 일어난 전투에서 활약해 지역과 나라를 지켰습니다.

잠깐! 확인해요

역사적 인물의 삶을 살펴보면 지역의 역사를 알 수 있습니다. (○, ×) (○)

정답과 해설 8쪽

1 **빈칸에 들어갈 알맞은 말을 쓰시오.**

인물에 대해 설명할 내용을 주제별로 간단한 문장과 그림으로 표현하는 것은 □□ □□(으)로 정리하는 방법입니다.

( )

2 **내용이 맞으면 ○표, 틀리면 ×표를 선택하시오.**

(1) 시간의 흐름에 따라 정리할 때는 인물의 삶에서 중요한 일들을 생각해야 합니다. (○, ×)

(2) 지역의 역사적 인물을 조사하면 우리 지역에서 일어난 역사적 사건을 알 수 있습니다. (○, ×)

우리 지역의 역사적 인물을 소개해 볼까요?

1 지역의 역사적 인물 기념의 의미

(1) 역사적 인물을 기념하는 방법: 인물과 관련된 문화유산 보존하기, 인물의 활동을 ❶재현하는 축제 개최하기, 인물을 알리는 기념물 제작하기 보충 ❶,❷

(2) 역사적 인물을 기념하는 까닭

① 우리 지역과 역사적 인물에 대해 기억할 수 있기 때문이다.

② 역사적 인물들 덕분에 우리가 오늘날의 우리가 있기 때문이다.

③ 우리 지역과 지역의 역사에 대한 자부심을 가질 수 있기 때문이다.

내용+ 지역의 역사적 인물을 조사하면서 지역에 많은 역사적 인물이 있고 우리 지역의 역사가 오래되었다는 것을 알게 된다.

2 우리 지역의 역사적 인물 소개 방법 속 시원한 활동 풀이

(1) 우리 지역의 역사적 인물을 ❷홍보할 때 생각해야 할 점

① 알리고 싶은 지역의 역사적 인물이 누구인지 생각한다.

② 왜 그 인물을 알리고 싶은지 생각한다.

③ 어떤 사람에게 알리고 싶은지 생각한다.

④ 꼭 알리고 싶은 내용은 무엇인지 생각한다.

⑤ 어떤 방법으로 알리면 좋을지 생각한다.

(2) 지역의 역사적 인물을 알리는 뉴스 제작

❶ 인물에 대해 알리고 싶은 내용을 정한다.
❷ 간단한 설명들이 연결되도록 내용을 배열한다.
❸ 카드나 스케치북 등을 활용하여 뉴스를 만든다.

(3) 지역의 역사적 인물을 소개하는 엽서 제작

❶ 엽서에 우리 지역 지도를 그린다.
❷ '○○의 역사적 인물 ○○○' 등의 제목을 정한다.
❸ 인물의 모습, 인물과 관련된 것들을 그린다.
❹ 인물을 소개하는 글을 쓴다.

(4) 지역의 역사적 인물을 상징하는 붙임 딱지 제작

❶ 붙임 딱지에 인물이 남긴 말이나 인물을 표현하는 내용을 쓴다.
❷ 붙임 딱지에 인물과 관련된 문화유산이나 그림을 그린다.

보충 ❶

◉ **기념우표**

나라에서 뜻깊은 사건이나 역사적 인물을 기념하기 위해 기념우표를 제작하기도 한다. 국가기록원의 우표와 포스터 누리집(https://theme.archives.go.kr/next/stampPoster/viewMain.do)에 접속하면 발행된 우표를 시기별로 찾아볼 수 있다.

▲ 문익점 기념우표

보충 ❷

◉ **통영 한산 대첩 축제**

경상남도 통영시에서는 이순신의 승리를 기념하기 위해 매년 '한산 대첩 축제'를 개최한다. 통영 한산 대첩 축제 누리집(http://www.hansanf.org/)에 접속하면 이순신과 한산 대첩과 관련한 정보를 찾아볼 수 있다.

용어 사전

❶ **재현:** 다시 나타남 또는 다시 나타냄을 뜻한다.

❷ **홍보:** 널리 알림 또는 그 소식이나 보도를 뜻한다.

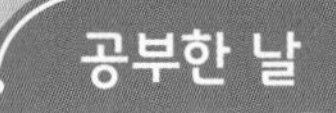
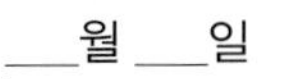

교과서 86~89쪽

우리 지역의 역사적 인물을 알리기 위한 계획 세우기	알리고 싶은 역사적 인물은 누구인가요?	예 김만덕
	그 인물은 우리 지역과 어떤 관련이 있나요?	예 우리 고장에 큰 가뭄이 들었을 때 자기 재산을 내놓아 고장 백성을 구했습니다.
	왜 그 인물을 알리고 싶은가요?	예 어려운 어린 시절을 보냈지만 극복하고 큰 활약을 펼친 것이 자랑스럽기 때문입니다.
	누구에게 알리고 싶은가요?	예 다른 지역 친구들
	꼭 알리고 싶은 내용은 무엇인가요?	예 왕이 특별히 김만덕의 소원을 들어 주어 금강산을 구경했다는 내용입니다.
	어떤 방법으로 알리면 좋을까요?	예 김만덕이 금강산을 돌아다니며 구경하는 붙임 딱지를 만들고 싶습니다.
붙임 딱지 만들기	예 	예 

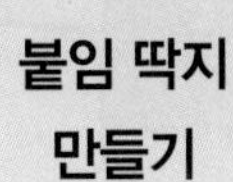

정답과 해설 8쪽

1 다음 순서에 맞는 역사적 인물 소개 방법은 무엇인지 쓰시오.

❶ 인물에 대해 알리고 싶은 내용을 정합니다.
❷ 간단한 설명들이 연결되도록 내용을 배열합니다.
❸ 카드나 스케치북 등을 활용하여 뉴스를 만듭니다.

( )

'우리 지역의 역사적 인물'에서 배운 역사적 인물 중 한 명이 되었다고 상상하고 빈칸을 채워 봅시다.

도움 우리 지역의 역사적 인물에 대해 조사한 내용을 생각하며 적어 보아요.

핵심 꿀꺽 질문

가상의 인물과 역사적 인물을 구별할 수 있는 특징은 무엇인가요?

지역의 역사적 인물을 조사하는 방법에는 어떤 것들이 있나요?

우리 지역의 역사적 인물을 정리 및 소개하는 방법에는 어떤 것들이 있나요?

1 **다음을 가리키는 말이 무엇인지 쓰시오.**

세종 대왕, 이순신, 신사임당, 장영실

중요

2 **위인에 대한 설명으로 알맞은 것은 어느 것입니까?** (   )

① 위인은 실제로 살았던 인물이다.
② 동화책에 나오는 인물은 위인이다.
③ 위인은 우리와 관련이 없는 인물이다.
④ 위인에 대해 알고 싶으면 동화를 읽어야 한다.
⑤ 위인에 대해 깊은 관심을 가지지 않아도 된다.

3 **다음 이야기를 통해 알 수 있는 역사적 인물의 특징을 쓰시오.**

어제 도서관에서 세종 대왕의 위인전을 읽었습니다. 우리가 쓰고 있는 한글은 조선 시대에 세종 대왕님께서 만드셨습니다. 우리가 편하게 말하고 쓸 수 있게 해 주신 세종 대왕님께 감사하는 마음을 가져야겠다고 다짐했습니다.

4 **빈칸에 들어갈 알맞은 말을 쓰시오.**

경상남도 김해시에는 '가야'라는 나라를 세운 □□□(이)라는 역사적 인물이 있습니다.

5 **역사적 인물과 관련된 흔적으로 가장 알맞지 않은 것은 어느 것입니까?** (   )

① 비석
② 기념관
③ 박물관
④ 음식점
⑤ 옛날 집

6 **지역에 영향을 끼친 역사적 인물에 대한 설명으로 알맞은 것을 보기 에서 두 가지 골라 기호를 쓰시오.**

보기
㉠ 나라를 세운 사람은 포함되지 않는다.
㉡ 지역을 지킨 인물은 포함되지 않는다.
㉢ 문익점은 지역 사람들의 생활을 바꾼 인물이다.
㉣ 지역과 나라를 지키거나 지역을 알린 인물도 있다.

7 다음 글에서 설명하는 지역의 인물은 어떤 유형의 역사적 인물인지 쓰시오.

> 곽재우는 경상남도 의령 출신으로 조선 시대 임진왜란 당시에 의병장으로 많은 전투에 참여했습니다.

---

8 지역의 역사적 인물을 조사할 때 알아봐야 하는 내용을 한 가지 쓰시오.

중요

9 지역의 역사적 인물을 조사하는 방법으로 알맞지 않은 것은 어느 것입니까? (　　　)

① 전문가와 면담하기
② 지역 문화원 방문하기
③ 역사적 인물에 대한 책 읽기
④ 자연과 관련된 내용 찾아보기
⑤ 인터넷으로 역사적 인물 검색하기

10 역사적 인물을 조사할 때 주의해야 할 점으로 가장 알맞은 것은 어느 것입니까? (　　　)

① 역사적 인물의 활동보다는 조사 방법을 더 자세히 쓴다.
② 조사할 내용을 미리 생각하기보다는 직접 활동할 때마다 생각한다.
③ 인터넷 검색을 할 때는 출처를 확인하고 믿을 만한 자료를 골라야 한다.
④ 역사적 인물에 대한 책의 내용은 모두 사실이므로 다른 자료는 살펴보지 않는다.
⑤ 관련된 장소를 답사할 때는 눈에 담는 것이 중요하므로 사진이나 동영상을 찍지 않는다.

11 지역의 역사적 인물에 대한 조사 계획을 세우는 순서대로 기호를 쓰시오.

> ㉠ 인물 선정하기
> ㉡ 조사 보고서 쓰기
> ㉢ 조사할 내용 생각하기
> ㉣ 역사적 인물 조사하기

---

12 다음과 같은 조사 내용 정리 방법은 무엇인지 쓰시오.

13 우리 지역의 역사적 인물 홍보 계획을 세울 때 생각할 내용으로 가장 알맞지 않은 것은 어느 것입니까? (　　)

① 지역의 특산물은 무엇인지 생각한다.
② 왜 그 인물을 알리고 싶은지 생각한다.
③ 알리고 싶은 인물은 누구인지 생각한다.
④ 어떤 사람에게 알리고 싶은지 생각한다.
⑤ 꼭 알리고 싶은 내용은 무엇인지 생각한다.

중요

14 역사적 인물을 기념하는 방법으로 가장 알맞지 않은 것은 어느 것입니까? (　　)

① 지역의 중심지 알아보기
② 인물과 관련한 홍보물 만들기
③ 인물을 알리는 기념물 제작하기
④ 인물과 관련된 문화유산 보존하기
⑤ 인물의 활동과 관련한 축제 개최하기

워드 클라우드와 함께하는 서술형 문제

[15-16] 워드 클라우드의 단어를 이용하여 서술형 문제의 답을 쓰시오.

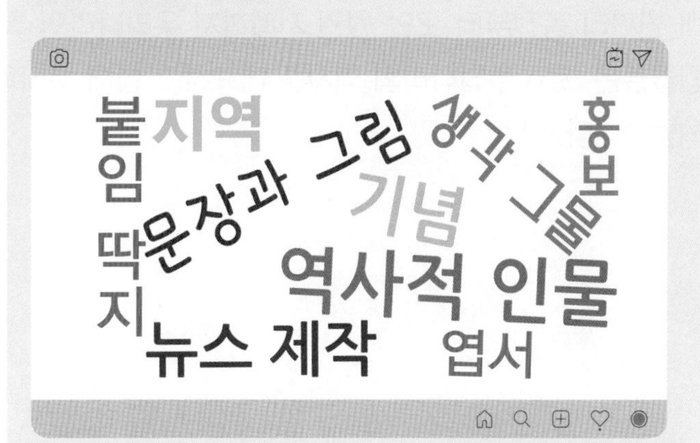

15 우리 지역의 역사적 인물에 대해 조사하고 알리는 활동이 중요한 이유를 서술하시오.

16 다음 그림과 같은 조사 내용 정리 방법의 명칭을 쓰고, 이 방법의 특징을 서술하시오.

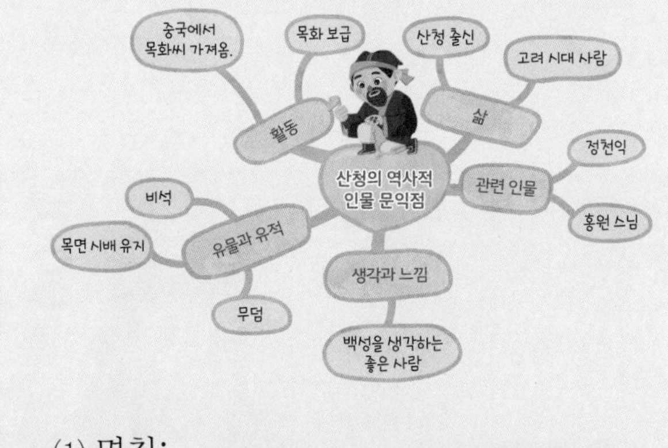

(1) 명칭: ______________________
(2) 특징: ______________________

대한민국 화폐 속의 역사적 인물

백 원짜리 동전부터 오만 원권 지폐까지 우리나라의 화폐 속에는 다양한 역사적 인물이 담겨 있습니다. 이 인물들은 모두 우리나라의 역사를 대표하고 현재 우리의 삶에도 큰 영향을 주었기 때문에 화폐 속에 담기게 되었습니다.

이순신(1545~1598)

백 원짜리 동전 앞면에는 이순신이 그려져 있다. 이순신은 조선의 무신으로, 정읍현감, 진도 군수, 전라좌도 수군절도사 등을 역임했다. 이순신은 임진왜란 당시 바다에서 조선의 수군을 이끌었다. 그는 전투마다 승리를 거두어 왜군을 물리치는 데 큰 공을 세웠다.

퇴계 이황(1501~1570)

천 원권 지폐 앞면에는 퇴계 이황이 그려져 있다. 이황은 조선의 유학자로, 1501년에 경상북도 예안(현재 안동)에서 태어났다. 이황은 평생 학문 연구에 힘써 대학자로 성장했다. 특히 그는 주자의 사상을 집대성하여 조선 성리학 발달의 기초를 형성했다고 평가된다.

율곡 이이(1536~1584)

오천 원권 지폐 앞면에는 율곡 이이가 그려져 있다. 이이는 조선의 유학자로, 1536년에 강원도 강릉에서 신사임당의 아들로 태어났다. 이이는 3세 때 글을 알 정도로 비범했다고 한다. 이후 그는 성리학을 연구하여 퇴계 이황과 함께 16세기를 대표하는 학자로 자리매김했다.

세종 대왕(1397~1450)

만 원권 지폐 앞면에는 세종 대왕이 그려져 있다. 세종은 조선 왕조 제4대 임금으로, 인재를 고르게 등용하여 이상적 유교 정치를 구현했다. 세종 대에는 훈민정음이 창제되고 측우기가 제작되는 등 백성의 생활에 실질적으로 도움이 되는 문화 정책이 추진되었다.

신사임당(1504~1551)

오만 원권 지폐 앞면에는 신사임당이 그려져 있다. 신사임당은 조선의 예술가로, 훌륭한 작품들을 많이 남겼다. 특히 신사임당이 그린 「초충도」에는 그의 섬세한 그림 실력이 잘 나타나 있다. 신사임당의 자녀 중 율곡 이이는 조선 시대를 대표하는 학자가 되었다.

단원을 마무리해요

② 우리가 알아보는 지역의 역사

콕콕 정리 이 단원에서 배운 내용을 글과 그림으로 정리해 봅시다.

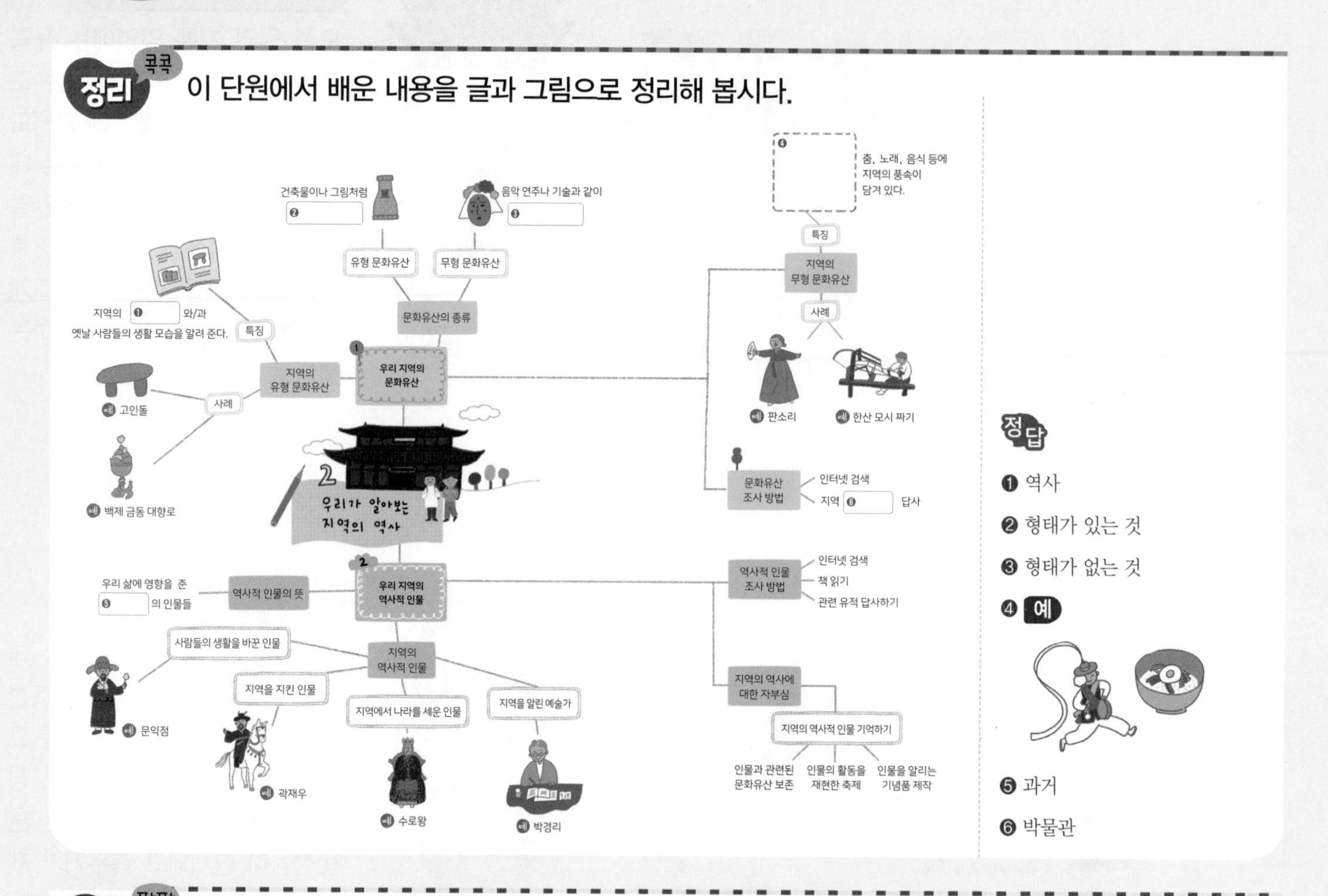

정답

❶ 역사

❷ 형태가 있는 것

❸ 형태가 없는 것

❹ 예

❺ 과거

❻ 박물관

팡팡 창의 우리 지역의 역사를 알리는 축제 포스터를 만들어 봅시다.

만드는 방법

❶ 지역 축제에서 소개하고 싶은 우리 지역의 문화유산과 역사적 인물을 정합니다.
- 지역의 문화유산: 홍주 읍성, 예 고려청자
- 지역의 역사적 인물: 한용운, 예 정약용

❷ 우리 지역의 문화유산 또는 역사적 인물과 관련된 체험 활동을 만듭니다.
- 문화유산 관련 체험 활동: 홍주 읍성 그리기, 예 나만의 고려청자 만들기
- 역사적 인물 관련 체험 활동: 한용운의 시 낭독하기, 예 정약용과 관련된 문제 맞히기

❸ 소개하고 싶은 문화유산과 역사적 인물, 직접 만든 체험 활동을 담아 지역 축제 포스터를 제작합니다.

예

교과서 92~95쪽

세상 속으로 우리 지역 역사 안내 지도 만들기

역사 안내 지도 만들기

예

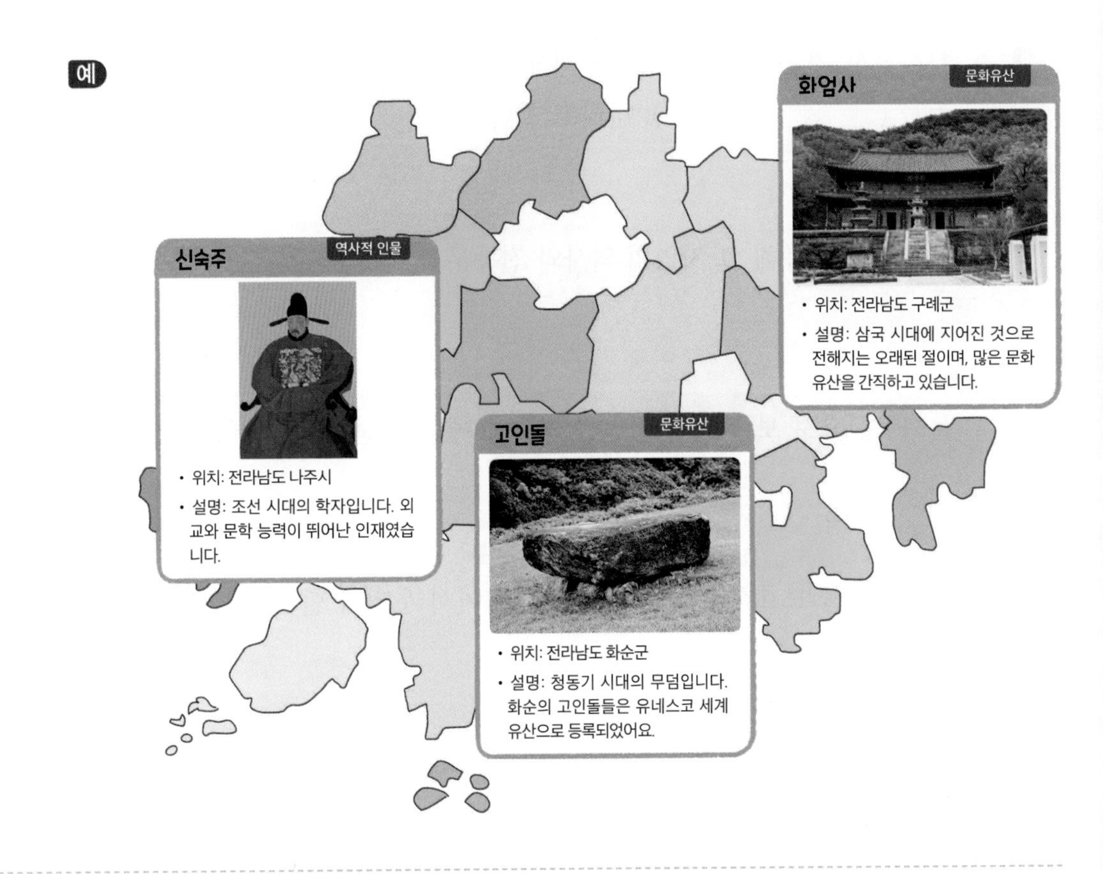

우리 지역 역사 안내하기

⚙ **답사 주제와 일정을 정하고, 지도의 내용을 친구들에게 설명한다.**

답사 주제	예 하루 만에 둘러보는 우리 지역의 역사
답사 일정	예 • 전라남도 구례군에서 화엄사 둘러보기 • 전라남도 화순군으로 이동해 고인돌 답사하기 • 전라남도 나주시로 이동해 신숙주 생가터 방문하기

3 단계

우리 지역 역사에 대한 느낀 점 쓰기

예 우리 지역의 역사에 대한 자부심이 생겼어요.

예 우리 지역의 역사적 인물에 대한 감사함이 생겼어요.

쪽지 시험 ② 우리가 알아보는 지역의 역사

정답과 해설 9쪽

1 옛날부터 전해지는 문화유산 중 유물과 유적(고인돌, 무령왕릉, 하회 마을)처럼 형태가 있는 것을 (　　　　　　)(이)라고 합니다.

2 문화유산 가운데 음악 연주나 제작 기술(전통 예술, 음식 문화, 놀이 문화)처럼 형태가 없는 것을 (　　　　　　)(이)라고 합니다.

3 문화유산을 통해 그 지역의 역사와 전통문화를 알 수 있습니다. (○ , ×)

4 문화유산으로 보존할 가치가 큰 기술과 예능을 전수받은 사람을 (　　　　)(이)라고 합니다.

5 문화유산을 보호하는 일은 어려운 일이여서 우리가 할 수 없습니다. (○ , ×)

6 (동화 속 주인공 / 위인)에는 세종 대왕, 이순신, 신사임당, 장영실 등이 있습니다.

7 곽재우는 지역을 지킨 지역의 역사적 인물입니다. (○ , ×)

8 지역의 (　　　　)은/는 지역을 근거로 나라를 세우거나 사람들이 더 나은 삶을 살도록 만들기 위해 노력했던 인물입니다.

9 역사적 인물에 대한 책 읽기 활동을 할 때는 (　　　　)을/를 활용하여 알고 싶은 내용을 찾아 읽을 수 있습니다.

10 인물에 대해 설명할 내용을 주제별로 간단한 문장과 그림으로 표현하는 방법을 (　　　　)(으)로 정리하기라고 합니다.

1 다음 글에서 설명하는 것이 무엇인지 쓰시오.

옛날부터 전해지는 문화유산 중 유물과 유적처럼 형태가 있는 것입니다.

---

2 다음 이야기를 읽고 문화유산을 통해 알 수 있는 내용을 쓰시오.

오늘 학교에서 현장 체험 학습으로 우리 지역의 박물관을 방문했습니다. 그곳에서 옛날 사람들이 그린 민화를 볼 수 있었습니다. 그리고 우리 지역 사람들이 즐겼던 문화인 탈춤을 관람했습니다.

---

3 다음 문화유산 중 성격이 다른 것은 어느 것입니까? (　　　)

① 유물　② 유적
③ 제작 기술　④ 하회 마을
⑤ 군산 근대 문화유산 거리

4 다음 문화유산에 대한 설명으로 알맞은 것은 어느 것입니까? (　　　)

① 큰 돌로 만든 선사 시대의 무덤이다.
② 흙 등을 반죽하여 만든 생활 용기이다.
③ 백제 제25대 무령왕과 왕비의 무덤이다.
④ 조선 시대의 전통문화를 알아볼 수 있다.
⑤ 백제 공예의 아름다움을 보여 주는 유물이다.

5 다음과 같은 문화유산이 있는 지역은 어디입니까? (　　　)

▲ 무령왕릉

① 경상북도 안동시　② 전라북도 군산시
③ 충청남도 공주시　④ 충청남도 부여군
⑤ 인천광역시 강화군

6 다음과 같은 문화유산이 있는 지역은 어디입니까? (　　　)

▲ 하회 마을

① 경상북도 안동시　② 전라북도 군산시
③ 충청남도 공주시　④ 충청남도 부여군
⑤ 인천광역시 강화군

7 문화유산에 대한 설명으로 알맞은 내용을 보기 에서 두 가지 골라 기호를 쓰시오.

보기
㉠ 차전놀이는 형태가 없는 문화유산이다.
㉡ 인간문화재는 형태가 있는 문화유산이다.
㉢ 무형 문화유산으로는 전통 예술 같은 판소리 등이 있다.
㉣ 마을 제사는 특정 지역의 전통이어서 문화유산이 아니다.

중요

8 **지역의 문화유산을 조사하기 위한 방법을 두 가지 쓰시오.**

9 **지역의 문화유산을 보호하기 위해 우리가 할 수 있는 일을 쓰시오.**

중요

10 **문화유산을 소개하는 자료를 전시하는 방법을 순서대로 기호를 쓰시오.**

㉠ 문화유산 소개 자료를 만들고 전시한다.
㉡ 문화유산을 아끼는 마음을 담아 친구들에게 설명한다.
㉢ 우리 지역을 대표하는 문화유산을 고르고, 그 까닭을 이야기한다.
㉣ 고른 문화유산을 잘 보여 줄 수 있는 전시 방법을 친구들과 의논한다.

11 **다음 사진의 문화유산 소개 방법으로 알맞은 것은 어느 것입니까?** ( )

① 신문 만들기　② 포스터 만들기
③ 그림으로 그리기　④ 안내 책자 만들기
⑤ 입체 지도 만들기

12 **다음 사진의 인물들을 나타내는 말을 쓰시오.**

13 **경상남도의 역사적 인물이 아닌 사람은 누구입니까?** ( )

① 곽재우　② 문익점
③ 박경리　④ 수로왕
⑤ 신사임당

14 **다음 자료에서 설명하는 역사적 인물은 누구입니까?** ( )

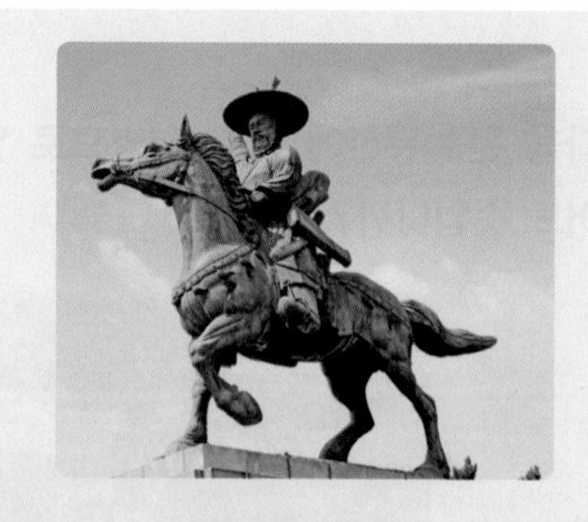

경상남도 의령 출신으로 조선 시대 임진왜란 당시 진주성 전투, 화왕산성 전투 등에 의병장으로 참전했습니다.

① 곽재우　② 문익점
③ 박경리　④ 수로왕
⑤ 세종 대왕

15 **다음 자료의 역사적 인물과 관련된 것으로 가장 알맞은 것은 어느 것입니까?** (　　　)

경상남도 통영 출신 인물인 박경리는 세계적으로 유명한 작가로서 지역의 자연과 생활 모습을 알렸다고 합니다.

① 지역을 지킨 인물
② 지역을 알린 예술가
③ 지역에서 장사한 인물
④ 지역에서 나라를 세운 인물
⑤ 지역 사람들의 생활을 바꾼 인물

중요

16 **빈칸에 공통으로 들어갈 알맞은 말을 쓰시오.**

오늘 우리 지역의 유명한 역사적 인물을 조사하기 위해 □□□에 방문했습니다. 그곳에서 역사적 인물과 관련한 내용을 살펴볼 수 있었고, □□□ 안내사와 이야기하며 궁금한 내용을 질문할 수 있었습니다.

____

17 **지역의 역사적 인물을 조사하는 방법으로 알맞지 <u>않은</u> 것은 어느 것입니까?** (　　　)

① 위인전 읽기　② 탈춤 감상하기
③ 박물관 방문하기　④ 인터넷 검색하기
⑤ 전문가와 면담하기

18 **역사적 인물에 대한 책 읽기를 순서대로 기호를 쓰시오.**

㉠ 인물에 대한 중요한 내용을 공책에 적는다.
㉡ 해당 인물을 다루는 책을 도서관이나 인터넷에서 찾는다.
㉢ 차례를 활용하여 알고 싶은 내용을 찾아 읽거나, 책의 전체 내용을 읽는다.

____

19 **다음의 역사적 인물에 대한 조사 내용 정리하기 방법을 쓰시오.**

____

중요

20 **지역의 역사적 인물을 조사할 때 알아봐야 하는 내용으로 알맞지 <u>않은</u> 것은 어느 것입니까?** (　　　)

① 역사적 인물의 삶
② 우리 지역의 특산물
③ 역사적 인물의 활동
④ 역사적 인물의 활약
⑤ 우리 지역과의 관련성

정답과 해설 11쪽

[1-3] 다음 사진을 보고 물음에 답하시오.

㉠ 백제 금동 대향로

㉡ 무령왕릉

㉢ 배첩

㉣ 차전 놀이

1 위의 ㉠, ㉡과 ㉢, ㉣의 다른 점을 서술하시오.

2 위의 사진을 보고 문화유산을 통해 알 수 있는 것을 서술하시오.

3 위의 사진과 같은 문화유산을 보호하기 위해 우리가 할 수 있는 일을 한 가지 서술하시오.

[4-6] 역사적 인물과 관련된 사진과 글을 보고 물음에 답하시오.

오늘 학교에서 역사적 인물과 관련한 활동을 했습니다. 우표에 나와 있는 인물은 목화씨를 우리나라로 가지고 들어와 사람들에게 따뜻한 옷을 입게 해 주었다고 합니다. 나는 우표에 나와 있는 인물에 대해 더 궁금해서 조사하기로 했습니다. 그래서 위인전을 찾아보고 인터넷에서 인물을 검색해 보았습니다. 그리고 인물과 관련한 내용을 생각 그물로 정리했습니다.

4 위 사진에 나와 있는 인물과 같은 사람이 동화 속 주인공과 다른 점을 서술하시오.

5 위의 글에 나와 있는 역사적 인물 조사 방법에서 주의할 점을 서술하시오.

6 위의 글에 나와 있는 역사적 인물에 대한 조사 내용 정리 방법을 구체적으로 서술하시오.

3 지역의 공공 기관과 주민 참여

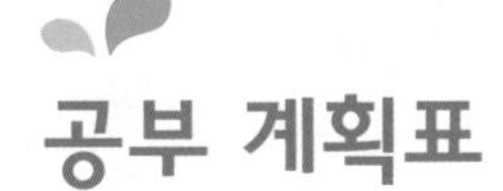

공부 계획표

- 자신의 일정에 맞게 계획을 세워 보고, 실제 학습일을 적어 봅시다.
- 학습을 마무리한 후 얼마나 학습 목표를 달성했는지 스스로 점검해 봅시다.

공부할 내용		쪽수	계획일	달성
단원 열기	지역의 공공 기관과 주민 참여	102~105쪽	월 일	◯
1 우리 지역의 공공 기관	지역 주민을 도와주는 기관을 알아볼까요?	106~107쪽	월 일	◯
	공공 기관의 종류와 하는 일을 알아볼까요?	108~109쪽	월 일	◯
	우리 지역의 공공 기관을 조사해 볼까요?	110~111쪽	월 일	◯
	조사한 공공 기관을 소개해 볼까요?	112~113쪽	월 일	◯
	즐겁게 정리해요, 주제 톡톡 문제	114~117쪽	월 일	◯
2 지역 문제와 주민 참여	지역 문제란 무엇일까요?	120~121쪽	월 일	◯
	지역 문제를 확인해 볼까요?	122~123쪽	월 일	◯
	지역 문제를 해결해 볼까요?	126~127쪽	월 일	◯
	지역 문제 해결에 주민 참여가 중요한 까닭을 알아볼까요?	128~129쪽	월 일	◯
	주민 참여의 바람직한 태도를 알아볼까요?	130~131쪽	월 일	◯
	즐겁게 정리해요, 주제 톡톡 문제	132~135쪽	월 일	◯
단원 마무리	단원을 마무리해요, 쪽지 시험	138~140쪽	월 일	◯
	단원 톡톡 문제, 서술형 톡톡 문제	141~144쪽	월 일	◯

단원 열기 3 지역의 공공 기관과 주민 참여

우리 지역을 탐험하며 지역 문제 해결에 앞장선 주민을 찾아볼까요?

교과서 96~99쪽

환경 보호
환경 보호 운동을 하고 계신 분들이야.

환경 보호
지역의 환경을 보호하기 위해 스스로 노력하시는 분들이지. 환경뿐만 아니라 지역의 문제를 해결하기 위해 힘쓰시는 분들이 많아.

그렇구나. 우리가 그분들을 위해 어떤 일을 할 수 있을까?
환경 보호

지역 문제를 해결하기 위해 노력하시는 분께 모범 시민상을 드리면 어떨까?

좋은 생각이야! 지역 주민들을 면담해서 후보를 추천하면 될 것 같아.

좋아! 그럼 지역 주민들을 찾아서 이야기를 들어 보자!
환경 보호

교과서 97~98쪽

? **친구들이 찾는 주민의 주변에는 어떤 장소가 있나요? 그림에 나타난 장소들이 어떤 일을 하는 곳인지 말해 봅시다.**

예
- 우체국에서는 우편물을 전하는 일을 합니다.
- 보건소에서는 예방 접종을 해 줍니다.

도움 친구들이 지역 문제 해결에 앞장선 주민에 대해 이야기한 것을 바탕으로 주민을 찾아보아요.

이 단원에서 나는

교과서 99쪽

우리 지역의	공공 기관을	알고 싶어요.
	지역 문제를	탐구하고 싶어요.
		조사하고 싶어요.

예
- 우리 지역의 공공 기관을 조사하고 싶어요.
- 우리 지역의 지역 문제를 알고 싶어요.

도움 제시된 낱말을 연결해 나만의 학습 계획을 세워 보아요.

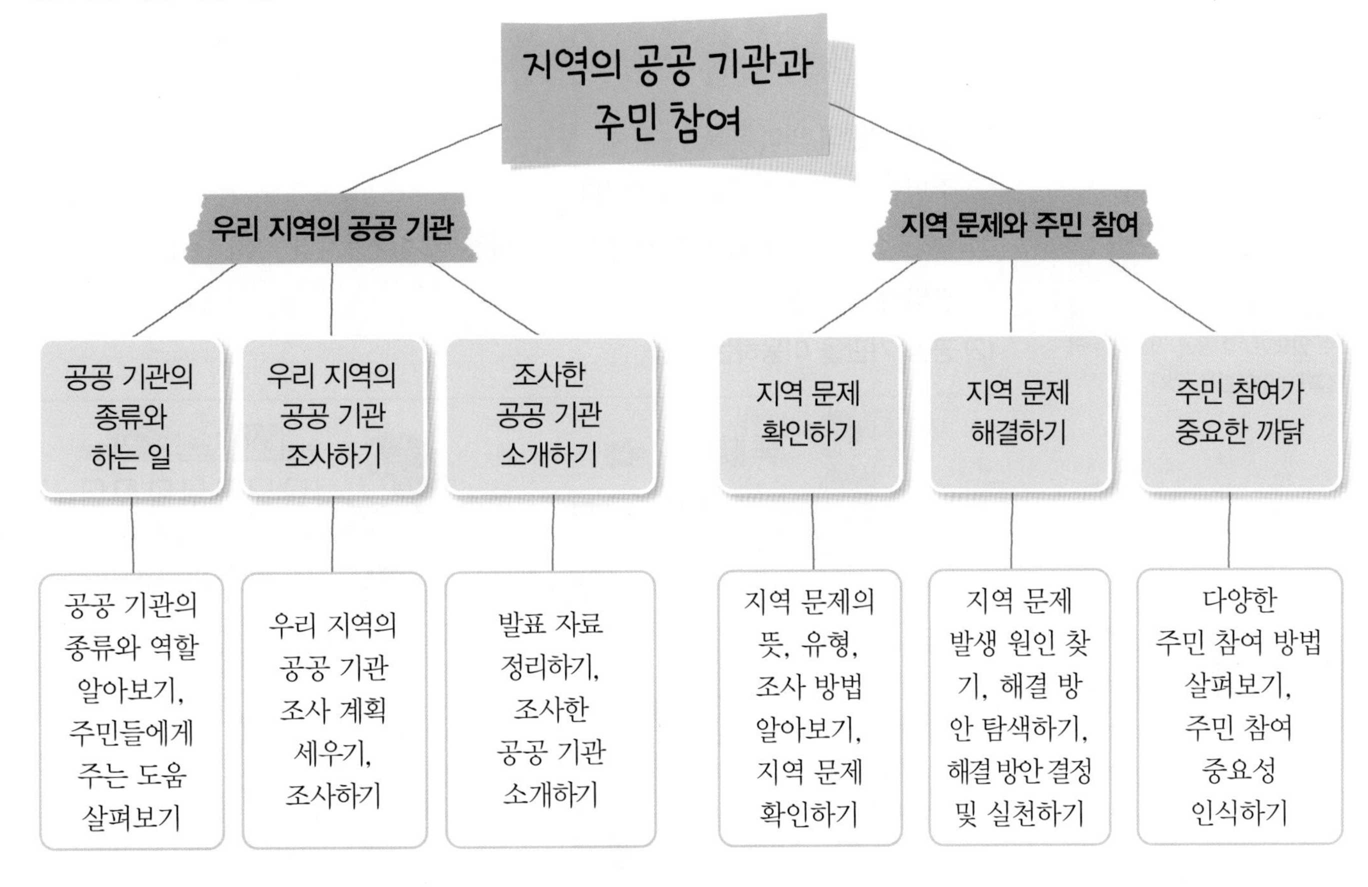

- 공공 기관의 종류와 역할을 조사하고, 공공 기관이 생활에 주는 도움을 알 수 있어요.
- 지역 문제를 해결해 가는 과정과 주민 참여의 바람직한 태도를 알 수 있어요.

미리 맛보는 핵심 용어

❶ 공(公) 공평할 공	공(共) 함께 공	기(機) 틀 기	관(關) 빗장 관
❷ 지(地) 땅 지	역(域) 지경 역	문(問) 물을 문	제(題) 제목 제
❸ 주(住) 살 주	민(民) 백성 민	참(參) 참여할 참	여(與) 더불 여

❶ 주민 전체의 이익과 생활의 편의를 위해 국가나 지방 자치 단체가 세우거나 관리하는 기관을 말합니다.

❷ 지역 주민의 생활을 불편하게 하거나 주민들 사이에 갈등을 일으키는 문제를 뜻합니다.

❸ 지역 문제를 해결하는 과정에서 지역 주민이 중심이 되어 참여하는 것을 말합니다.

지역 주민을 도와주는 기관을 알아볼까요?

① 공공 기관

(1) **공공 기관의 의미** 보충 ❶

① 주민들의 생활을 돕는 기관이다.

② 주민 전체의 이익과 생활의 ❶편의를 위해 국가나 ❷지방 자치 단체가 세우거나 관리하는 기관이다.

(2) **공공 기관을 이용하는 모습**

우체국: 우편물을 보냄. 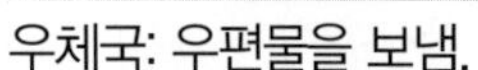	경찰서: 잃어버린 물건의 주인을 찾아 줌.

시청: ❸여권을 만듦.	도서관: 책을 빌림.

② 공공 기관과 공공 기관이 아닌 곳 구분하기 속 시원한 활동 풀이

시청: 공공 기관	경찰서: 공공 기관	우체국: 공공 기관
소방서: 공공 기관	보건소: 공공 기관	영화관: 공공 기관이 아님.
아파트: 공공 기관이 아님.	시장: 공공 기관이 아님.	백화점: 공공 기관이 아님.

보충 ❶

◉ **공공 기관 경영 정보 공개 시스템(ALIO)**

다양한 공공 기관을 찾아보고 싶을 때 공공 기관 경영 정보 공개 시스템의 누리집을 활용할 수 있다. 어떤 기관이 공공 기관인지 해당 기관의 성격은 어떠한지 알 수 있으며, 각 공공 기관의 누리집까지 알아볼 수 있다.

용어 사전

❶ **편의**: 형편이나 조건이 편하고 좋은 것을 뜻한다.

❷ **지방 자치 단체**: 지역 주민의 행복과 이익에 관한 일을 처리하는 곳이다.

❸ **여권**: 외국을 방문하는 사람의 신분이나 국적을 증명하는 문서이다.

교과서 100~101쪽

그림의 장소들을 공공 기관인 곳과 공공 기관이 아닌 곳으로 구분해 봅시다.

공공 기관인 곳	공공 기관이 아닌 곳
우체국, 도서관, 시청, 보건소, 경찰서	빵집, 아파트, 영화관, 문구점, 백화점

정답과 해설 12쪽

1 잃어버린 물건의 주인을 찾을 때 이용할 수 있는 공공 기관이 무엇인지 쓰시오. (   )

2 공공 기관인 곳을 보기 에서 모두 골라 기호를 쓰시오.

보기
㉠ 시장　㉡ 우체국　㉢ 백화점　㉣ 보건소　㉤ 경찰서　㉥ 영화관

(   )

공공 기관의 종류와 하는 일을 알아볼까요?

보충 ❶

◉ **공공 기관의 설립 목적**
- 국가 산업의 기초가 되는 산업을 육성하기 위해서이다.
- 국민의 공공 수요를 충족하기 위해서이다.
- 정부의 재정적 수요를 충족하기 위해서이다.

보충 ❷

◉ **공공 기관에 건의하기**
지역의 시·도청 누리집에 방문하면 시민 참여 코너를 통해 인터넷으로도 생활에서 겪는 불편함에 대해 공공 기관에 건의할 수 있다.

용어 사전

❶ **시·도 의회**: 선거로 뽑힌 주민의 대표가 모여 시와 도의 중요한 일을 의논하여 결정하는 기관이다.
❷ **세무서**: 세금에 관한 일을 맡아보는 기관이다.
❸ **옐로 카펫**: 어린이들이 횡단보도를 건너기 전 기다리는 곳의 바닥 또는 벽면을 노란색으로 표시한 설치물이다.

1 공공 기관의 종류와 역할

(1) 공공 기관의 종류: 경찰서, 소방서, 교육청, 시·도청, 보건소, 도서관, 우체국, 법원, ❶시·도 의회, ❷세무서, 행정 복지 센터 등

(2) 공공 기관의 역할 보충 ❶ 속 시원한 활동 풀이

경찰서	범죄를 예방하여 주민의 안전을 책임지고 질서를 유지함.
소방서	화재를 예방하고 불을 끄며, 위험에 처한 사람을 구조함.
교육청	학생들의 교육과 관련 있는 일을 함.
시·도청	주민 생활의 불편을 해결하고 지역의 발전을 위해 일함.
보건소	감염병 등의 질병을 예방하고 치료함.
도서관	책을 빌려주며, 책을 읽거나 공부할 수 있는 공간을 제공함.
행정 복지 센터	여러 분야에서 지역 주민의 생활을 돕고, 행정 업무를 처리함.

내용+ 하나의 공공 기관이 다양한 일을 하며 주민들의 생활에 도움을 준다.

2 공공 기관이 주민을 위해 하는 일

(1) 공공 기관에서 하는 일: 지역 주민들이 요청한 일을 처리한다. 보충 ❷

(2) 공공 기관에서 하는 일의 사례

		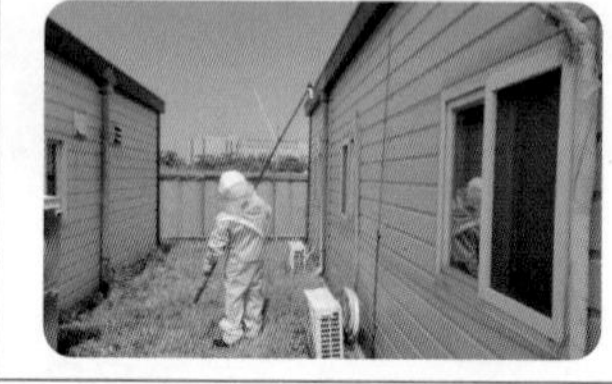
행정 복지 센터에 지역 주민들이 운동할 수 있는 장소를 만듦.	시청에서 안전하게 신호를 기다릴 수 있는 '❸옐로 카펫'을 만듦.	소방서에서 출동해 벌집을 없애 줌.

3 공공 기관이 주민의 생활에 주는 도움 속 시원한 활동 풀이

보건소에서 교통이 불편한 곳에 이동 보건소를 보내 줌.	산불이 났을 때 소방서에서 불을 꺼 주어 가족과 이웃을 지켜 줌.	도청에서 자전거 도로를 만들어 주어 안전하게 자전거를 탈 수 있음.

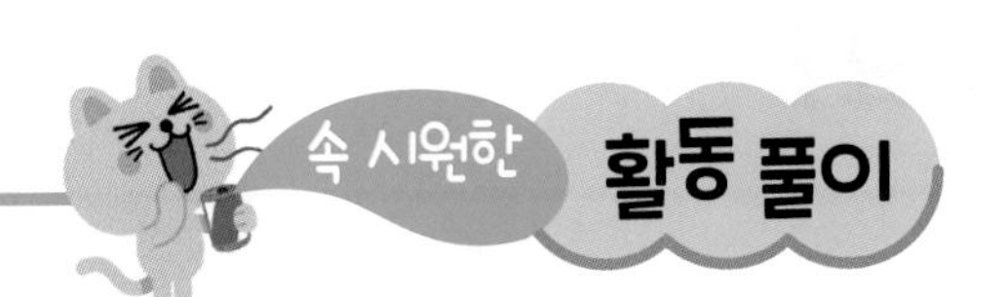

교과서 102~105쪽

다음 상황에서 어떤 공공 기관을 이용할 수 있는지 써 봅시다.

어린이 보호 구역에서 차들이 너무 빠르게 달려서 위험해요.	전학 간 친구에게 선물을 보내고 싶어요.	독감 예방 주사를 맞아야 해요.
예 경찰서에 도움을 요청해야 합니다.	예 우체국에 가면 선물을 보낼 수 있습니다.	예 보건소에 가면 독감 예방 주사를 맞을 수 있습니다.

다 함께 활동

공공 기관이 없다면 어떤 일이 생길지 친구들과 이야기해 봅시다.

예
- 생활이 아주 불편할 것 같습니다.
- 경찰서가 없다면 범죄자를 잡을 수 없어 많은 범죄가 일어날 수 있습니다.
- 소방서가 없다면 불이 났을 때 많은 사람이 목숨을 잃거나 다칠 수 있습니다.

잠깐! 확인해요

감염병 등의 질병을 예방 · 치료하는 공공 기관은 ☐☐☐입니다. (보건소)

정답과 해설 12쪽

1 서로 관련 있는 내용끼리 바르게 선으로 연결하시오.

(1) 경찰서 •　　　　• ㉠ 학생들의 교육과 관련 있는 일을 함.

(2) 소방서 •　　　　• ㉡ 화재를 예방하고 불을 끄며, 위험에 처한 사람을 구조함.

(3) 교육청 •　　　　• ㉢ 범죄를 예방하여 주민의 안전을 책임지고 질서를 유지함.

2 책을 빌려주며, 책을 읽거나 공부할 수 있는 공간을 제공하는 공공 기관이 무엇인지 쓰시오.

( )

우리 지역의 공공 기관을 조사해 볼까요?

1 공공 기관 조사하기 (속 시원한 활동 풀이)

(1) 조사할 곳과 조사 방법 정하기

① 지역의 지도를 이용해 공공 기관을 찾아본다.

② 어느 공공 기관을, 어떤 방법으로 조사할지 정한다.

내용+ 조사할 곳을 정할 때는 조사하고 싶은 이유를 생각해 본다.

(2) 조사 계획 세우기: 구체적으로 조사 계획을 세우고, 조사 주제에 맞추어 조사 장소에 대해 알고 있는 점과 알고 싶은 점을 미리 정리한다.

(3) 조사하기: 인터넷 검색, ❶견학, 자료 수집, 공공 기관에서 도움을 받은 어른들께 여쭤보기, 공공 기관에서 일하시는 분과 면담하기 등 다양한 방법으로 공공 기관을 조사한다. 보충 ❶

(4) 보고서 작성하기: 조사하고 알게 된 점, 느낀 점, 어려웠던 점, 더 알고 싶은 점 등을 정리하여 보고서를 작성한다.

2 다양한 공공 기관 조사 방법 알아보기

(1) 인터넷으로 조사하기

❶ 조사할 공공 기관의 이름을 검색해 공공 기관 누리집에 방문한다.
❷ 기관 소식 중 '새 소식'이나 '❷보도 자료'에 들어가 공공 기관에서 최근에 한 일을 알아본다.
❸ '자유 게시판'이나 '❸민원 사례'에서 주민들이 어떤 도움을 받고 있는지 살펴본다.

① 장점: 공공 기관에 직접 방문하지 않아도 되어 시간을 절약할 수 있다.

② 단점: 누리집에 너무 많은 내용이 있어 필요한 내용을 찾는 데 많은 시간이 걸릴 수 있다.

(2) 견학하여 조사하기 보충 ❷

❶ 공공 기관의 누리집이나 전화로 견학을 신청한다.
❷ 견학을 하며 궁금한 점은 질문하고, 견학 장소를 자세히 살펴본다.
❸ 견학하며 조사한 내용을 정리해 견학 보고서를 작성한다.

① 장점: 조사할 곳에 대해 알고 싶었던 점을 직접 확인할 수 있다.

② 단점: 직접 방문해야 하므로 거리가 멀면 방문이 힘들 수 있다.

(3) 자료로 조사하기: 공공 기관의 홍보 자료나 신문 기사, 방송 자료를 통해 공공 기관이 주민들의 생활에 주는 도움을 찾아본다.

① 장점: 다양한 자료를 이용할 수 있고, 시간을 절약할 수 있다.

② 단점: 자료에 어려운 단어가 많으면 이해하기 어려울 수도 있다.

보충 ❶

◉ **면담할 때 주의할 점**
- 미리 질문을 준비한다.
- 면담자에게 예의를 지키고, 조사 주제에 어긋나는 질문을 하지 않는다.

보충 ❷

◉ **공공 기관 견학 중 지켜야 할 공공질서와 예절**
- 장난을 치거나 떠들지 않는다.
- 예의 바르게 행동한다.
- 차례를 지켜 이동한다.
- 공공 기관 내에서 사탕이나 껌 등을 섭취하지 않는다.
- 안전과 청결에 주의한다.

용어 사전

❶ **견학**: 실제로 보고 그 일에 관한 구체적인 지식을 넓히는 것을 뜻한다.
❷ **보도**: 텔레비전, 신문 등의 매체를 통해 일반 사람들에게 새로운 소식을 알리는 것을 뜻한다.
❸ **민원**: 주민이 공공 기관에 원하는 것을 요구하는 일을 뜻한다.

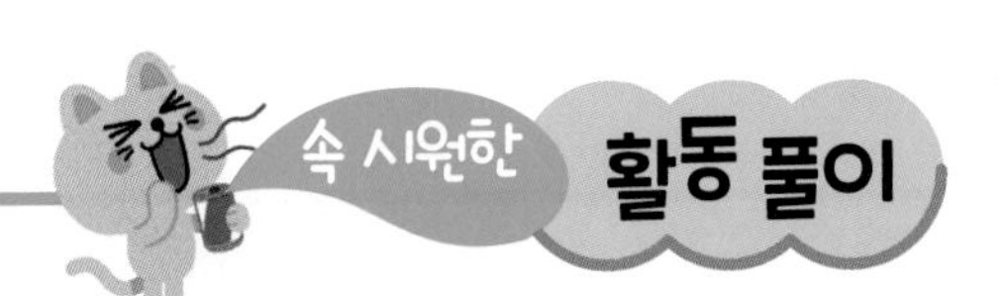

교과서 106~111쪽

우리 지역의 공공 기관이 지역 주민들의 생활에 주는 도움을 조사해 봅시다.

1 조사할 곳과 조사 방법 정하기

예 • 우리 동네에 산불이 났을 때 불을 꺼 준 소방서가 또 어떤 일을 하는지 조사해 보고 싶습니다.
• 소방서는 너무 멀어서 신문이나 방송 자료를 찾아보겠습니다.

2 조사 계획 세우기 예

조사 주제	소방서가 지역 주민들의 생활에 주는 도움
조사 장소	△△소방서
알고 있는 점	• 지역 주민들을 위해 일하는 곳입니다. • 지역에 불이 났을 때 불을 꺼 줍니다.
알고 싶은 점	• 소방서가 지역 주민들을 위해 하는 다양한 일 • 소방서가 주민이 요청한 일을 처리해 준 사례
조사 방법	자료를 통해 조사하기
주의할 점	공공 기관과 관련된 다양한 자료를 모읍니다.

3 조사하기 예 소방서의 홍보 자료, 신문 기사, 방송 자료를 수집했습니다.

4 보고서 작성하기 예

조사 주제	△△소방서가 지역 주민들의 생활에 주는 도움
조사 일시	20◇◇년 ◇◇월 ◇◇일
조사 방법	홍보 자료, 신문 기사, 방송 자료를 통해 조사
알게 된 점	• 소방 안전 교육을 합니다. • 사고가 났을 때 소방 헬기로 사람들을 병원으로 빨리 데려다줍니다.
느낀 점	소방서가 지역 주민의 안전을 지키기 위해 다양한 방법으로 일한다는 점이 인상 깊었습니다.

잠깐! 확인해요

공공 기관을 직접 방문하여 조사하는 방법은 ☐☐입니다. (견학)

정답과 해설 12쪽

1 공공 기관을 조사하는 과정을 순서대로 기호를 쓰시오.

㉠ 조사하기 ㉡ 보고서 작성하기 ㉢ 조사 계획 세우기 ㉣ 조사할 곳과 조사 방법 정하기

( )

조사한 공공 기관을 소개해 볼까요?

1 조사한 공공 기관의 소개 방법과 소개할 내용 알아보기

(1) **소개 방법:** 그림으로 정리하기, 안내 자료 만들기 등

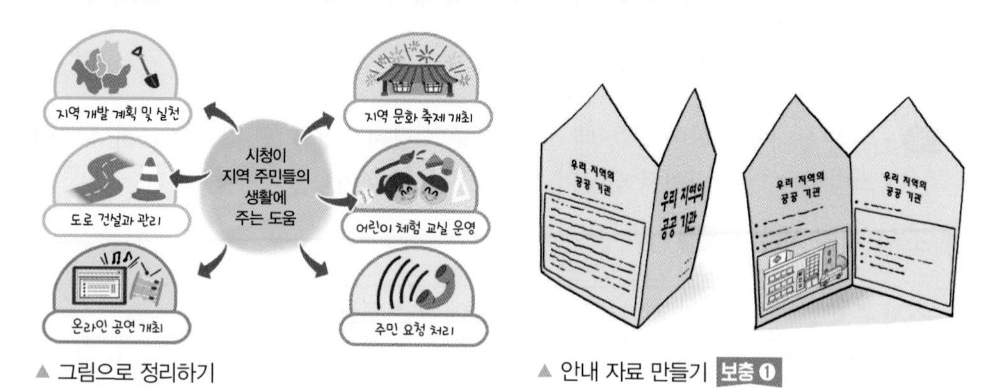

▲ 그림으로 정리하기 ▲ 안내 자료 만들기 보충 ❶

(2) **소개할 내용:** 조사한 공공 기관이 하는 일, 새로 알게 된 점, 느낀 점 등

2 조사한 공공 기관 소개하기

❶ 같은 기관을 조사한 친구끼리 모둠을 만들고 조사한 내용을 설명할 ❶전문가 친구를 한 명 정한다. 보충 ❷ 속 시원한 활동 풀이

❷ 전문가 친구는 자기 모둠에 남아 있고 다른 친구들은 옆 모둠으로 이동해 조사한 내용을 듣는다.

❸ 설명이 끝나면 다음 모둠으로 이동해 다른 공공 기관에 대한 설명을 듣는다.

❹ 모든 모둠의 설명을 듣고, 자기 모둠으로 돌아와서 전문가 친구에게 자신이 들은 내용을 설명한다.

❺ 모둠 친구들과 함께 우리 지역의 다양한 공공 기관에 대해 알게 된 내용을 정리한다.

활동 도우미 안내 자료 만들기

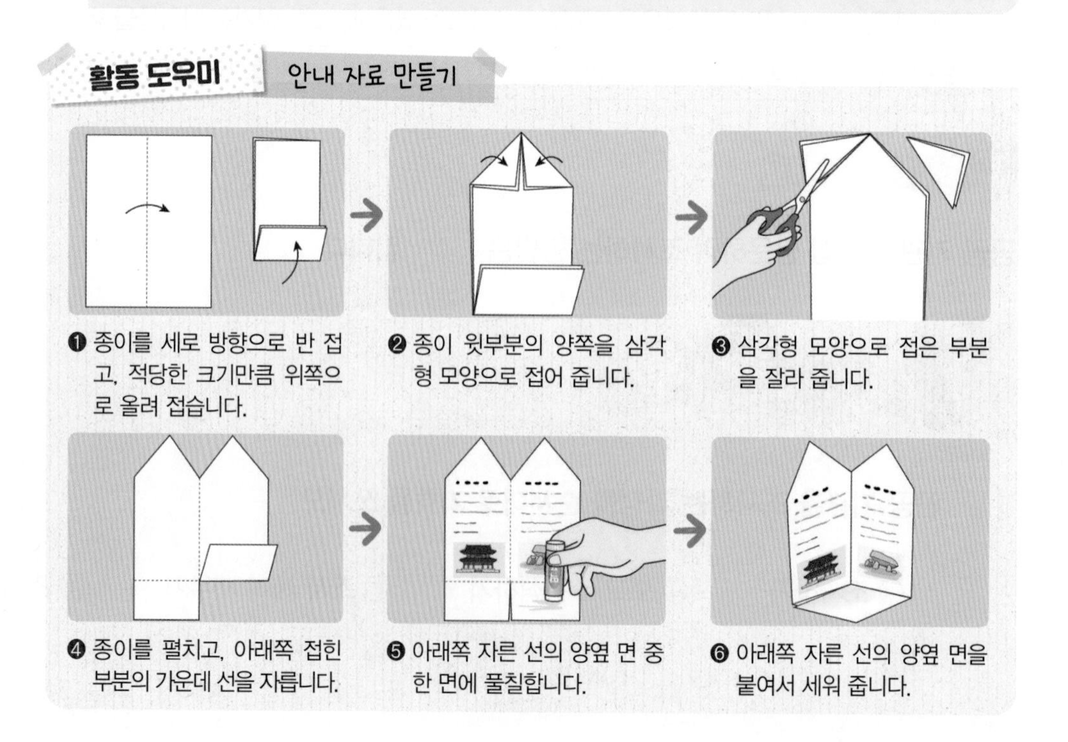

❶ 종이를 세로 방향으로 반 접고, 적당한 크기만큼 위쪽으로 올려 접습니다.

❷ 종이 윗부분의 양쪽을 삼각형 모양으로 접어 줍니다.

❸ 삼각형 모양으로 접은 부분을 잘라 줍니다.

❹ 종이를 펼치고, 아래쪽 접힌 부분의 가운데 선을 자릅니다.

❺ 아래쪽 자른 선의 양옆 면 중 한 면에 풀칠합니다.

❻ 아래쪽 자른 선의 양옆 면을 붙여서 세워 줍니다.

보충 ❶

◉ **안내 자료 만들기**
안내 자료를 이용해 공공 기관의 모습을 그린 그림이나 사진, 공공 기관이 하는 일, 공공 기관에서 주민들이 받는 도움을 소개할 수 있다.

보충 ❷

◉ **협력하는 공공 기관**
다양한 공공 기관이 하는 일을 듣다 보면 다른 공공 기관이 지역 주민을 돕기 위해 힘을 합치는 경우도 있다는 것을 알 수 있다. 예를 들어 교통사고가 났을 때 경찰서에서는 교통을 정리하고, 소방서에서는 구급차를 보내 다친 사람을 병원으로 옮긴다. 이렇게 공공 기관이 힘을 합치면 서로의 장점을 발휘해 더 큰 효과를 낼 수 있다.

용어 사전

❶ **전문가:** 어떤 분야를 연구하거나 일을 하면서 그 분야에 많은 지식과 경험을 가진 사람이다.

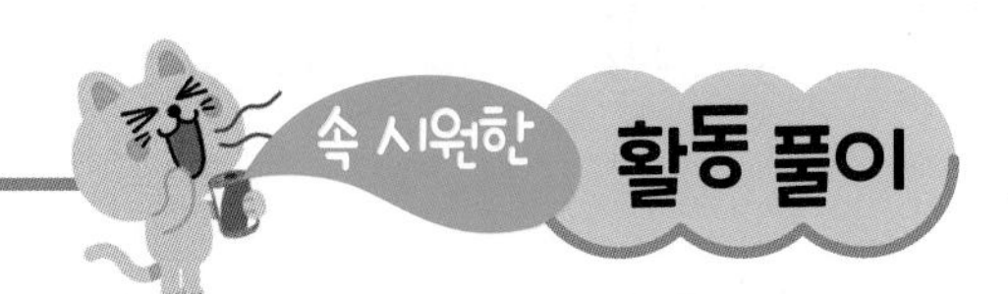

교과서 112~113쪽

조사 주제	예 ○○경찰서가 지역 주민들의 생활에 주는 도움
조사한 공공 기관이 지역 주민들의 생활에 주는 도움	예 • 범죄가 일어나지 않도록 지역 곳곳을 순찰합니다. • 범죄가 일어나면 범죄자를 찾아내 잡습니다. • 잃어버린 물건을 찾아 주인에게 되돌려 줍니다. • 교통사고가 나지 않도록 교통이 복잡한 곳에서 교통을 정리합니다. • 학교를 방문해 학교 폭력 예방을 돕고 관련된 교육을 합니다.

조사 내용 정리

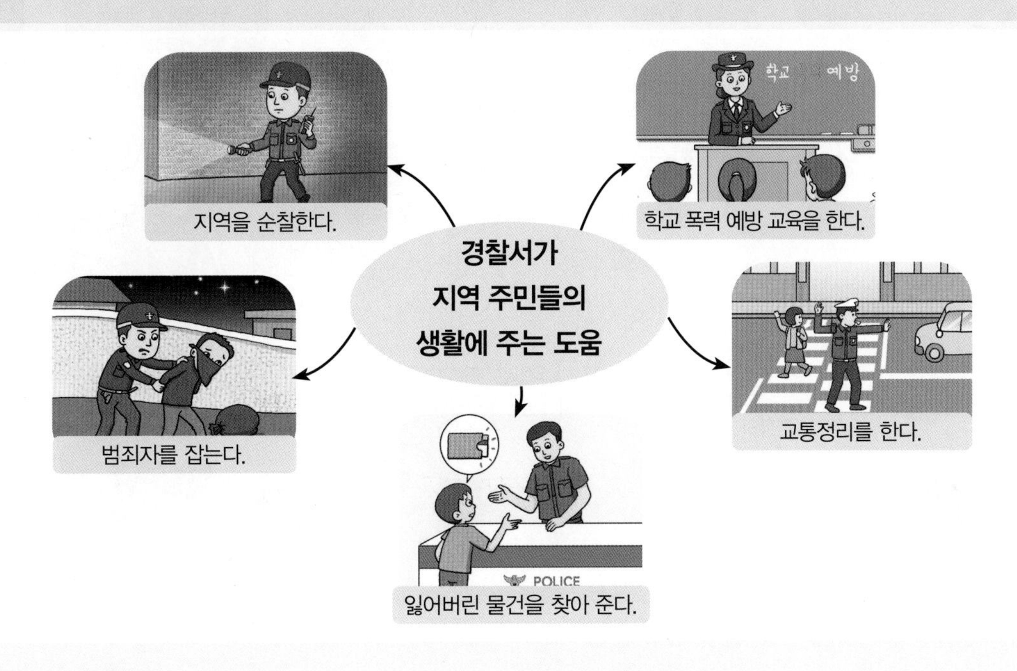

정답과 해설 12쪽

1 **조사한 공공 기관을 소개하는 과정을 순서대로 기호를 쓰시오.**

㉠ 설명이 끝나면 다음 모둠으로 이동해 다른 공공 기관에 대한 설명을 듣습니다.
㉡ 모둠 친구들과 함께 우리 지역의 다양한 공공 기관에 대해 알게 된 내용을 정리합니다.
㉢ 전문가 친구는 자기 모둠에 남아 있고 다른 친구들은 옆 모둠으로 이동해 조사한 내용을 듣습니다.
㉣ 같은 기관을 조사한 친구끼리 모둠을 만들고 조사한 내용을 설명할 전문가 친구를 한 명 정합니다.
㉤ 모든 모둠의 설명을 듣고, 자기 모둠으로 돌아와서 전문가 친구에게 자신이 들은 내용을 설명합니다.

( )

'우리 지역의 공공 기관'에서 배운 내용을 떠올리며 바른 내용이 적힌 풍선의 글자를 모아 빈칸에 질문의 답을 써 봅시다.

도움 공공 기관에 관한 내용을 생각해 보며 맞는 설명을 찾아보아요.

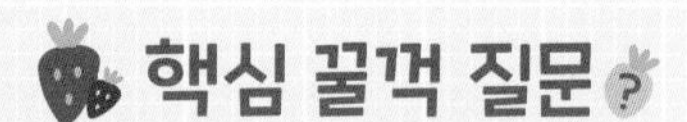

공공 기관이란 무엇인가요?	
공공 기관에는 어떤 곳이 있나요?	
우리 지역의 공공 기관을 조사하는 방법에는 무엇이 있나요?	

1 다음에서 설명하는 것이 무엇인지 쓰시오.

주민 전체의 이익과 생활의 편의를 위해 국가나 지방 자치 단체가 세우거나 관리하는 기관입니다.

중요

2 공공 기관과 하는 일을 바르게 연결하지 않은 것은 어느 것입니까? (　　　)

① 보건소 – 감염병 등의 질병을 예방하고 치료한다.
② 시청 – 주민 생활의 불편을 해결하고 지역의 발전을 위해 일한다.
③ 경찰서 – 범죄를 예방하여 주민의 안전을 책임지고 질서를 유지한다.
④ 소방서 – 화재를 예방하고 불을 끄며, 위험에 처한 사람을 구조한다.
⑤ 교육청 – 책을 빌려주며 책을 읽거나 공부할 수 있는 공간을 제공한다.

3 다음 공공 기관이 없다면 어떤 일이 발생할지 쓰시오.

4 빈칸에 들어갈 알맞은 말을 쓰시오.

□□□이/가 없다면 불이 났을 때 많은 사람이 다치거나 위험에 처할 수 있습니다.

5 지역 주민이 공공 기관에 요구할 수 있는 일로 알맞지 않은 것은 어느 것입니까? (　　　)

① 독감 예방 접종을 받고 싶어요.
② 친구에게 쓴 편지를 보내고 싶어요.
③ 학원 숙제가 많으니 대신 해 주세요.
④ 학교 앞 건널목에 신호등을 만들어 주세요.
⑤ 학교 가는 길에 자전거 전용 도로를 만들어 주세요.

6 공공 기관을 견학하기 전에 해야 할 일을 보기에서 모두 골라 기호를 쓰시오.

보기
㉠ 견학할 날짜와 시간을 약속한다.
㉡ 조사한 내용을 보고서로 작성한다.
㉢ 견학하고자 하는 공공 기관을 정한다.
㉣ 알고 있는 점과 알고 싶은 점을 정리한다.

7 다음에서 설명하는 공공 기관이 무엇인지 쓰시오.

학교를 도와서 학생들의 교육과 관련 있는 일을 합니다.

8 다음 질문에 알맞은 답을 쓰시오.

공공 기관에서 하는 일을 조사하고 싶어요! 어떻게 하는 것이 좋을까요?

중요

9 공공 기관의 조사 방법 중 견학의 좋은 점으로 알맞은 것을 보기에서 두 가지 골라 기호를 쓰시오.

보기
㉠ 집에서 편리하게 조사할 수 있다.
㉡ 공공 기관을 직접 체험해 볼 수 있다.
㉢ 컴퓨터만 있으면 언제든지 할 수 있다.
㉣ 다른 조사 방법보다 시간이 적게 걸린다.
㉤ 궁금한 점이 있으면 직접 물어볼 수 있다.

10 빈칸에 들어갈 알맞은 말을 쓰시오.

학교는 다른 공공 기관과 함께 서로 협력합니다. □□□에서는 학생들에게 치아 관리 교육, 흡연 예방 교육 등 건강과 관련된 교육을 실시합니다.

중요

11 공공 기관의 조사 계획서에 들어갈 내용으로 알맞지 않은 것은 어느 것입니까? (　　　)

① 느낀 점　② 조사 방법
③ 주의할 점　④ 알고 싶은 점
⑤ 알고 있는 점

12 공공 기관을 조사하는 과정에 대한 설명으로 알맞지 않은 것은 어느 것입니까? (　　　)

① 조사할 공공 기관을 정한다.
② 어떤 방법으로 조사할지 정한다.
③ 조사 방법과 내용을 생각하며 계획서를 작성한다.
④ 공공 기관을 조사할 때는 인터넷 검색만 이용한다.
⑤ 조사하고 알게 된 점, 느낀 점 등을 정리하며 보고서를 작성한다.

13 **빈칸에 공통으로 들어갈 알맞은 말을 쓰시오.**

공공 기관에서는 지역 주민들이 안전하고 편리하게 생활하도록 돕습니다. 특히 ☐☐☐에서는 병원에 가기 힘든 지역 주민들을 위해 건강 검진과 건강 교육을 해 주는 이동 ☐☐☐을/를 운영하기도 합니다.

____

14 **학교와 다른 공공 기관이 다음과 같이 협력하여 일하는 이유는 무엇인지 쓰시오.**

학교생활에서도 다양한 공공 기관을 만날 수 있습니다. 소방서에서는 학생들에게 화재 예방 교육, 화재 대피 훈련을 실시합니다. 경찰서에서는 학교 폭력 예방을 돕고 관련된 교육을 합니다. 보건소에서는 학생들에게 건강과 관련된 다양한 교육을 합니다. 박물관에서는 다양한 전시 자료 등을 활용하여 여러 가지 교육을 합니다.

____

____

15 **공공 기관 견학 시 지켜야 할 예절로 알맞지 않은 것은 어느 것입니까?** (　　　)

① 안전하게 이동한다.
② 큰 목소리로 떠들지 않는다.
③ 함부로 물건을 만지지 않는다.
④ 공공질서와 예절을 잘 지킨다.
⑤ 궁금한 점이 있으면 견학 담당자의 안내와 관계없이 바로 질문한다.

워드 클라우드와 함께하는 서술형 문제

[16-17] 워드 클라우드의 단어를 이용하여 서술형 문제의 답을 쓰시오.

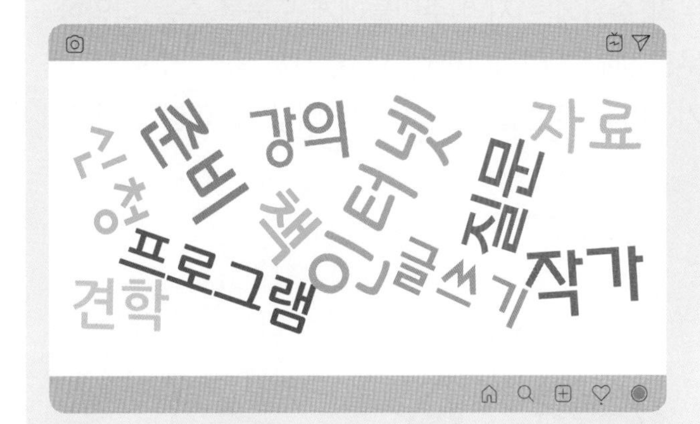

16 **다음 일을 하는 공공 기관이 하는 다른 일을 서술하시오.**

책을 빌려주며, 책을 읽거나 공부할 수 있는 공간을 제공합니다.

____

____

17 **다음은 공공 기관을 조사하는 방법 중 어떤 방법인지 명칭을 쓰고, 이 방법으로 조사하기 전에 확인해야 할 일을 서술하시오.**

누리집이나 홍보 자료, 신문·방송 등의 자료를 조사하는 것이 아니라 직접 공공 기관을 방문하여 조사합니다.

(1) 명칭: ______________________

(2) 확인해야 할 일: ______________________

____

공공 기관에서 일하는 사람들

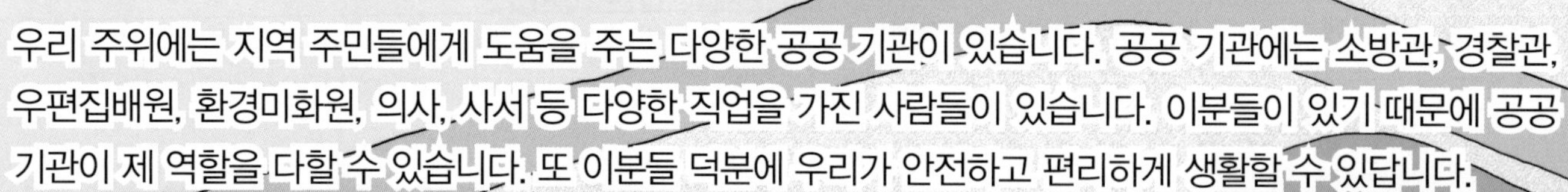

우리 주위에는 지역 주민들에게 도움을 주는 다양한 공공 기관이 있습니다. 공공 기관에는 소방관, 경찰관, 우편집배원, 환경미화원, 의사, 사서 등 다양한 직업을 가진 사람들이 있습니다. 이분들이 있기 때문에 공공 기관이 제 역할을 다할 수 있습니다. 또 이분들 덕분에 우리가 안전하고 편리하게 생활할 수 있답니다.

소방관

지역에 불이 나면 불을 끄고, 다친 사람을 도와줍니다.

경찰관

지역 주민의 생명과 안전을 책임지고, 범죄가 일어나지 않도록 노력합니다.

우편집배원

편지나 물건을 배달해 줍니다.

환경미화원

깨끗한 환경을 만들기 위해 길가의 쓰레기를 치웁니다.

의사

건강과 관련된 검사와 예방 접종을 해 줍니다.

사서

도서관의 책을 정리하고, 책과 관련된 다양한 프로그램을 기획합니다.

지역 문제란 무엇일까요?

보충 ❶

◉ 어린이 보호 구역

교통사고로부터 어린이를 보호하기 위해 유치원, 초등학교 등의 출입문을 중심으로 주변 300m 이내의 도로 중 일정 구간을 어린이 보호 구역으로 지정한다. 이 구역 안에서 자동차는 시속 30km를 넘으면 안 된다.

1 지역 문제 알아보기

(1) **지역 문제:** 지역에서 지역 주민의 생활을 불편하게 하거나 주민들 사이에 갈등을 일으키는 문제이다. 속 시원한 **활동 풀이**

(2) **지역 문제의 예**

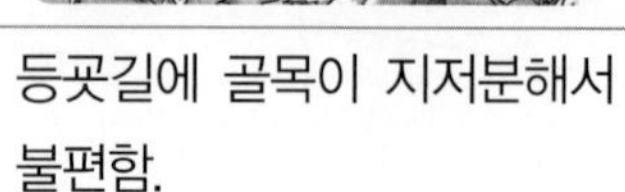 등굣길에 골목이 지저분해서 불편함.	도로에 차가 많아 길이 막힘.	자동차 ❶매연이 심해서 힘듦.

공사장의 ❷소음이 심하고, 지나다닐 때 위험함.	학교 앞에 ❸불법으로 주차된 차 때문에 위험함.	학교 주변에서 차들이 빨리 달려서 위험함. 보충 ❶

2 지역 문제인 것과 아닌 것 구분하기

	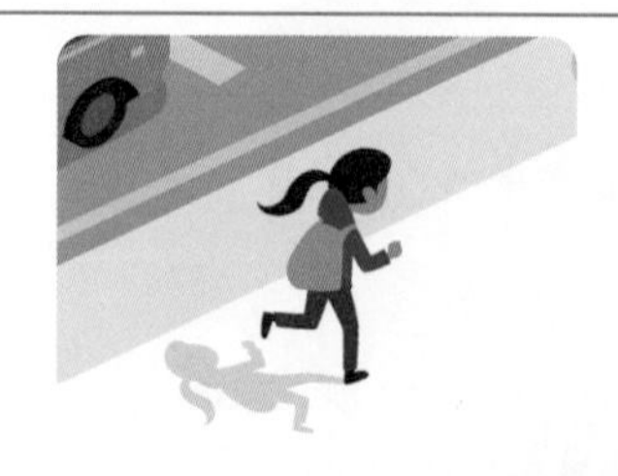
골목길에 쓰레기가 버려져 있음. ↓ 나뿐만 아니라 다른 주민들도 쓰레기 때문에 불편함. ↓ 지역 문제임.	학교에 늦어 지각할 것 같음. ↓ 나에게는 문제이지만, 다른 주민들은 불편하지 않음. ↓ 지역 문제가 아님.

용어 사전

❶ **매연**: 연료가 탈 때 섞여 나오는 검은 가루로, 오염 물질이다.

❷ **소음**: 불쾌하고 시끄러운 소리이다.

❸ **불법**: 법에 어긋나는 것을 뜻한다.

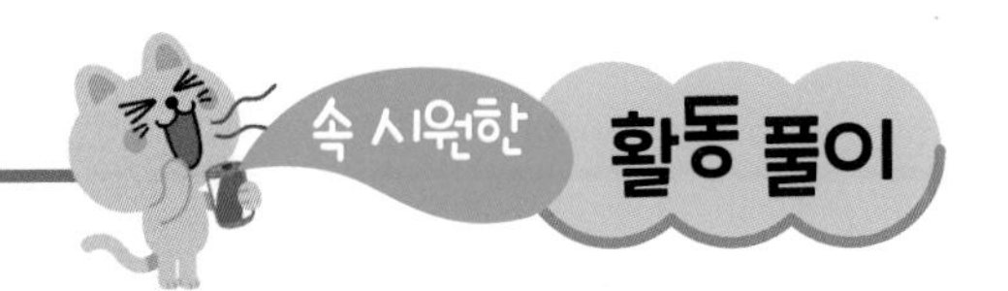

교과서 116~117쪽

내가 겪었던 불편한 일 중에서 지역 문제라고 생각하는 것을 친구들에게 이야기해 봅시다.

내가 겪었던 불편한 일	예 • 가까운 곳에 도서관이 없습니다. • 학교 숙제를 못 했습니다. • 휴대 전화를 사고 싶은데 용돈이 부족합니다. • 놀이터 주변에 쓰레기가 마구 버려져 있어 냄새가 심합니다. • 길가의 울타리가 망가져서 지나다닐 때 불편합니다. • 친구와 운동을 하다가 싸웠습니다.

지역 문제인 것	지역 문제가 아닌 것
예 • 가까운 곳에 도서관이 없습니다. • 놀이터 주변에 쓰레기가 마구 버려져 있어 냄새가 심합니다. • 길가의 울타리가 망가져서 지나다닐 때 불편합니다.	예 • 학교 숙제를 못 했습니다. • 휴대 전화를 사고 싶은데 용돈이 부족합니다. • 친구와 운동을 하다가 싸웠습니다.

정답과 해설 13쪽

1 빈칸에 들어갈 알맞은 말을 각각 쓰시오.

지역 문제는 지역에서 주민의 생활을 □□하게 하거나 주민들 사이에 □□을/를 일으키는 문제입니다.

( )

2 내용이 맞으면 ○표, 틀리면 ×표를 선택하시오.

(1) 소음 문제는 대표적인 지역 문제입니다. (○, ×)

(2) 매일 아침 늦게 일어나서 지각하는 것은 지역 문제입니다. (○, ×)

지역 문제를 확인해 볼까요?

1 지역 문제의 유형 알아보기

	**환경 문제** • 주변에 공장이 있어 대기 오염이 심각함. • 쓰레기 ❶분리배출이 제대로 되지 않아 냄새가 남.
	**교통 문제** 보충 ❶ • 도시에서는 차가 많아 길이 막히고 교통이 ❷혼잡함. • 촌락에서는 대중교통 부족 문제가 나타남.
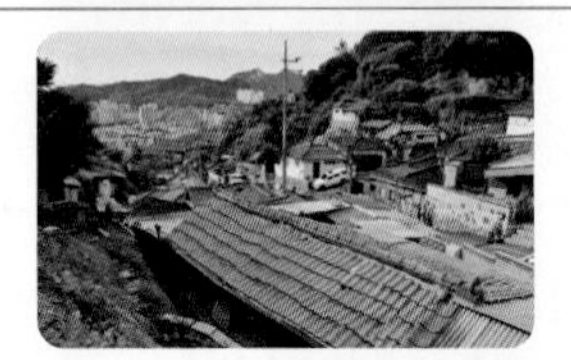	**안전 문제** • 지어진 지 오래되어 낡은 주택이 많아 위험함. • 거리의 바닥에 구멍이 생겨 걸어 다닐 때 위험함.
	**시설 부족 문제** • 장애인들이 이용할 수 있는 편의 시설이 부족함. • 가까운 곳에 놀이터나 도서관이 없어서 불편함.

2 지역 문제 확인하기

(1) 지역 문제 조사 방법 속 시원한 활동 풀이

① 지역에 나가서 직접 둘러보며 찾는다.

② 지역 주민과의 면담을 통해 직접 여쭤본다.

③ 지역의 뉴스나 신문 기사에서 찾아본다. 보충 ❷

④ 시·도청 누리집에서 주민들의 의견을 찾아본다.

(2) 우리 지역의 문제 확인: 다양한 방법으로 우리 지역의 문제를 알아본다.

활동 도우미 설문 조사를 통해 지역 문제 조사하기

❶ 조사 내용, 조사 기간, 조사 대상을 정합니다.
❷ 지역 주민들이 생각하는 지역 문제에 대해 물어볼 수 있는 설문지를 만듭니다.
❸ 설문 조사를 할 사람에게 미리 허락받고, 설문 조사를 합니다.
❹ 비슷한 내용의 대답끼리 묶어 설문 조사 결과를 정리합니다.

[지역 주민들이 생각하는 지역 문제 조사]

안녕하십니까? 저희는 ○○초등학교 4학년 ○반 학생들입니다. 저희는 사회 시간에 '우리 지역의 문제 확인하기'를 공부하고 있습니다. 아래 물음에 대답해 주시면 공부하는 데 도움이 될 것입니다. 고맙습니다.

〈물 음〉

1. 우리 지역의 문제는 무엇이라고 생각하시나요?(복수 응답 가능)
2. 그중에서 가장 먼저 해결되어야 할 문제는 무엇이라고 생각하시나요?(한 개만 선택)
3. 그 지역 문제가 일어나는 원인은 무엇이라고 생각하시나요?(복수 응답 가능)
4. 그 지역 문제를 해결할 방안은 무엇이라고 생각하시나요?(복수 응답 가능)
5. 우리 지역의 미래는 어떤 모습이면 좋을까요?

▶ 설문지 예시

보충 ❶

◉ **지역의 환경에 따라 달라지는 지역 문제**

같은 교통 문제라도 도시에서는 교통 혼잡 문제가 나타나고, 촌락에서는 대중교통 부족 문제가 나타날 수 있다. 또한 시설 부족 문제도 지역마다 부족한 시설이 다를 수 있다.

보충 ❷

◉ **지역 뉴스와 지역 신문**

지역 뉴스에서는 지역에서 일어난 중요한 소식을 다룬다. 보통 전국 뉴스 다음으로 지역 뉴스가 방영되고, 이를 보면 지역 문제를 알아볼 수 있다. 또 지역 뉴스에도 지역의 새 소식과 화제가 실린다. 인터넷에서 지역명과 함께 지역 신문을 검색하면 찾을 수 있다.

용어 사전

❶ **분리배출**: 쓰레기를 종류별로 나누어서 버리는 것을 뜻한다.
❷ **혼잡**: 여럿이 한데 뒤섞여서 어수선한 것을 뜻한다.

교과서 118~119쪽

우리 지역의 문제를 알아보고, 그중에서 가장 해결하고 싶은 문제를 친구들과 정해 봅시다.

우리 지역의 문제	예 ① 무단 횡단을 하는 사람이 많습니다. ② 길거리에 버려진 쓰레기가 많습니다. ③ 가로등이 부족해 밤길이 어두워 위험합니다. ④ 지역 주민을 위한 문화 공간이 부족합니다.
가장 해결하고 싶은 문제	예 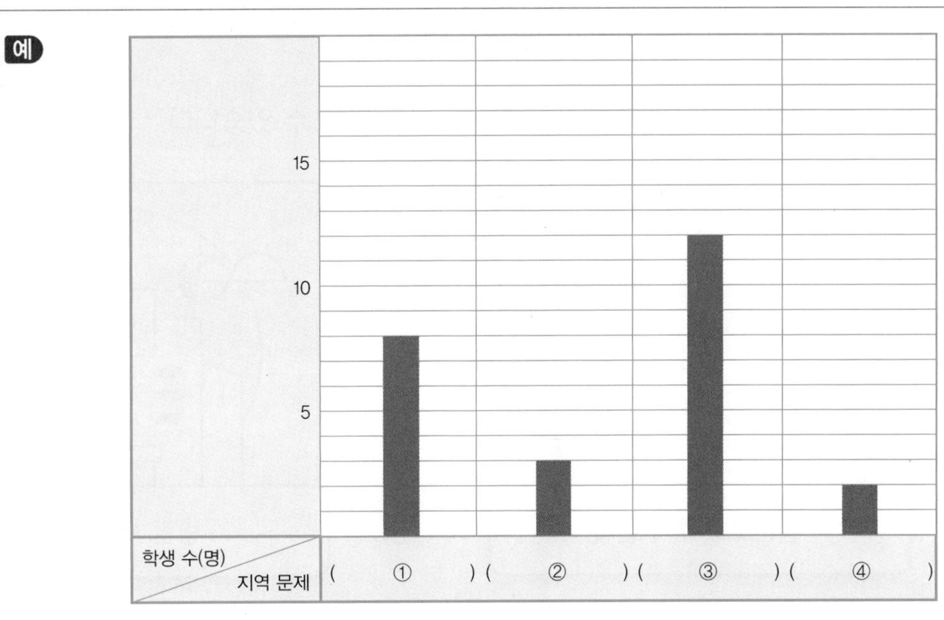 우리 반 친구들이 가장 해결하고 싶은 지역 문제는 가로등이 부족한 것과 관련된 문제입니다.

잠깐! 확인해요

시 · 도청 누리집에서 지역 문제를 알아볼 수 있습니다. (○, ×) (○)

정답과 해설 13쪽

1 다음 내용에서 알맞은 말에 ○표 하시오.

쓰레기 분리배출이 제대로 되지 않아 냄새가 나는 것은 (환경 문제 / 교통 문제)입니다.

2 내용이 맞으면 ○표, 틀리면 ×표를 선택하시오.

(1) 도서관에서 소설책을 읽으면 지역 문제를 찾을 수 있습니다. (○, ×)

(2) 지역 주민과의 면담을 통해 지역 문제를 조사할 수 있습니다. (○, ×)

지역 문제 해결 플랫폼

지역 문제 해결 플랫폼 누리집은 지역 주민이 직접 제안한 지역 문제를 정부, 지방 자치 단체, 공공 기관, 전문가 등이 함께 힘을 모아 해결할 수 있도록 도와주는 서비스입니다. 현재 광주광역시, 충청북도, 대전광역시, 경상남도, 대구광역시, 강원도, 전라남도, 충청남도의 총 8개 지역에서 운영되고 있으며, 지역 문제와 관련된 다양한 의견이 누리집에 올라와 있습니다. 2020년에는 지역 문제 해결 플랫폼 누리집을 통해 총 122개의 지역 문제에 대한 해결 방안이 논의되고 실행되었답니다.

1 지역 주민이라면 누구나 직접 지역 문제를 자유롭게 제안할 수 있습니다.

횡단보도 추가 설치

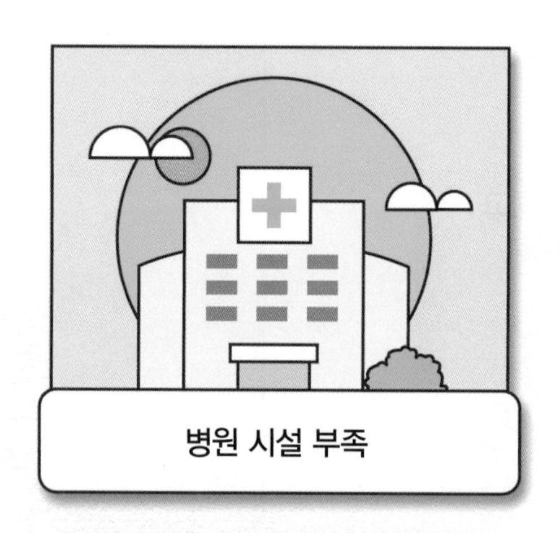
병원 시설 부족

음식물 쓰레기 문제

주차 공간 부족

층간 소음 문제

장애인 편의 시설 부족

2 지역 문제를 해결하기 위해 지역 주민, 정부, 공공 기관, 전문가 등을 연결합니다.

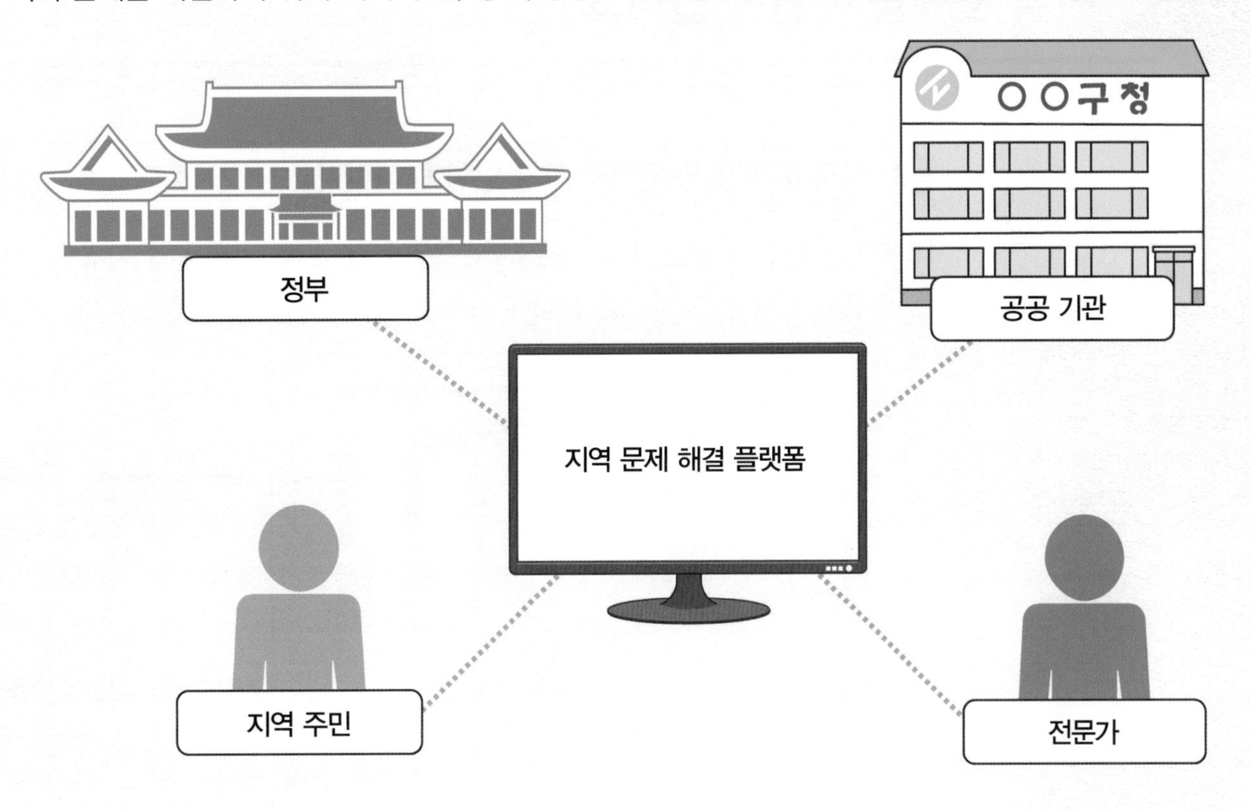

3 서로가 가진 능력을 모아 함께 지역 문제를 해결해 갑니다.

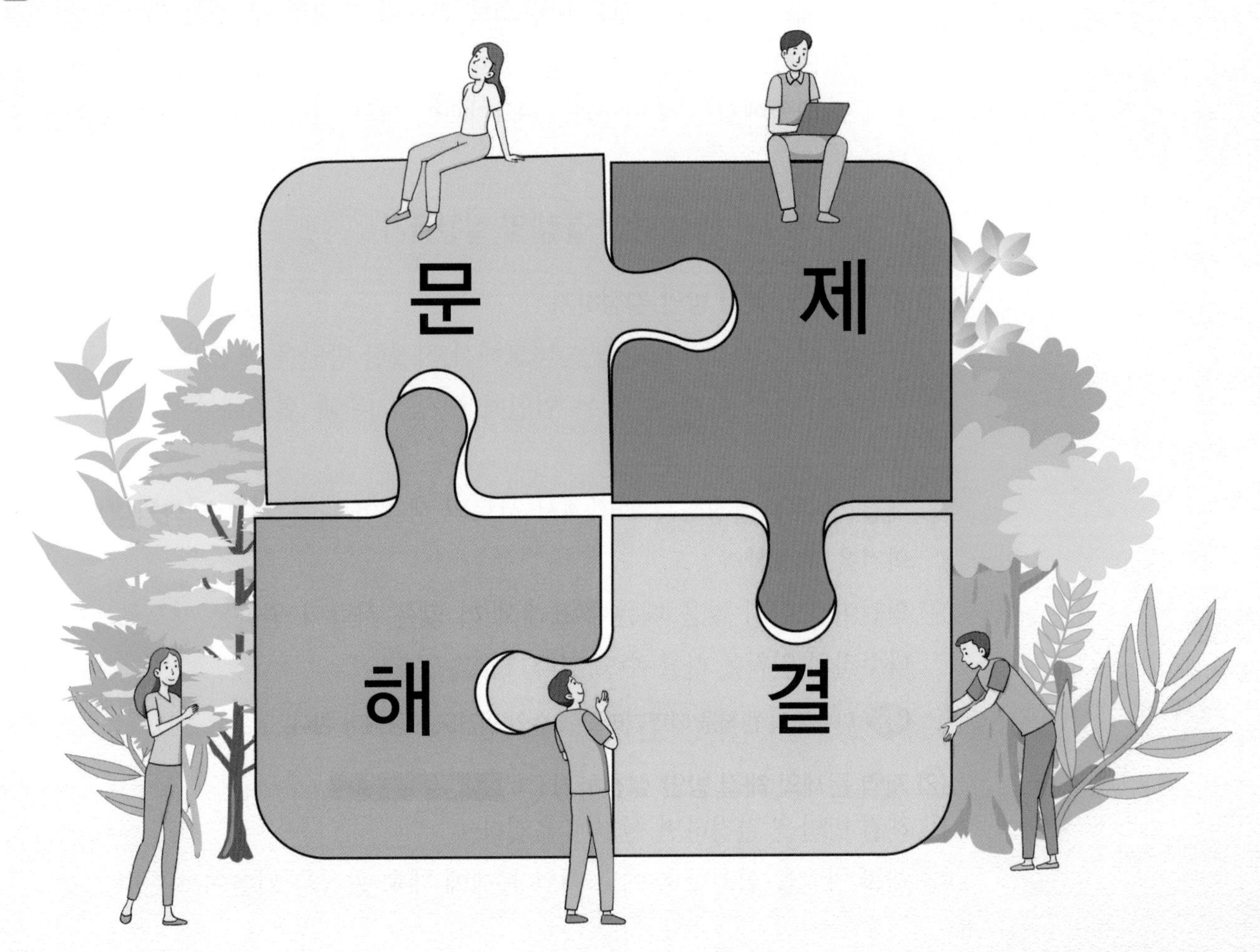

지역 문제를 해결해 볼까요?

❶ 지역 문제 발생 원인과 해결 방안 탐색하기

(1) 지역 문제 발생 원인 찾기: 신문 기사, ❶통계 자료, 면담 내용 등 다양한 자료를 수집하고, 수집한 자료를 분석해 지역 문제가 일어난 원인을 찾는다.

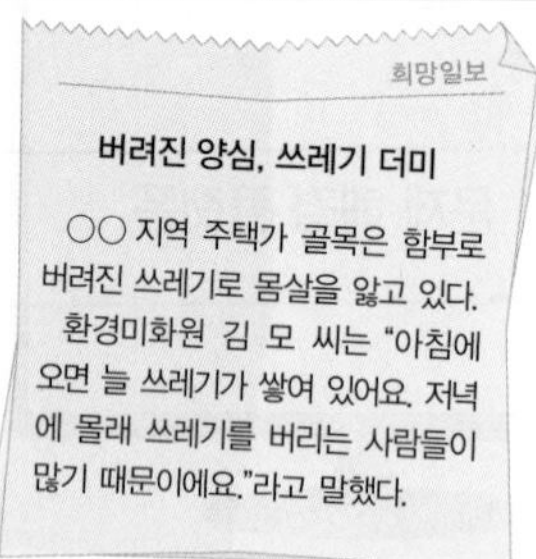

희망일보

버려진 양심, 쓰레기 더미

○○ 지역 주택가 골목은 함부로 버려진 쓰레기로 몸살을 앓고 있다.
환경미화원 김 모 씨는 "아침에 오면 늘 쓰레기가 쌓여 있어요. 저녁에 몰래 쓰레기를 버리는 사람들이 많기 때문이에요."라고 말했다.

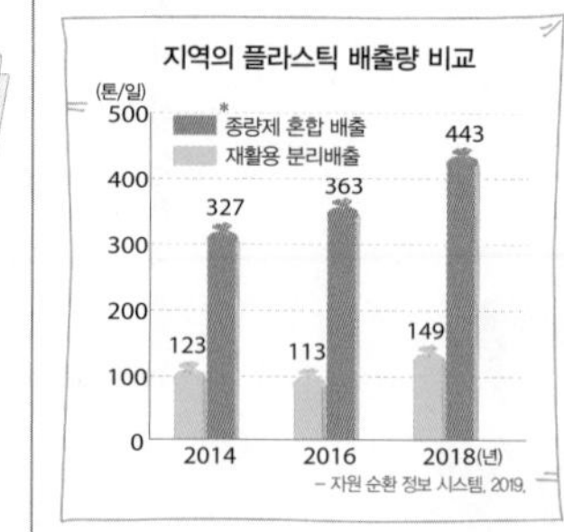

우리 지역에 쓰레기 문제가 발생하는 이유는 무엇일까요?
1. 쓰레기를 분리배출하는 것이 귀찮아서
2. 공공 기관이 제대로 단속하지 않아서
3. 다른 사람이 버리니 나도 버려도 된다고 생각해서

신문 기사	통계 자료	지역 주민과 면담한 내용
주택가 골목에 쓰레기를 몰래 버리는 사람들이 많음.	재활용 쓰레기를 분리배출하지 않아 쓰레기양이 늘어나고 있음.	지역 주민들은 쓰레기 분리배출이 귀찮고, 단속이 부족해 쓰레기 문제가 생긴다고 생각함.

(2) 지역 문제의 해결 방안 탐색하기 속 시원한 활동 풀이

① 지역 문제가 발생한 원인을 바탕으로 문제를 해결할 수 있는 다양한 방안을 탐색해 본다.

② 실제로 지역에서는 주민들과 공공 기관이 함께 지역 문제의 해결 방안을 의논한다.

❷ 지역 문제의 해결 방안 결정 및 실천하기

(1) 지역 문제의 해결 방안 결정하기

① 다양한 해결 방안의 장단점을 비교해서 적절한 방안을 결정한다.

② 주민들이 스스로 할 수 있는 일인지, 공공 기관과 협조해야 할 일인지 따져 본다.

③ 해결 방안을 결정하는 과정에서 서로의 생각이 다를 때는 대화와 ❷타협으로 의견을 조정한다.

④ 의견이 모이지 않을 때는 투표해서 더 많은 사람이 원하는 것으로 선택하는 다수결의 원칙을 따를 수도 있다. 보충 ❶

내용+ 다수결의 원칙을 따르더라도 소수의 의견도 존중해야 한다.

(2) 지역 문제의 해결 방안 실천하기 속 시원한 활동 풀이

① 해결 방안을 결정하면 실천에 옮긴다.

② 해결 방안을 실천한 후에도 지역 문제에 계속 관심을 기울여야 한다.

보충 ❶

◉ **다수결의 원칙**

어떤 일에 대해 많은 사람의 의견에 따라 결정하는 것을 뜻한다. 다수결의 원칙을 따를 때는 먼저 대화와 타협의 과정을 꼭 거쳐야 한다. 또 다수의 의견이라고 해서 항상 옳은 것은 아니므로 소수의 의견이 반대 의견일지라도 존중하고 참고해야 한다.

용어 사전

❶ **통계**: 일상생활이나 여러 가지 현상에 대한 자료를 한눈에 알아보기 쉽게 수치로 나타내는 것을 뜻한다.

❷ **타협**: 어떤 일을 서로 양보해서 협의하는 것을 뜻한다.

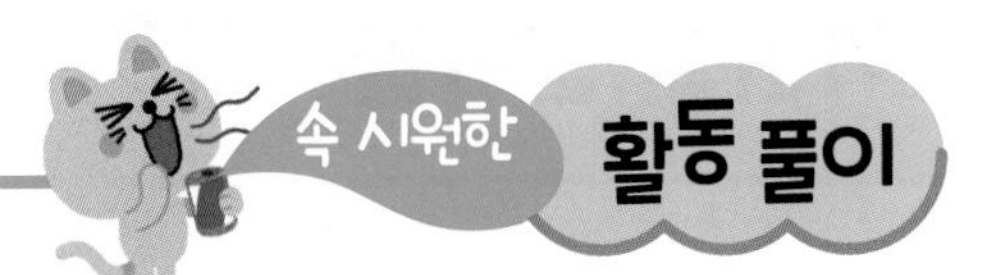

교과서 120~123쪽

우리 지역의 문제가 생긴 원인을 찾고, 해결 방안을 함께 이야기해 봅시다.

우리 지역의 문제	예 쓰레기 문제
지역 문제 발생 원인	예 • 사람들이 쓰레기를 몰래 버립니다. • 사람들이 재활용 쓰레기를 종량제 봉투에 담아 버립니다. • 공공 기관이 단속을 제대로 하지 않습니다.
지역 문제 해결 방안	예 • 쓰레기가 많이 버려지는 곳에 감시 카메라를 설치합니다. • 쓰레기 분리수거함을 설치합니다. • 주민들이 쓰레기 불법 투기 감시단을 만들어서 활동합니다.

지역화 다 함께 활동

우리 지역의 문제를 해결할 수 있는 적절한 방안을 정하여 실천해 봅시다.

결정한 해결 방안	예 쓰레기가 많이 버려지는 곳에 감시 카메라 설치하기
해결 방안 실천하기	예 • 공공 기관 누리집에 감시 카메라를 설치하고 쓰레기가 많이 버려지는 공터에 화단을 만들어 달라는 의견을 올렸습니다. • 쓰레기 분리배출 방법을 영상으로 찍어서 알렸습니다.

잠깐! 확인해요

다양한 의견을 하나로 모을 때는 내 의견만 주장합니다. (○, ×) (×)

확인 톡! 톡!

정답과 해설 13쪽

1 지역 문제 발생 원인을 찾아보는 방법을 보기 에서 모두 골라 기호를 쓰시오.

보기
㉠ 시 읽기 ㉡ 신문 기사 찾아보기 ㉢ 통계 자료 찾아보기 ㉣ 지역 주민과 면담하기

( )

2 빈칸에 들어갈 알맞은 말을 쓰시오.

서로의 생각이 다를 때는 대화와 □□(으)로 의견을 조정합니다.

( )

지역 문제 해결에 주민 참여가 중요한 까닭을 알아볼까요?

1 주민 참여의 의미와 방법

(1) 주민 참여: 지역 문제를 해결하는 과정에서 지역 주민이 중심이 되어 참여하는 것이다.

(2) 다양한 주민 참여 방법 보충 ❶

서명 운동하기	지역 문제 해결 방법에 동의하는 사람들의 이름, 서명 등을 받아 관련 기관에 제출함.
공공 기관에 의견 전달하기	지역 문제 해결 방법을 실천하는 데 도와줄 수 있는 공공 기관에 의견을 전달함.
봉사 활동하기	지역 문제와 관련된 곳에 직접 찾아가 봉사 활동을 함.
❶공청회나 주민 회의 참석하기	공청회나 주민 회의에 참석해 지역의 일에 대해 의논하고 다양한 의견을 냄.
주민 투표 참여하기	지역의 중요한 일을 결정하는 주민 투표에 참여함.
❷시민 단체 활동하기	시민 단체에 가입해 단체 회원들과 함께 지역 문제 해결을 위해 활동함. 보충 ❷
기부나 ❸후원하기	자신이 가진 재능을 기부하거나 봉사 활동, 시민 단체 활동 등을 후원함.

(3) 주민 참여가 지역에 미치는 영향

① 주민들이 불편하게 여기던 지역 문제가 해결되어 우리 지역이 더 살기 좋은 곳이 될 것이다.

② 주민들이 바라는 지역으로 발전하고, 지역을 더 소중히 여길 것이다.

③ 주민들이 지역의 다른 문제에도 관심을 가지게 될 것이다.

2 주민 참여가 중요한 까닭

(1) 주민들이 지역 문제 해결에 참여하는 모습

① 시민 단체가 기업, 공공 기관과 협력해 지역 주민의 편의를 위한 공공시설을 만들었다.

② 지역 주민들이 생활에서 겪는 불편함을 해결할 수 있는 사업을 주민 투표로 결정했다.

(2) 지역의 일에 참여해야 하는 까닭 속 시원한 활동 풀이

① 지역 문제는 지역 주민들의 생활에 영향을 미치기 때문이다.

② 지역 주민이 지역 문제 해결 과정에 참여할 때 공공 기관은 주민의 의견을 잘 반영할 수 있고 지역은 주민들이 바라는 모습으로 변화하기 때문이다.

보충 ❶

◉ **주민 참여 제도**

- 주민 감사 청구: 지방 자치 단체와 그 장의 권한에 속하는 사무 처리가 법령에 위반되거나 공익을 현저히 해친다고 인정되면 감사를 청구할 수 있다.
- 주민 소송: 주민이나 납세자가 감사 청구한 사항과 관련 있는 위법한 행위나 업무를 게을리한 사실에 대해 해당 지방 자치 단체의 장을 상대방으로 하여 소송을 제기할 수 있다.
- 주민 소환: 주민은 그 지방 자치 단체의 장 및 지방 의회 의원(비례 대표 지방 의회 의원 제외)을 소환할 권리를 가진다.

보충 ❷

◉ **시민 단체의 다양한 활동**

정치, 경제, 환경, 교육 등 분야별로 다양한 활동을 하는 시민 단체가 있다. 또 지역의 어려운 사람들을 돕는 봉사 활동을 하는 시민 단체도 있다.

용어 사전

❶ **공청회**: 국가 또는 공공 기관이 일정한 사항을 결정할 때, 공개적으로 다양한 의견을 듣는 회의이다.

❷ **시민 단체**: 사회 전체의 이익을 위해 시민들이 스스로 만든 단체이다.

❸ **후원**: 어떤 사람이나 일을 뒤에서 도와주는 것을 뜻한다.

공부한 날 ___월 ___일

교과서 124~127쪽

속 시원한 활동 풀이

주민들이 지역 문제 해결에 참여한 사례를 살펴보고, 주민 참여가 중요한 까닭을 이야기해 봅시다.

제목	예 시민 단체와 기업, 공공 기관이 함께 이룬 성과	예 도민에게 필요한 사업, 주민 투표로 결정
사진	예 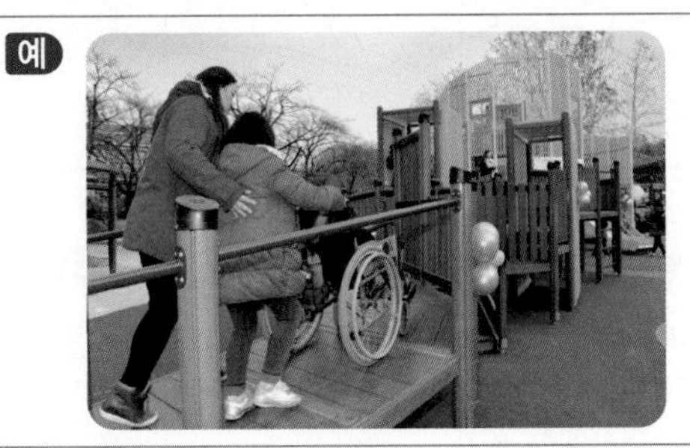	예
내용	예 우리 지역에는 장애인이 이용할 수 있는 시설이 부족한 편입니다. 이번에 시민 단체가 기업, 공공 기관과 협력해 장애 아동도 함께 놀 수 있는 놀이터를 만들었습니다. 이 놀이터의 회전 놀이 시설은 휠체어에서 내리지 않고 이용할 수 있고, 바구니 모양 그네는 여럿이 함께 탈 수 있어서 장애 아동도 즐겁게 놀 수 있게 되었습니다.	예 우리 ○○도는 도민들이 지역에 필요한 여러 가지 사업을 직접 제안하고, 그중에서 최종 사업을 주민 투표로 결정했습니다. 최종 사업에는 물놀이 사고 위험 경보 시스템 설치, 벽지 마을 비상용 구급함 설치 등과 같이 주민들이 생활에서 겪는 불편함을 해결할 수 있는 사업이 포함되어 있습니다.
주민 참여가 중요한 까닭	예 • 지역 문제는 지역 주민들이 생활하는 데 영향을 미치기 때문입니다. • 지역의 일이나 문제는 그 지역 주민들이 가장 잘 알고 있기 때문입니다. • 주민들이 지역 문제에 관심을 가져야 공공 기관도 주민들의 의견을 잘 반영할 수 있기 때문입니다.	

잠깐! 확인해요

□□ □□은/는 지역의 일에 지역 주민이 중심이 되어 참여하는 것을 말합니다. (주민 참여)

정답과 해설 13쪽

1 지역의 중요한 일을 결정하기 전에 지역 주민의 다양한 의견을 듣기 위해 열리는 회의가 무엇인지 쓰시오.

( )

2 시민들이 스스로 모여 사회 전체의 이익을 위해 활동하는 단체가 무엇인지 쓰시오.

( )

주민 참여의 바람직한 태도를 알아볼까요?

보충 ❶

◉ **지역 문제 해결을 위해 주민이 가져야 할 태도**
- 지역 문제에 어떤 것이 있는지 관심을 가진다.
- 지역 문제를 해결할 방법을 다양하게 제시한다.
- 지역 문제의 해결 방법으로 정해진 것에 적극적으로 참여하여 실천한다.

❶ 주민 회의 역할극

(1) 주민 회의 진행 모습

① 주민 회의의 주제: 초등학교 등·하굣길의 안전 문제

② 주민 회의 참석자: 주민 1, 주민 2, 주민 3, 어린이, 시청 직원, 경찰관, 시민 단체 대표

③ 주민 회의에서 나온 다양한 의견

	**주민 1** • 아이들이 안전하게 다닐 수 있도록 육교나 지하도를 만들어야 함. • 지역 주민이 경찰과 함께 교통 안전 봉사대 활동을 할 수 있음.
	**주민 2** • 횡단보도가 있는데 육교나 지하도를 만들 필요가 없음. • 우리 집에는 초등학생이 없기 때문에 문제 해결에 참여하지 않겠음.
	**주민 3** 지역 문제는 지역 주민이 아닌 공공 기관이 해결해야 함.
	**경찰관** 속도 제한 카메라를 더 설치하고, 등·하교 시간에 ❶단속을 강화하겠음.
	**시민 단체 대표** 육교나 지하도를 서둘러 설치해 달라는 서명 운동을 계획해 보겠음.
	**어린이** 학생들은 '횡단보도 안전하게 건너기 ❷캠페인'을 할 수 있음.

(2) 주민 회의 역할극 꾸며 보기 속 시원한 **활동 풀이**

❶ 모둠을 구성하고 등장인물 중 각자 맡을 인물을 정한다.
❷ 교과서에서 선택한 등장인물 카드를 떼어 옷에 붙인다.
❸ 모둠별로 어떤 대사와 행동을 할지 의논하며 역할극을 준비한다.
❹ 주민 회의 역할극을 한다.
❺ 역할극을 마친 후 각 인물의 태도와 주민 참여의 바람직한 태도에 대해 이야기한다.

❷ 주민 참여의 바람직한 태도

(1) **적극적 자세:** 지역의 일에 적극적으로 참여한다. **보충 ❶**

(2) **관심 갖기:** 나와 관련이 적어도 다른 사람들이 불편하게 여기는 일에 관심을 가진다.

(3) **주체적 태도:** 공공 기관에만 일을 미루지 말고, 지역 주민들이 할 수 있는 일부터 생각해 보는 태도를 가진다.

용어 사전

❶ **단속**: 규칙이나 법령, 명령 등을 지키도록 통제하는 것을 말한다.

❷ **캠페인**: 어떤 사회적인 목적을 이루기 위해 지속적으로 행하는 운동이다.

교과서 128~129쪽

주민 회의 주제	예 주차 공간 부족 문제
각자 맡을 등장인물 정하기	예 주민 1: 지후, 주민 2: 유준, 주민 3: 서현, 어린이: 하윤, 시청 직원: 예원, 경찰관: 지우, 시민 단체 대표: 도현

주민 회의 역할극하기

예

- **시청 직원:** 주차 공간이 부족해 이웃끼리 주차로 인한 다툼이 자주 일어나고 있습니다. 문제를 해결할 방안을 말씀해 주세요.
- **주민 1:** 공영 주차장을 새로 만들어서 주차 공간을 늘리면 좋겠어요.
- **주민 2:** 돈을 내고 이용할 수 있는 주차장도 있는데 공영 주차장까지 만들어야 할까요?
- **시청 직원:** 유료 주차장도 많은 사람이 이용하고 있지만 그것만으로는 부족하다는 의견이 많습니다.
- **주민 3:** 이런 문제는 공공 기관이 알아서 해결해야 한다고 생각해요. 주민의 힘으로는 해결할 수 없어요.
- **경찰관:** 골목마다 감시 카메라를 더 설치하고, 저녁 시간에 불법 주차 단속을 강화하겠습니다.
- **시민 단체 대표:** 시민 단체에서는 공영 주차장을 건설해 달라는 의견을 공공 기관에 내겠습니다.
- **어린이:** 학생들은 '불법 주차하지 않기 캠페인'을 벌이면 어떨까요?
- **주민 1:** 저녁 시간에 주민들이 공공 기관 주차장을 사용할 수 있도록 하는 방법도 좋을 것 같습니다.
- **주민 2:** 저는 차를 가지고 있지도 않아 참여할 생각이 없습니다. 공공 기관이 우리 집 주변 공사장에서 나는 소음 문제를 먼저 해결해 주면 좋겠습니다.

주민 참여의 바람직한 태도 이야기하기

예
- 지역에 대해 잘 알고 있는 주민들이 지역 문제를 해결하는 데 앞장서야 합니다.
- 나와는 크게 상관이 없는 문제라도 지역 문제에 관심을 가져야 합니다.

정답과 해설 13쪽

1 내용이 맞으면 ○표, 틀리면 ×표를 선택하시오.

(1) 나와 관련이 적은 지역 문제에는 관심을 가질 필요가 없습니다. (○ , ×)

(2) 주민은 지역 문제 해결을 위해 지역의 일에 적극적으로 참여해야 합니다. (○ , ×)

'지역 문제와 주민 참여'에서 배운 내용을 떠올리며 문제를 풀어 주민 회의장을 찾아가 봅시다.

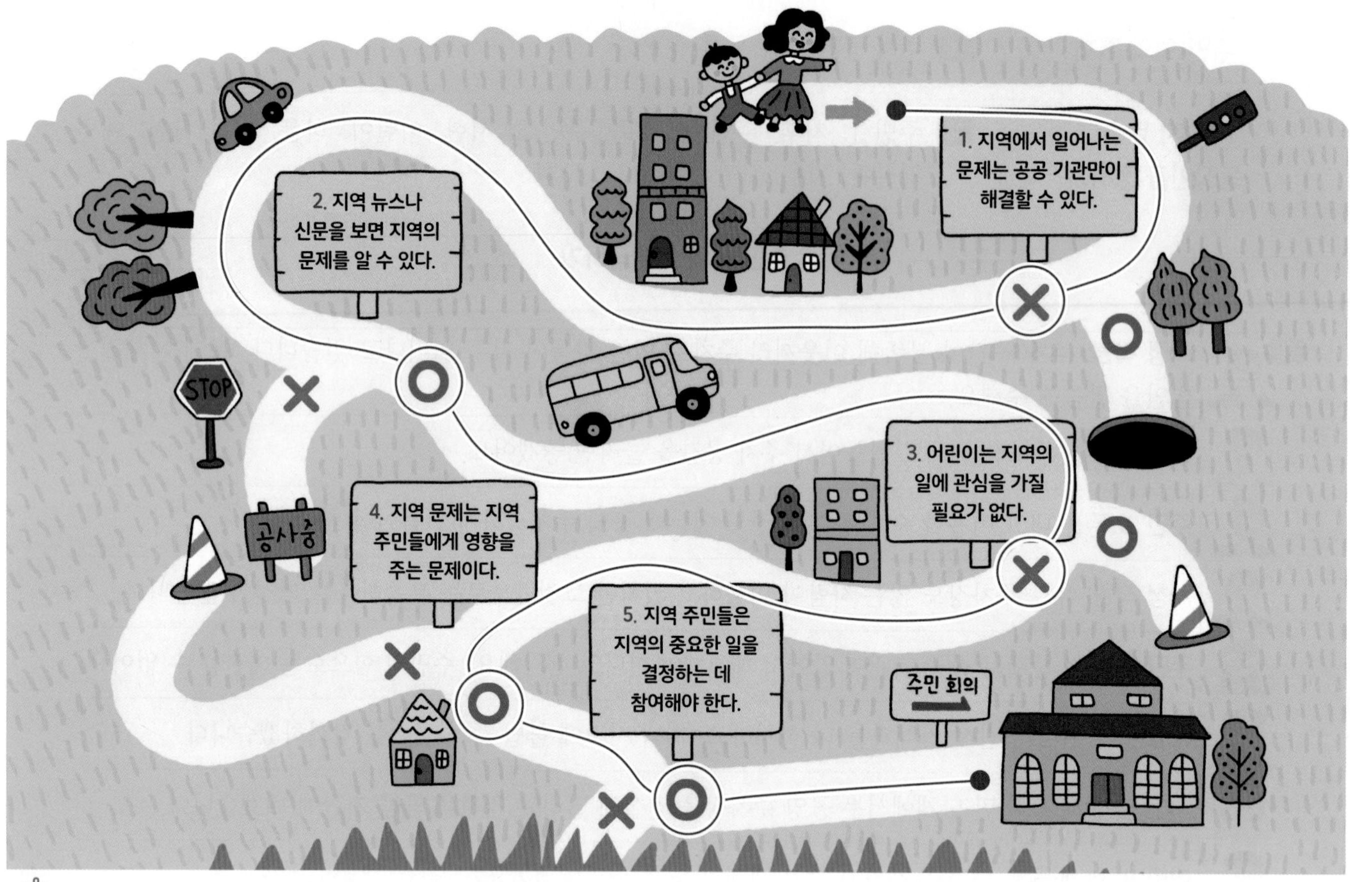

도움 지역 문제와 주민 참여에 대한 내용을 기억하며 문제를 풀어 보아요.

핵심 꿀꺽 질문

지역 문제란 무엇인가요?	
주민 참여 방법에는 무엇이 있나요?	
지역 문제를 해결하는 데 주민 참여가 중요한 까닭은 무엇인가요?	

1 빈칸에 들어갈 알맞은 말을 쓰시오.

지역에는 지역 주민의 생활을 불편하게 하거나 주민들 사이에 갈등을 일으키는 문제가 있습니다. 이러한 문제를 ☐☐ ☐☐(이)라고 합니다.

2 다음 그림을 통해 알 수 있는 지역 문제로 알맞은 것은 어느 것입니까? (　　　)

① 교통 문제　② 소음 문제
③ 인구 문제　④ 환경 문제
⑤ 시설 부족 문제

중요

3 다음에 해당하는 지역 문제가 무엇인지 쓰시오.

- 쓰레기 분리배출이 제대로 되지 않습니다.
- 자동차와 공장에서 나오는 매연으로 인해 미세 먼지가 심각합니다.

4 다음 그림에 나타난 지역 문제가 무엇인지 쓰시오.

5 다음 글을 읽고 알 수 있는 지역 문제를 쓰시오.

우리 동네에는 놀이터나 도서관이 없어서 학교가 끝난 뒤 친구들과 함께 시간을 보낼 곳이 부족해요.

6 지역 문제를 해결하기 위해 가장 먼저 해야 할 일로 알맞은 것은 어느 것입니까? (　　　)

① 발생 원인 파악
② 지역 문제 확인
③ 해결 방안 결정
④ 해결 방안 실천
⑤ 해결 방안 탐색

7 지역 문제 해결 과정을 순서대로 기호를 쓰시오.

㉠ 지역 문제 확인하기
㉡ 해결 방안 결정하기
㉢ 해결 방안 실천하기
㉣ 해결 방안 탐색하기
㉤ 지역 문제 원인 찾기

중요

8 지역 문제를 해결하는 과정에서 의견을 모으기 위한 태도나 방법으로 알맞지 않은 것은 어느 것입니까? ( )

① 투표를 할 수 있다.
② 다수결의 원칙을 따를 수 있다.
③ 대화와 타협을 통해 의견을 조정한다.
④ 충분히 시간을 가지고 의견을 나눈다.
⑤ 소수의 의견은 생각하지 않아도 된다.

9 다음에서 설명하는 것이 무엇인지 쓰시오.

국가나 공공 기관이 정책을 결정하기 전에 다양한 의견을 듣기 위해 여는 공개회의입니다.

10 다음 글을 읽고 어떤 단체인지 쓰시오.

시민들이 스스로 모여서 사회 전체의 이익을 위해 활동하는 단체입니다.

11 다음의 문제를 해결하기 위한 방법으로 알맞지 않은 것은 어느 것입니까? ( )

① 캠페인 활동하기
② 시민 단체 활동하기
③ 공공 기관에 민원 제기하기
④ 주민 참여 예산제 실시하기
⑤ 인터넷 누리집으로 의견 모으기

중요

12 지역 문제를 해결하는 데 주민들이 직접 참여해야 하는 까닭으로 알맞지 않은 것은 어느 것입니까? ( )

① 지역 주민들의 의견을 정책 등에 반영하기 위해서이다.
② 지역 문제는 지역에 사는 모든 주민에게 영향을 주기 때문이다.
③ 그 지역의 문제는 그곳에 사는 주민들이 가장 잘 알기 때문이다.
④ 주민들이 지역 문제에 참여하지 않으면 벌금을 내야 하기 때문이다.
⑤ 시청이나 도청의 직원들이 일을 제대로 하는지 알아보아야 하기 때문이다.

13 빈칸에 들어갈 알맞은 말을 쓰시오.

지역 주민들이 지역 문제에 관심을 가지고 해결 과정에 참여할 때 지역은 주민들이 바라는 모습으로 변화할 수 있습니다. ○○도에서는 물놀이 사고 위험 경보 시스템 설치, 벽지 마을 비상용 구급함 설치 등 도민에게 필요한 사업을 □□ □□(으)로 결정했습니다.

14 지역 문제와 주민 참여에 대해 바르게 이야기한 친구를 다음 대화에서 골라 쓰시오.

아라: 지역 문제를 해결하기 위해 의견을 모으는 과정에서 대화하고 타협하는 자세가 필요해요.
민지: 나의 일이 아닌 지역 문제는 상관하지 않아도 돼요.
수진: 지역 문제는 여러 공공 기관에서 해결해 주기 때문에 신경을 쓰지 않아도 돼요.

중요

15 다음 글의 틀린 부분을 고쳐 바르게 쓰시오.

지역 문제를 해결할 때 지역 주민들이 의견을 내면 문제를 해결하는 데 방해되므로 지역 문제에 의견을 내면 안 됩니다.

워드 클라우드와 함께하는 서술형 문제

[16-17] 워드 클라우드의 단어를 이용하여 서술형 문제의 답을 쓰시오.

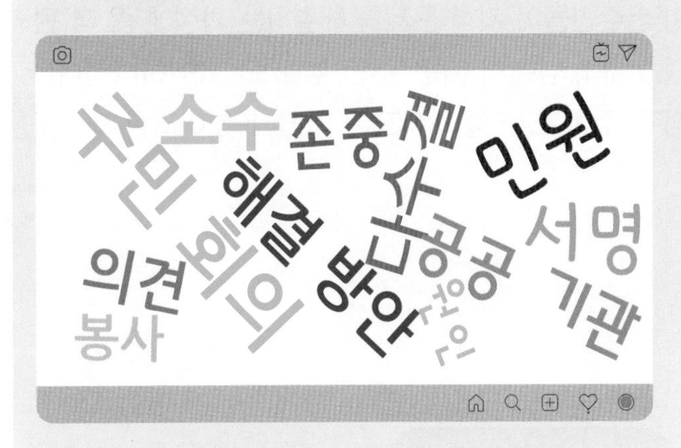

16 다음 내용 이외에 지역 문제에 참여하는 방법을 두 가지 이상 서술하시오.

- 공청회에 참석합니다.
- 시민 단체에서 활동합니다.
- 주민 투표가 있으면 꼭 참여합니다.

17 다음 글을 읽고, 물음에 답하시오.

여러 의견 중 하나를 결정할 때는 투표를 하기도 합니다. 이때 □□□의 원칙에 따라 많은 사람이 원하는 것으로 결정할 수 있습니다.

(1) 위 빈칸에 들어갈 알맞은 말을 쓰시오.

(2) 위 원칙에 따를 때 주의할 점을 쓰시오.

주민 참여 제도

지역 주민들이 지역 문제를 해결하는 과정에 좀 더 편리하고 적극적으로 참여할 수 있도록 도와주는 제도가 있습니다. 앞에서 배운 '주민 투표'도 그중 하나입니다. 이 외에도 주민 참여 예산 제도, 조례의 제정과 개폐 청구, 주민 소환 등의 제도가 있답니다. 이러한 제도들을 주민 참여 제도라고 부릅니다.

주민 참여 예산 제도

지역 주민이 공청회, 설문 조사 등의 방법으로 지방 자치 단체가 지역 예산을 정하는 과정에 참여할 수 있습니다.

조례의 제정과 개폐 청구

지방 자치 단체가 지방의 일에 관하여 정하는 법인 조례를 지역 주민이 직접 만들어서 제출할 수 있고, 잘못된 조례를 없애 달라고 요구할 수도 있습니다.

주민 소환

지역의 대표들이 법을 어겼거나 책임을 다하지 못했을 때 주민들이 투표를 통해 자리에서 물러나게 할 수 있습니다.

단원을 마무리해요

③ 지역의 공공 기관과 주민 참여

콕콕 정리 이 단원에서 배운 내용을 글과 그림으로 정리해 봅시다.

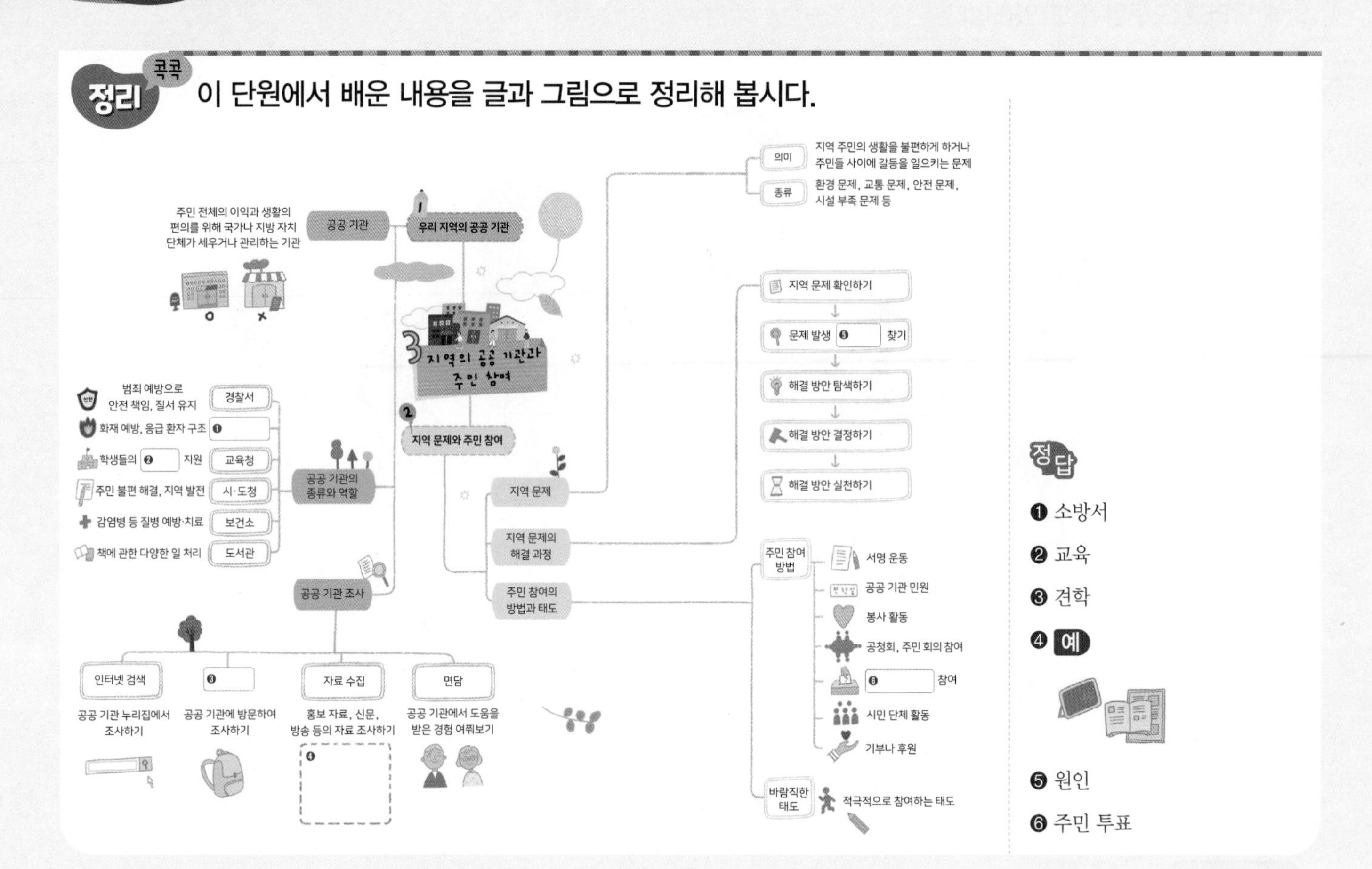

정답

❶ 소방서
❷ 교육
❸ 견학
❹ 예
❺ 원인
❻ 주민 투표

팡팡 창의 지역의 공공 기관 중 한 가지를 정해 동물 마스코트를 만들어 봅시다.

만드는 방법

❶ 지역의 공공 기관 중 하나를 골라 특징을 써 봅니다.

- 소방서: 불이 나면 불을 끄고 사람들을 구한다.
- 예 도서관: 책의 종류가 많고 다양하다.

❷ 선택한 공공 기관의 특징에 어울리는 동물의 모습을 떠올려 봅니다.

❸ 떠올린 동물로 공공 기관의 마스코트를 그린 후, 내가 만든 동물 마스코트를 친구들에게 소개해 봅니다.

동물 마스코트

소방서	예 도서관
	예
소방서에서 불을 끌 때 물을 뿌리는 모습을 보고 코끼리가 떠올랐어요.	예 도서관에서 높게 쌓인 책을 정리하시는 분을 보고 기린이 떠올랐어요.

세상 속으로 주민 참여 홍보 포스터 만들기

알리고 싶은 일 정하기

예
- 지역의 교통 혼잡 문제를 알리고 싶어요.
- **알리고 싶은 이유:** 주민들이 교통 문제의 심각성을 깨닫고 대중교통을 이용하게 하고 싶기 때문입니다.

예
- 올바른 쓰레기 분리배출 방법을 알리고 싶어요.
- **알리고 싶은 이유:** 분리배출이 제대로 되지 않아 지역 곳곳에 냄새가 나고 길이 더러워졌기 때문입니다.

홍보 포스터 만들기

예

소개 문구: 버스를 탄 주민들의 모습을 그리고, 지역 주민이 모두 참여하면 교통 문제를 해결할 수 있다는 내용의 포스터를 만들었습니다.

예

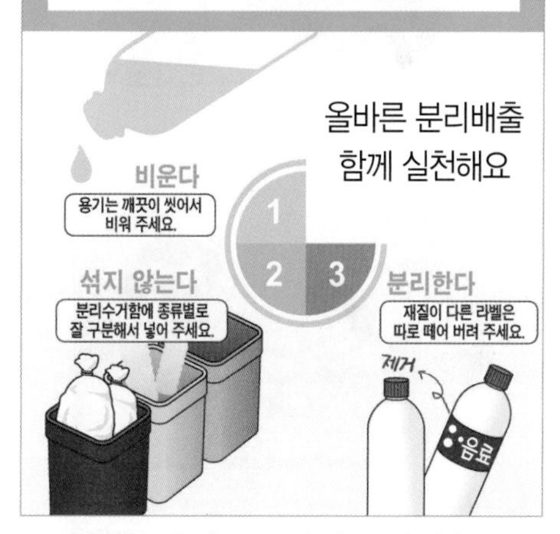

소개 문구: 올바른 분리배출 방법을 소개하고, 지역 주민의 작은 노력으로 지역이 깨끗해질 수 있다는 내용의 포스터를 만들었습니다.

작품 전시하기

예
- 우리 학교 복도에 전시하고 싶습니다.
- 지역 주민들이 볼 수 있도록 버스 정류장에 포스터를 붙이면 좋겠습니다.
- 지역 곳곳에 있는 분리수거함 주변에 포스터를 붙이고 싶습니다.
- 누리 소통망 서비스(SNS)에 올려 많은 지역 주민에게 소개하고 싶습니다.

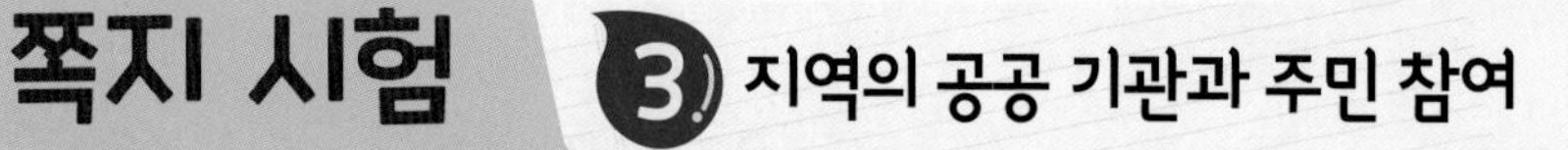

쪽지 시험 ③ 지역의 공공 기관과 주민 참여

정답과 해설 14쪽

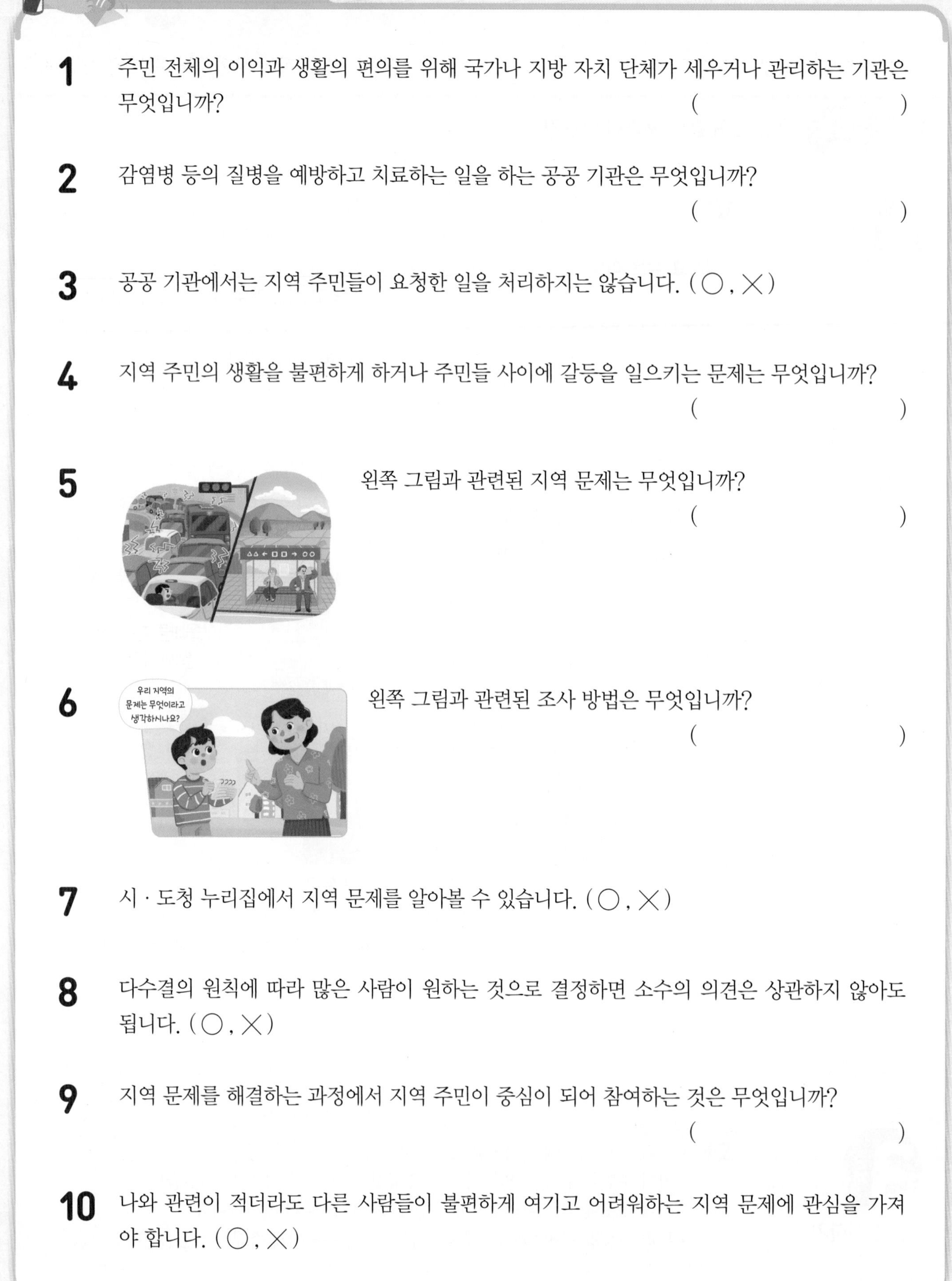

1 주민 전체의 이익과 생활의 편의를 위해 국가나 지방 자치 단체가 세우거나 관리하는 기관은 무엇입니까? (　　　　　　　　)

2 감염병 등의 질병을 예방하고 치료하는 일을 하는 공공 기관은 무엇입니까?
(　　　　　　　　)

3 공공 기관에서는 지역 주민들이 요청한 일을 처리하지는 않습니다. (○, ×)

4 지역 주민의 생활을 불편하게 하거나 주민들 사이에 갈등을 일으키는 문제는 무엇입니까?
(　　　　　　　　)

5 왼쪽 그림과 관련된 지역 문제는 무엇입니까?
(　　　　　　　　)

6 왼쪽 그림과 관련된 조사 방법은 무엇입니까?
(　　　　　　　　)

7 시 · 도청 누리집에서 지역 문제를 알아볼 수 있습니다. (○, ×)

8 다수결의 원칙에 따라 많은 사람이 원하는 것으로 결정하면 소수의 의견은 상관하지 않아도 됩니다. (○, ×)

9 지역 문제를 해결하는 과정에서 지역 주민이 중심이 되어 참여하는 것은 무엇입니까?
(　　　　　　　　)

10 나와 관련이 적더라도 다른 사람들이 불편하게 여기고 어려워하는 지역 문제에 관심을 가져야 합니다. (○, ×)

1 빈칸에 들어갈 알맞은 말을 쓰시오.

□□ □□은/는 주민 전체의 이익과 생활의 편의를 위해 국가나 지방 자치 단체가 세우거나 관리하는 기관입니다.

2 공공 기관이 아닌 것은 어느 것입니까? (　　)

① 법원　② 시청
③ 도서관　④ 백화점
⑤ 우체국

중요

3 공공 기관에서 하는 일이 알맞지 않은 것은 어느 것입니까? (　　)

① 소방서 – 위험에 처한 사람을 돕는다.
② 교육청 – 교육과 관련 있는 일을 한다.
③ 시 · 도청 – 주민 생활의 불편을 해결한다.
④ 경찰서 – 범죄를 예방하고 질서를 유지한다.
⑤ 보건소 – 책을 빌려주고 공부할 장소를 제공한다.

4 빈칸에 들어갈 알맞은 말을 쓰시오.

□□□은/는 책을 빌려주며, 책을 읽거나 공부할 수 있는 공간을 제공합니다. 책과 관련된 특별한 강의를 마련하기도 하고, 어린이를 위한 글쓰기 행사를 열기도 합니다.

5 다음 공공 기관이 주민들을 위해 주는 도움으로 알맞은 것은 어느 것입니까? (　　)

① 위험에 처한 사람을 돕는다.
② 주민 생활의 불편을 해결한다.
③ 우편물을 접수하고 배송해 준다.
④ 범죄를 예방하고 질서를 유지한다.
⑤ 책을 빌려주고 공부할 장소를 제공한다.

6 다음 질문에 알맞은 답을 쓰시오.

우리 주변에는 지역 주민을 위한 다양한 공공 기관이 있습니다. 이 중 행정 복지 센터에서는 어떤 역할을 할까요?

7 다음 공공 기관이 없다면 어떤 일이 일어날지 쓰시오.

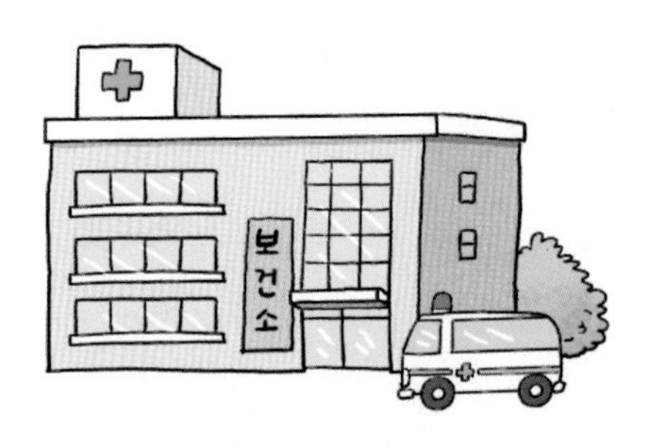

8 우리 지역의 공공 기관이 지역 주민들의 생활에 주는 도움을 조사하는 과정을 순서대로 기호를 쓰시오.

㉠ 조사하기
㉡ 보고서 작성하기
㉢ 조사 계획 세우기
㉣ 조사할 곳과 조사 방법 정하기

9 공공 기관을 조사하기 전에 조사 계획서에 들어갈 내용을 보기에서 두 가지 골라 기호를 쓰시오.

보기
㉠ 느낀 점 ㉡ 조사 방법
㉢ 알게 된 점 ㉣ 알고 싶은 점

10 공공 기관을 견학하여 조사하는 과정을 순서대로 기호를 쓰시오.

㉠ 예절과 안전을 지키며 견학한다.
㉡ 조사한 내용을 친구들에게 소개한다.
㉢ 견학하고자 하는 공공 기관을 정한다.
㉣ 견학 계획서를 작성하고 역할을 나눈다.
㉤ 견학을 통해 알게 된 점, 느낀 점을 정리한다.

11 견학하여 조사하는 방법으로 알맞은 것을 보기에서 모두 골라 기호를 쓰시오.

보기
㉠ 방문하기로 한 시간 잘 지키기
㉡ 공공질서와 예절을 잘 지키며 견학하기
㉢ 견학 담당자의 안내와 관계없이 질문하기
㉣ 공공 기관 누리집이나 전화로 견학 신청하기

12 다음은 조사한 공공 기관 소개하기에 관한 설명입니다. 빈칸에 들어갈 알맞은 말을 쓰시오.

같은 기관을 조사한 친구끼리 모둠을 만들고 조사한 내용을 설명할 □□□ 친구를 정합니다.

13 다음에서 설명하는 것이 무엇인지 쓰시오.

지역 주민의 삶을 불편하게 하거나 지역 주민들 사이에 갈등을 일으키는 문제를 말합니다.

14 빈칸에 들어갈 알맞은 말을 각각 쓰시오.

같은 교통 문제라고 하더라도 도시에는 교통 □□ 문제가 나타나고, 농·어촌과 산지촌에서는 대중교통 □□ 문제가 나타날 수 있습니다.

15 **지역 문제를 조사하는 방법으로 알맞지 않은 것은 어느 것입니까?** (   )

① 지역 주민들과 면담한다.
② 도서관에서 국어사전을 찾아본다.
③ 지역을 직접 둘러보며 지역 문제를 찾아본다.
④ 지역 뉴스나 신문에서 지역 문제를 다룬 내용을 살펴본다.
⑤ 시·도청 누리집에서 지역 주민들이 올린 글을 찾아본다.

중요

16 **빈칸에 들어갈 알맞은 말을 쓰고, 이 방법을 사용할 때 주의해야 할 점을 쓰시오.**

> 지역 문제를 해결하려면 여러 가지 의견을 모으는 과정이 필요합니다. 다양한 의견을 하나로 모을 때는 ☐☐을/를 하기도 합니다.

중요

17 **지역 문제를 해결하기 위한 과정에서 여러 의견을 하나로 모으기 위한 방법이나 태도로 알맞지 않은 것은 어느 것입니까?** (   )

① 소수의 의견을 존중한다.
② 다수결의 원칙을 따를 수 있다.
③ 대화와 타협으로 의견을 조정한다.
④ 충분한 시간을 가지고 대화해야 한다.
⑤ 반드시 마지막에 투표를 통해 의견을 모은다.

18 **다양한 주민 참여 방법으로 알맞지 않은 것은 어느 것입니까?** (   )

① 일기 쓰기
② 서명 운동하기
③ 시민 단체 활동하기
④ 주민 투표 참여하기
⑤ 공청회나 주민 회의 참석하기

19 **지역 주민들이 지역 문제 해결에 참여해야 하는 까닭으로 알맞은 것을 보기 에서 모두 골라 기호를 쓰시오.**

보기

㉠ 지역 문제는 그 지역 주민들이 가장 잘 알기 때문이다.
㉡ 참여하지 않으면 지역 주민들 사이에서 소외되기 때문이다.
㉢ 지역 문제는 지역 주민들의 생활에 영향을 미치기 때문이다.
㉣ 지역 주민들이 해결에 참여해야 공공 기관도 주민들의 의견을 잘 반영할 수 있기 때문이다.

중요

20 **지역 주민들이 지역의 일에 자신의 의견을 반영하기 위해 할 수 있는 일을 두 가지 쓰시오.**

서술형 톡톡 문제

정답과 해설 16쪽

[1-3] **다음 공공 기관 자료를 보고 물음에 답하시오.**

㉠

㉡

㉢

㉣

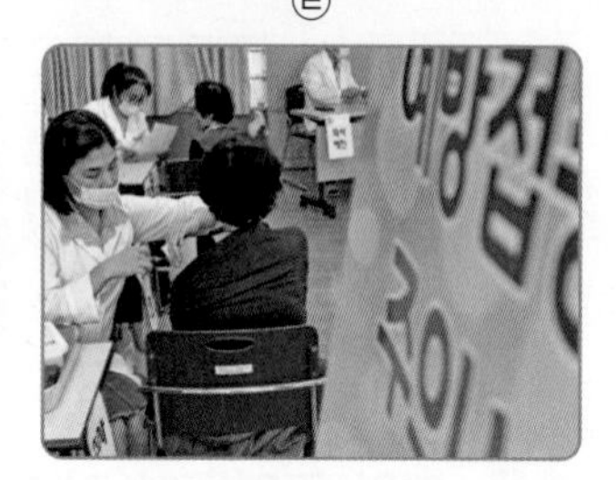

1 위의 ㉠, ㉡과 관련 있는 공공 기관과 각 공공 기관이 하는 일을 서술하시오.

(1) ㉠: ____________________

____

(2) ㉡: ____________________

____

2 위의 ㉢ 사진과 관련 있는 공공 기관이 하는 일을 두 가지 서술하시오.

____

____

3 위의 ㉣ 사진과 관련 있는 공공 기관이 없다면 어떤 일이 생길지 서술하시오.

____

____

[4-6] **지역 문제를 해결하는 과정을 보고 물음에 답하시오.**

㉠ 지역 문제 확인하기

㉡ 문제 발생 원인 찾기

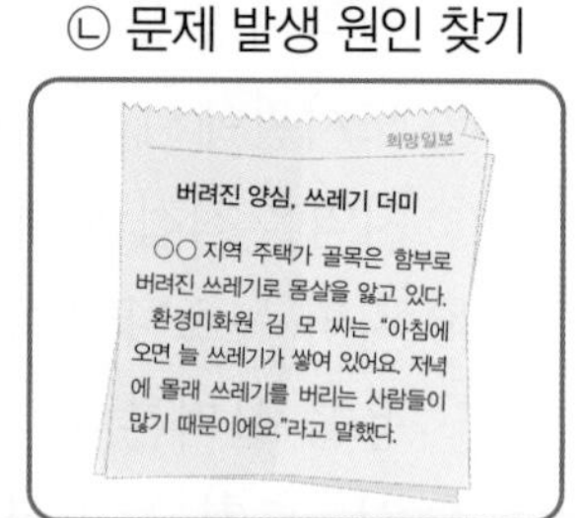

희망일보

버려진 양심, 쓰레기 더미

○○ 지역 주택가 골목은 함부로 버려진 쓰레기로 몸살을 앓고 있다.

환경미화원 김 모 씨는 "아침에 오면 늘 쓰레기가 쌓여 있어요. 저녁에 몰래 쓰레기를 버리는 사람들이 많기 때문이에요."라고 말했다.

㉢ 해결 방안 탐색하기

㉣ 해결 방안 결정 및 실천하기

4 위의 ㉠과 같은 지역 문제 확인 방법을 두 가지 서술하시오.

____

____

5 위의 ㉡ 문제 발생 원인 찾기에서 참고할 수 있는 자료를 두 가지 서술하시오.

____

____

6 위의 ㉣ 해결 방안 결정 과정에서 서로 생각이 다를 경우 어떻게 해야 하는지 서술하시오.

____

____

4-1
초등 사회
평가 문제집

문제
톡
톡
금성 초등
교과서
완전 정복!
학교 시험 완벽 대비!!

핵심만 쪽쪽

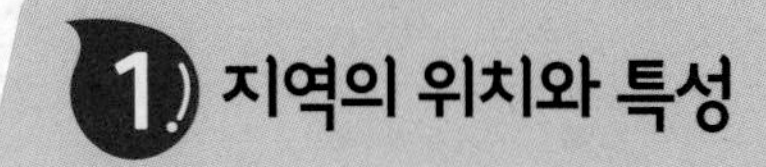

1 지역의 위치와 특성

정답과 해설 17쪽

(1) 지도로 본 우리 지역

❶ 지도의 뜻과 필요성

지도의 뜻	위에서 내려다본 땅의 모습을 일정한 약속에 따라 줄여서 나타낸 것임.
지도의 필요성	• 높은 곳에 올라가지 않고 땅의 모습을 한눈에 볼 수 있음. • 모르는 장소나 건물을 쉽게 찾아갈 수 있음. • 직접 가지 않아도 땅의 모습을 알 수 있음.

❷ 지도 속 약속

방위	• 일정한 기준을 중심으로 한 방향의 위치를 나타내는 것임. • (❶)은/는 지도에서 동서남북의 방향을 알려 주는 표시임.
기호와 범례	• 기호는 산, 하천, 과수원, 학교 등을 간략히 나타낸 것임. • 범례는 지도에 쓰인 기호와 그 뜻을 나타낸 것임.
축척	• 지도에서 실제 거리를 줄인 정도를 나타냄. • 같은 크기의 지도라도 축척에 따라 나타낼 수 있는 실제 범위가 다름.
(❷)	땅의 높이가 같은 곳을 연결한 선으로, 땅의 높낮이를 나타냄.

❸ 지도의 이용

(1) 일상생활 속 다양한 지도

학교 안내도	학교 시설물의 위치를 나타낸 지도
(❸)	관광지와 문화재 등을 소개한 지도
지하철 노선도	지하철역과 노선을 나타낸 지도
등산 안내도	산의 등산로를 나타낸 지도

(2) 지도로 알아본 우리 지역

① 우리 지역의 위치와 범위를 알 수 있습니다.
② 우리 지역의 모양을 알 수 있습니다.
③ 우리 지역의 특성을 알 수 있습니다.

(2) 우리 지역의 중심지

❶ 중심지

(1) 중심지란 어떤 일이나 활동의 중심이 되어 사람들이 모이는 곳을 말합니다.

(2) 중심지의 모습

▲ 백화점

▲ 시장

▲ 기차역

▲ 구청

(3) 중심지의 특징

① 사람들이 많이 모이고 차가 많아 복잡합니다.
② 다양한 상점과 공공 기관이 모여 있습니다.
③ 다양한 교통 시설이 있습니다.

❷ 중심지의 다양한 기능

행정의 중심지	행정에 관련된 일을 처리할 수 있음.
(❹)의 중심지	다른 고장이나 지역으로 이동할 수 있음.
상업의 중심지	생활에 필요한 물건을 살 수 있음.
산업의 중심지	다양한 일을 할 수 있음.
관광의 중심지	관광지나 다양한 문화유산을 볼 수 있음.

❸ 지역의 중심지 조사

(1) 중심지를 조사하는 방법

① 지역이 소개된 책이나 신문 등을 살펴봅니다.
② (❺)을/를 활용해 조사합니다.
③ 선생님이나 지역을 잘 아는 어른께 여쭤봅니다.
④ 직접 찾아가 자세히 살펴봅니다.

(2) 중심지를 조사할 때는 중심지의 위치, (❻), 모습을 조사합니다.

가로 톡! 세로 톡! 퍼즐

1 지역의 위치와 특성

정답과 해설 17쪽

가로 문제와 세로 문제를 읽고, 퍼즐을 풀어 보세요.

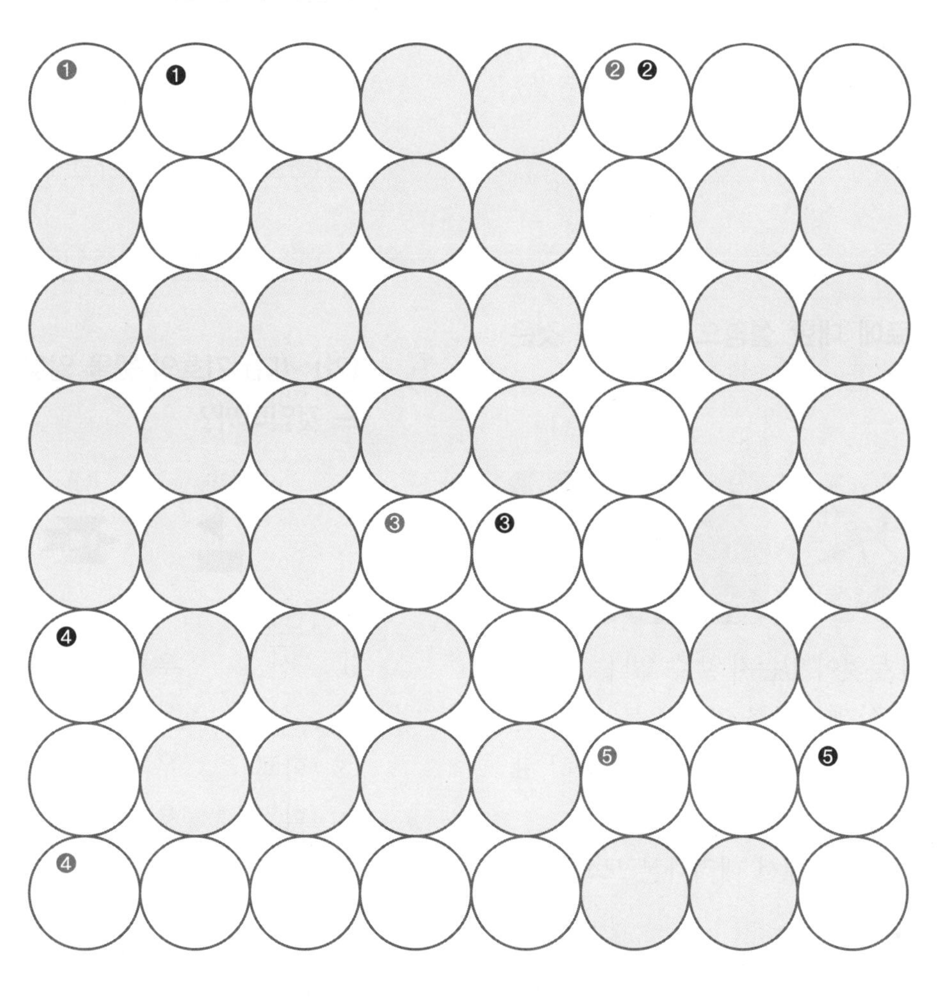

가로 문제

❶ □□□은/는 지도에서 동서남북과 같은 방향을 알려 주는 표시입니다. 이 표시가 없다면 지도 위쪽이 북쪽입니다.

❷ □□□은/는 지도에서 땅의 높낮이를 알 수 있도록 높이가 같은 지점을 연결한 선입니다.

❸ 우리 생활에서 각 지역의 날씨를 알고 싶을 때에는 □□□을/를 봅니다.

❹ 관광지에 대한 정보를 알고 싶을 때 □□ □□□을/를 봅니다.

❺ □□□은/는 사람들이 어떤 일이나 활동을 하기 위해 모이는 곳입니다.

세로 문제

❶ □□은/는 일정한 곳에 자리를 차지하거나 또는 그 자리를 뜻합니다.

❷ 산을 오를 때 □□ □□□을/를 살펴보면 다양한 등산로를 알 수 있습니다.

❸ □□은/는 땅 위의 실제 모습을 지도에 간략하게 표현한 것입니다.

❹ □□□에서는 읽고 싶은 책을 보거나 빌릴 수 있습니다.

❺ □□(이)란 위에서 내려다본 땅의 모습을 일정한 약속에 따라 줄여서 나타낸 것입니다.

중요

1 빈칸에 들어갈 알맞은 말을 쓰시오.

□□(이)란 위에서 내려다본 땅의 모습을 일정한 약속에 따라 줄여서 나타낸 것입니다.

2 (가), (나) 자료에 대한 설명으로 알맞은 것은 어느 것입니까? (　　　)

(가) (나)

① (가)는 땅에 무엇이 있는지 알 수 없다.
② (가)는 땅의 실제 모습을 그대로 볼 수 있다.
③ (나)에는 건물의 위치와 이름이 정확히 표시되어 있다.
④ (가), (나) 모두 위에서 내려다본 모습을 나타낸 것이다.
⑤ 모르는 장소를 찾아갈 때는 (가)보다 (나)를 이용하는 것이 편리하다.

서술형

3 다음 그림을 보고 세 친구가 설명한 축구장의 위치가 각각 다른 까닭은 무엇인지 서술하시오.

4 빈칸에 공통으로 들어갈 알맞은 말을 쓰시오.

지도에서 어떤 장소의 위치를 설명할 때에는 □□을/를 사용합니다. □□(이)란 일정한 기준을 중심으로 나타낸 방향의 위치입니다.

5 (가)~(다) 기호의 뜻을 알맞게 짝지은 것은 어느 것입니까? (　　　)

(가) (나) (다)

	(가)	(나)	(다)
①	산	우체국	병원
②	산	우체국	학교
③	학교	우체국	산
④	학교	우체국	병원
⑤	우체국	학교	절

6 지도에서 축척이 의미하는 것으로 알맞은 것을 보기에서 골라 기호를 쓰시오.

보기
㉠ 동서남북을 알 수 있다.
㉡ 땅의 높낮이를 알 수 있다.
㉢ 실제 모습을 간단하게 표현했다.
㉣ 실제 거리를 줄인 정도를 나타낸다.

중요

7 빈칸에 들어갈 알맞은 말을 쓰시오.

□□□은/는 땅의 높이가 같은 곳을 연결한 선으로, 지도에서 땅의 높낮이를 알 수 있습니다.

8 **다음 등고선 모양과 어울리는 땅의 모습끼리 바르게 선으로 연결하시오.**

(1) 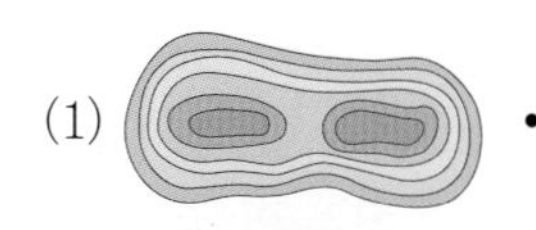 • • ㉠ 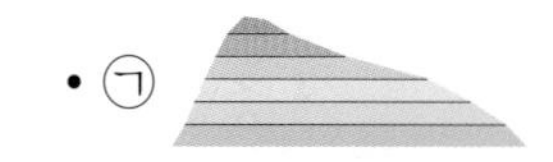

(2) 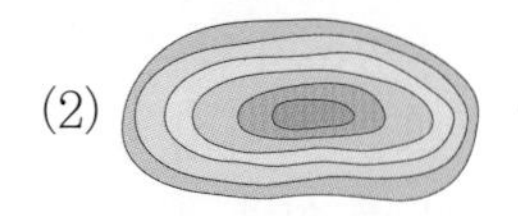 • • ㉡ 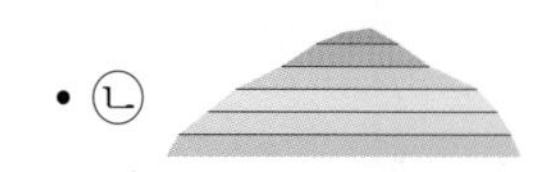

(3) 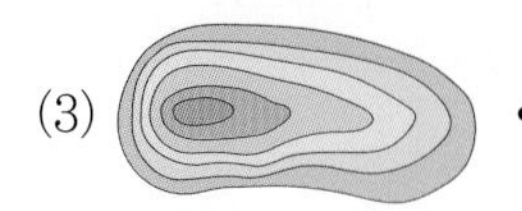 • • ㉢ 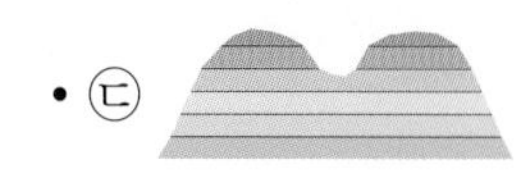

9 **그림에 나타난 지도는 어느 것입니까?** (　　　)

① 일기도　② 길 도우미
③ 관광 안내도　④ 등산 안내도
⑤ 지하철 노선도

서술형

10 **다음 지도를 읽고 알 수 있는 이 지역의 특성을 서술하시오.**

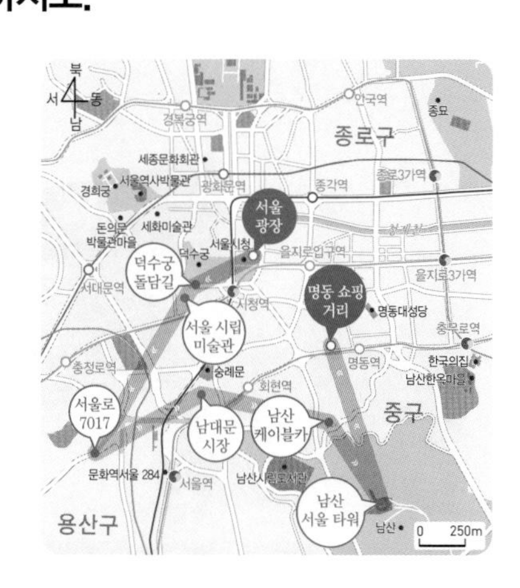

____

____

중요

11 **빈칸에 들어갈 알맞은 말을 쓰시오.**

□□□은/는 사람들이 어떤 일이나 활동을 하기 위해 모이는 곳입니다.

____

12 **사람들이 중심지에 있는 다음 사진과 같은 시설에 가는 이유로 알맞은 것은 어느 것입니까?** (　　　)

① 책을 빌리기 위해서 간다.
② 필요한 서류를 발급받으러 간다.
③ 다친 곳을 치료하기 위해서 간다.
④ 다른 지역으로 이동하기 위해서 간다.
⑤ 저녁으로 먹을 음식의 재료를 사러 간다.

13 **다음 사진을 보고 중심지인 곳과 중심지가 아닌 곳의 차이를 비교하여 서술하시오.**

____

____

14 중심지에서 주로 볼 수 있는 시설끼리 바르게 나열한 것은 어느 것입니까? (　　　)

① 논, 시장, 시청
② 밭, 구청, 영화관
③ 기차역, 도서관, 백화점
④ 비닐하우스, 과수원, 시장
⑤ 과수원, 버스 터미널, 백화점

15 다음과 같은 시설이 모여 있는 중심지는 어떤 기능의 중심지입니까? (　　　)

• 기차역　　• 버스 터미널

① 관광의 중심지　② 교통의 중심지
③ 산업의 중심지　④ 상업의 중심지
⑤ 행정의 중심지

16 다음 사진을 보고 서로 어울리는 것끼리 바르게 선으로 연결하시오.

(1)  •　　• ㉠ 행정의 중심지

(2)  •　　• ㉡ 상업의 중심지

(3)  •　　• ㉢ 관광의 중심지

서술형

17 고장 사람들이 자기 고장뿐만 아니라 지역의 여러 중심지를 찾는 까닭을 서술하시오.

중요

18 지역의 중심지 조사를 통해 알 수 있는 것을 보기에서 두 가지 골라 기호를 쓰시오.

보기
㉠ 중심지의 모습이 어떠한지 알 수 있다.
㉡ 우리 지역 중심지의 위치를 알 수 있다.
㉢ 지역에 몇 개의 건물이 있는지 알 수 있다.
㉣ 우리나라에서 가장 많은 사람이 방문하는 중심지가 어디인지 알 수 있다.

19 우리 지역의 중심지를 조사한 내용으로 알맞지 않은 것은 어느 것입니까? (　　　)

① 중심지를 잘 아는 어른들에게 물어보았다.
② 행정의 중심지를 찾기 위해 백화점에 갔다.
③ 지도를 이용해 우리 중심지의 위치를 찾았다.
④ 조사한 결과 우리 지역에는 공장, 회사와 같은 산업의 중심지가 많았다.
⑤ 디지털 영상 지도의 거리 보기를 이용하여 중심지의 모습을 집에서 살펴보았다.

서술형

20 다음 자료를 보고 서구의 특징을 서술하시오.

1 **(가), (나) 자료에 대한 설명으로 알맞은 것을 보기에서 두 가지 골라 기호를 쓰시오.**

(가)

(나)

보기
- ㉠ (가)에는 건물, 학교 등의 이름이 나타나 있다.
- ㉡ (가)는 위에서 우리 지역을 내려다본 사진이다.
- ㉢ (나)는 우리 지역을 나타낸 지도이다.
- ㉣ (나)는 그리는 사람에 따라 색과 모양이 다르다.

2 **다음 그림을 보고 빈칸에 들어갈 알맞은 말을 순서대로 쓰시오.**

- 기차역은 학교의 (　　　)쪽에 있습니다.
- 학교의 남쪽에는 (　　　)이/가 있습니다.

중요

3 **지도를 그릴 때 실제 땅의 모습을 줄인 정도를 무엇이라고 합니까?** (　　　)

① 기호　② 방위　③ 범례　④ 위치　⑤ 축척

중요

4 **지도 속 약속을 보고 알맞은 설명을 한 친구는 누구입니까?** (　　　)

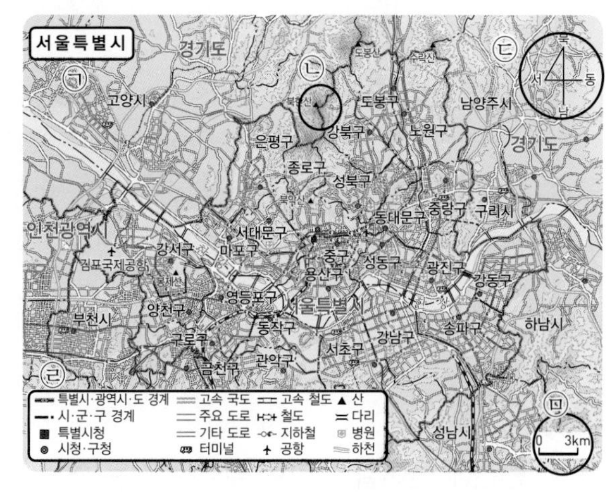

① 미란: ㉠은 지도의 제목이야. 지도의 내용을 알려 주려고 보통 지도 아래에 있어.

② 혜진: ㉡은 등고선으로 땅의 높낮이를 알 수 있어.

③ 서연: ㉢은 동서남북을 알려 주는 방위표야. 이것이 없으면 지도 위쪽이 동쪽이야.

④ 도현: ㉣은 표와 그래프야. 표와 그래프를 알면 지도를 쉽게 읽을 수 있어.

⑤ 다준: ㉤은 축척으로 실제 땅의 크기 그대로 지도에 그려야 해.

5 **다음 그림을 보고 지도를 그릴 때 기호와 범례가 필요한 까닭을 서술하시오.**

서술형

6 **두 지도에는 어떤 차이가 있는지 서술하시오.**

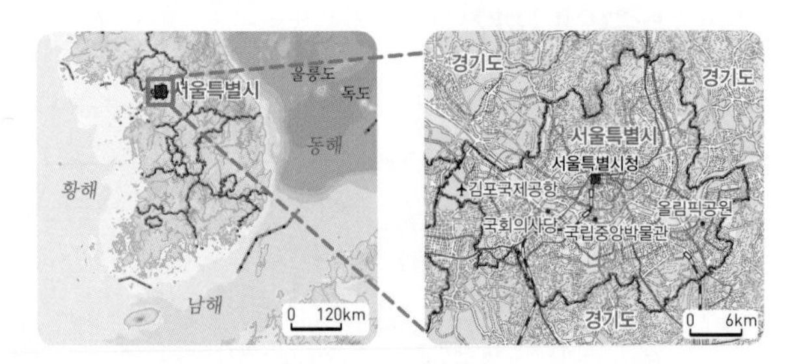

중요

7 **빈칸에 들어갈 거리로 알맞은 것은 어느 것입니까?** (　　　)

축척이 0 1km 인 지도에서는 이 막대만큼의 거리가 실제 거리 (　　　)를 뜻한다.

① 1km ② 2km ③ 3km
④ 4km ⑤ 5km

8 **빈칸에 들어갈 알맞은 말을 쓰시오.**

자동차를 운전할 때 지도를 바탕으로 길을 알려 주는 □ □□□, 관광지를 소개하는 관광 안내도 등이 있습니다.

중요

9 **지도에서 땅의 높낮이를 알 수 있는 방법을 보기에서 두 가지 골라 기호를 쓰시오.**

보기
㉠ 등고선을 이용하여 확인할 수 있다.
㉡ 땅의 높이를 색깔로 확인할 수 있다.
㉢ 땅의 높이가 낮은 곳일수록 색이 짙다.
㉣ 등고선에 선마다 실제 높이를 적지 않는다.

서술형

10 **다음과 같이 여러 방향에서 본 산의 모습을 보고 등고선이 필요한 까닭을 서술하시오.**

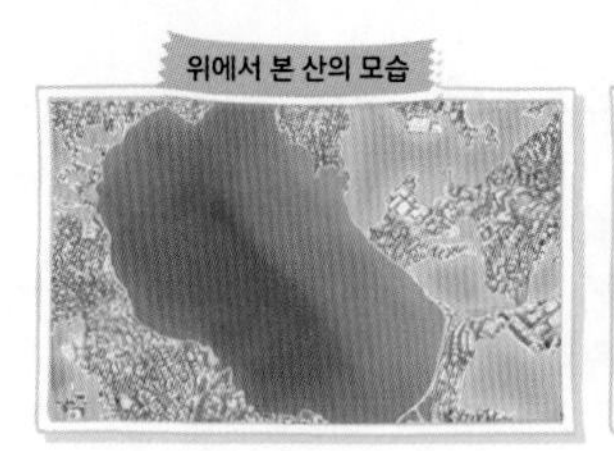

중요

11 **중심지에 대한 설명으로 알맞은 것을 두 가지 고르시오.** (　　,　　)

① 사람이 거의 없고 복잡하지 않다.
② 길이 좁아 자동차가 다니기 어렵다.
③ 다양한 상점과 교통 시설이 모여 있다.
④ 모든 중심지는 하나의 기능만 가지고 있다.
⑤ 고장 사람들은 지역의 다양한 중심지를 이용한다.

12 **도서관에서 할 수 있는 것을 보기에서 골라 기호를 쓰시오.**

보기
㉠ 식재료를 살 수 있다.
㉡ 여권을 다시 발급받을 수 있다.
㉢ 다른 지역으로 이동할 수 있다.
㉣ 원하는 책을 읽거나 빌릴 수 있다.

중요

13 **빈칸에 들어갈 알맞은 말을 쓰시오.**

우리 지역에는 행정, 교통, 산업 등 다양한 □□의 중심지가 있습니다.

14 **행정의 중심지에서 볼 수 있는 시설로 알맞은 것을 두 가지 고르시오.** (,)

① 시청 ② 법원 ③ 백화점
④ 야구장 ⑤ 버스 터미널

15 **기준이가 주말에 방문할 중심지는 어느 것입니까?** ( )

혜진: 기준아, 이번 주말에 뭐해?
기준: 가족과 함께 우리 지역에서 유명한 놀이 공원에 갈 거야.

① 관광의 중심지 ② 교통의 중심지
③ 산업의 중심지 ④ 상업의 중심지
⑤ 행정의 중심지

16 **다음 그림과 같은 지역의 중심지 조사 방법으로 알맞은 것을 보기에서 골라 기호를 쓰시오.**

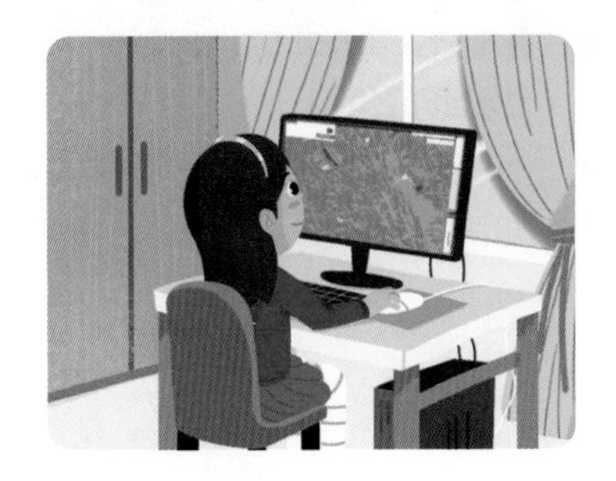

보기
㉠ 인터넷을 활용해 조사한다.
㉡ 밖으로 나가 직접 조사한다.
㉢ 지역을 잘 아는 어른들께 여쭤본다.
㉣ 지역이 소개된 책이나 신문을 살펴본다.

17 **지역의 중심지를 조사할 때 조사할 내용으로 알맞지 않은 것은 어느 것입니까?** ( )

① 중심지의 기능 ② 중심지의 모습
③ 중심지의 위치 ④ 중심지에 있는 시설
⑤ 중심지에 있는 건물 수

18 **빈칸에 들어갈 알맞은 말을 쓰시오.**

지역의 중심지를 조사하는 방법 중 하나로, 현장에 가서 직접 보고 조사하는 것을 ☐☐(이)라고 합니다.

서술형

19 **다음은 지도에 정리한 우리 지역의 중심지입니다. 이를 통해 알 수 있는 대덕구의 특징을 서술하시오.**

서술형

20 **다음 사진을 보고 알 수 있는 중심지의 특성을 서술하시오.**

▲ 세종시의 과거 모습

▲ 세종시의 현재 모습

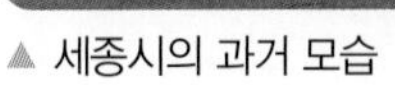

1 다음 자료를 보고, 물음에 답하시오.

(가)

(나)

(1) (가), (나) 중 위에서 내려다본 땅의 모습을 일정한 약속에 따라 줄여서 나타낸 것의 기호를 쓰시오.

(2) (가), (나)의 이름을 각각 쓰고, (나)의 특징을 쓰시오.

평가 실마리
- **관련 내용** 교과서 14쪽, 개념 톡톡 12쪽
- **출제 의도** 지도와 사진의 다른 특징
- **선생님의 한마디**
"위에서 내려다본 모습이 모두 지도일까?"

2 다음 그림을 보고, 방위를 이용하여 학교의 위치를 서술하시오.

평가 실마리
- **관련 내용** 교과서 18쪽, 개념 톡톡 16쪽
- **출제 의도** 방위의 의미와 필요성
- **선생님의 한마디**
"방위로 어떤 장소의 정확한 위치를 알 수 있어!"

3 다음 지도를 보고, 물음에 답하시오.

(가)

(나)

(1) (가), (나) 지도의 크기는 같지만 서로 나타내는 범위가 다른 까닭은 무엇인지 쓰시오.

(2) ㉠의 의미를 쓰시오.

평가 실마리
- **관련 내용** 교과서 22쪽, 개념 톡톡 18쪽
- **출제 의도** 축척의 의미와 사용
- **선생님의 한마디**
"지도의 크기가 같다고 실제 모습도 같을까?"

4 다음 자료를 보고, 지도에서 땅의 높낮이를 표현하는 방법을 서술하시오.

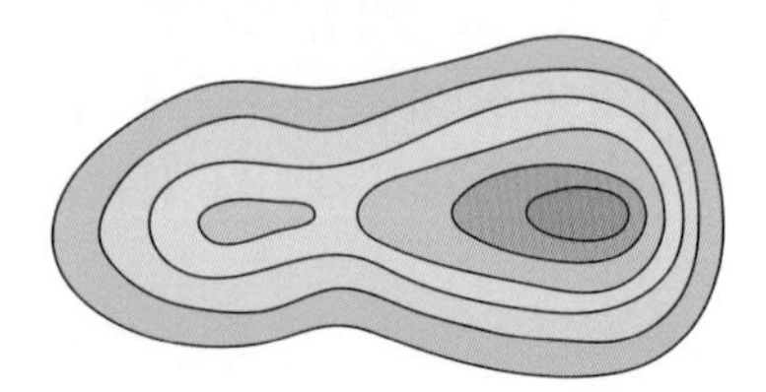

평가 실마리
- **관련 내용** 교과서 25쪽, 개념 톡톡 20쪽
- **출제 의도** 등고선의 의미
- **선생님의 한마디**
"등고선과 색깔로 땅의 높낮이를 알 수 있어!"

5 **밑줄 친 지도가 무엇인지 보기에서 골라 기호를 쓰고, 그렇게 생각한 까닭을 서술하시오.**

날씨를 미리 알아보고자 일기 예보를 보았습니다. 기상 캐스터가 지도를 이용해 날씨를 설명해 주었습니다. 다음날 길을 잃지 않기 위해 지도를 확인하며 목적지를 찾아갔습니다. 등산로 입구에 지도가 있어서 어떤 길로 가야할지 쉽게 정할 수 있었습니다.

보기
㉠ 일기도 ㉡ 교통 지도 ㉢ 등산 안내도

- **관련 내용** 교과서 28쪽, 개념 톡톡 22쪽
- **출제 의도** 우리 생활에서 지도의 쓰임
- **선생님의 한마디**
"우리 생활에 사용되는 다양한 지도를 생각해 볼까?"

6 **다음 지도와 어울리는 사진을 골라 기호를 쓰고, 그 특징을 서술하시오.**

㉠

㉡

(1) 어울리는 사진:

(2) 특징:

- **관련 내용** 교과서 36쪽, 개념 톡톡 34쪽
- **출제 의도** 중심지의 모습과 특징
- **선생님의 한마디**
"사람들이 많이 모이는 곳은 어떤 모습일까?"

7 **그림과 같은 상황에서 사람들이 찾는 중심지와 그 중심지의 기능을 서술하시오.**

(1) 중심지:

(2) 기능:

평가 실마리
- **관련 내용** 교과서 40쪽, 개념 톡톡 36쪽
- **출제 의도** 중심지의 기능
- **선생님의 한마디**
"지역에는 다양한 기능의 중심지들이 있어!"

8 **다음은 우리 지역 중심지 조사 계획서입니다. ㉠에 들어갈 알맞은 질문과 활동을 서술하시오.**

1 중심지 찾기	행정, 교통, 상업 등 다양한 기능을 가진 중심지를 찾습니다.
2 중심지 조사하기	㉠
	• 중심지에는 어떤 기능이 있을까? – 중심지에 있는 시설, 사람들이 중심지를 찾는 까닭 조사
	• 중심지는 어떤 모습일까? – 중심지의 모습을 답사하거나, 인터넷을 이용해 살펴보기
3 조사한 내용 정리하기	조사한 사진과 자료, 내용 등을 보기 쉽게 정리합니다.

(1) 질문:

(2) 활동:

- **관련 내용** 교과서 43쪽, 개념 톡톡 38쪽
- **출제 의도** 우리 지역의 중심지 조사하기
- **선생님의 한마디**
"중심지를 조사하면 중심지의 특징을 알 수 있어!"

핵심만 쪽쪽

2 우리가 알아보는 지역의 역사

정답과 해설 22쪽

(1) 우리 지역의 문화유산

❶ 문화유산

(1) (❶)은/는 옛날부터 전해지는 문화유산 중에서 유물과 유적처럼 형태가 있는 것입니다.
(2) (❷)은/는 문화유산 가운데 음악 연주나 제작 기술처럼 사람들이 행동하거나 표현해야 볼 수 있는 형태가 없는 것입니다.

❷ 우리 지역을 대표하는 유형 무형유산

(1) 유물과 유적 등 옛날 사람들이 남긴 오래된 흔적입니다.
(2) 유형 문화유산으로 알 수 있는 것은 지역의 역사, 옛날 사람들의 생활 모습 등 입니다.
(3) 유형 문화유산에는 고인돌, 백제 금동 대향로, 무령왕릉, 양동 마을, 하회 마을, 군산 근대 문화유산 거리 등이 있습니다.

❸ 우리 지역을 대표하는 무형 문화유산

(1) 지역의 자연환경이나 사람들의 생활과 관련 있는 것입니다.
(2) 무형 문화유산에는 전통 예술, 음식 문화, 놀이 문화, 마을 제사 등이 있습니다.
(3) (❸)은/는 무형 문화유산과 관련된 기술과 예능을 전수받은 사람입니다.

❹ 지역의 문화유산 조사

(1) 조사 방법으로는 인터넷으로 문화유산 검색하기, 지역 박물관 답사하기 등이 있습니다.
(2) 조사할 내용으로는 지역의 문화유산의 종류와 특징이 있습니다.
(3) 문화유산을 보호하기 위해 우리가 할 수 있는 일에는 문화유산을 소개하는 안내 자료 만들기, 문화유산 지킴이 봉사 활동 등이 있습니다.

❺ 지역의 문화유산 전시

(1) 우리 지역을 대표하는 문화유산을 고르고, 그 까닭을 이야기합니다.
(2) 고른 문화유산을 잘 보여 줄 수 있는 전시 방법을 친구들과 의논합니다.
(3) 문화유산 소개 자료를 만들고 전시합니다.
(4) 문화유산을 아끼는 마음을 담아 친구들에게 설명합니다.

(2) 우리 지역의 역사적 인물

❶ 역사적 인물

(1) 역사적 인물은 위인전의 (❹)처럼 실제로 과거에 살았던 인물들로, 우리의 삶에 영향을 주었습니다.
(2) 역사적 인물에는 세종 대왕, 이순신, 신사임당, 장영실 등이 있습니다.

❷ 지역의 역사적 인물

(1) 역사적 인물과 관련된 장소로 옛날 집, 비석, 무덤, 기념관, 박물관 등이 있습니다.
(2) 지역에 영향을 끼친 역사적 인물로는 문익점, 곽재우, 수로왕, 박경리 등이 있습니다.

지역 사람들의 생활을 바꾼 인물	문익점
(❺)	곽재우
지역에서 나라를 세운 인물	수로왕
지역을 알린 예술가	박경리

❸ 지역의 역사적 인물 조사

(1) 조사 방법은 인터넷으로 역사적 인물 검색하기, 역사적 인물에 대한 책 읽기, 역사적 인물과 관련된 장소 답사하기, 주변 어른들께 여쭈어보기, 지역 문화원 방문하기, 전문가와 면담하기 등이 있습니다.
(2) 조사할 내용은 역사적 인물의 삶, 역사적 인물의 활동, 우리 지역과의 (❻) 등이 있습니다.

❹ 지역의 역사적 인물 조사한 내용 정리

(1) 인물의 삶과 활동에서 중요한 일들을 시간의 흐름에 따라 정리합니다.
(2) 인물에 대해 설명할 내용을 주제별로 간단한 문장과 그림으로 표현합니다.
(3) 인물과 관련하여 떠오르는 생각을 낱말로 연결하여 인물에 관한 이야기를 만듭니다.

❺ 지역의 역사적 인물 소개

(1) 지역의 역사적 인물을 알리는 뉴스 만들기, 인물을 소개하는 엽서 만들기, 인물을 상징하는 붙임 딱지 만들기가 있습니다.
(2) 지역의 역사적 인물에 대해 조사하고 알리는 활동은 지역을 아끼고 지키는 일 중 하나입니다.

2 우리가 알아보는 지역의 역사

정답과 해설 22쪽

가로 문제와 세로 문제를 읽고, 퍼즐을 풀어 보세요.

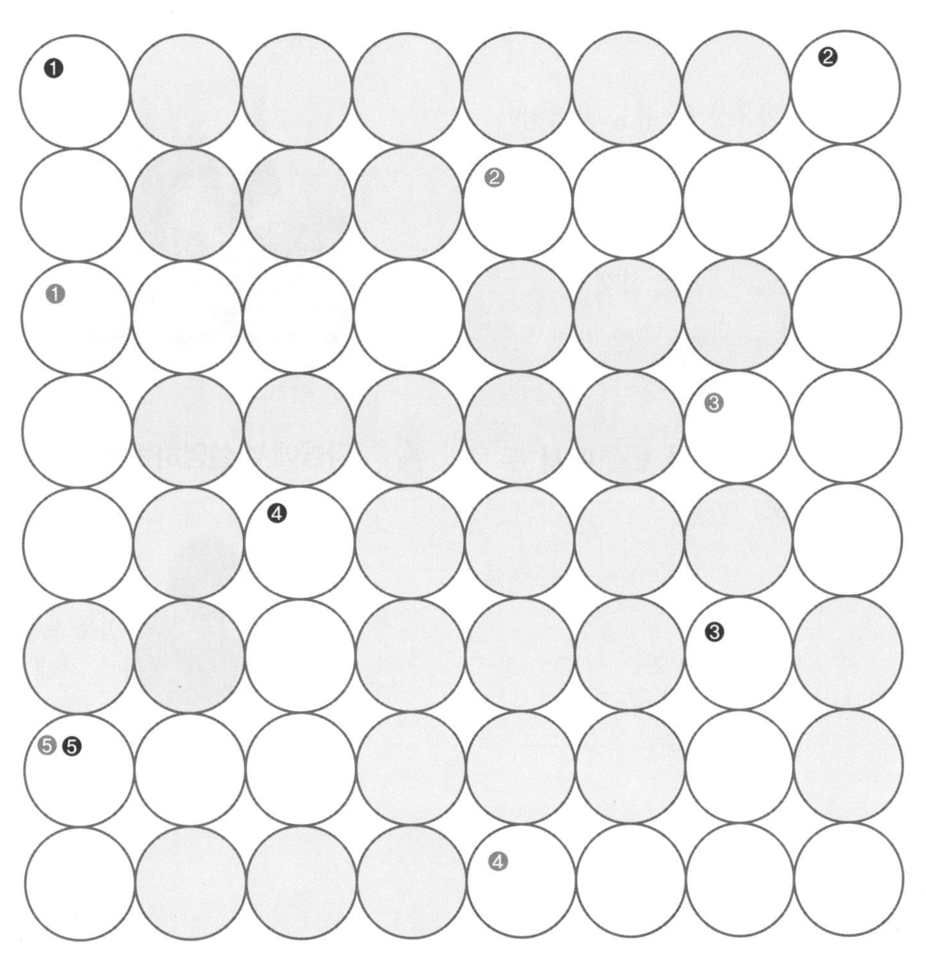

가로 문제

❶ □□□□은/는 오래전부터 전해지는 것으로 형태가 있는 것과 형태가 없는 것으로 나누어집니다.

❷ 부산광역시부터 강원도 해안에 이르는 지역에서는 동해안 별신굿이라는 □□ □□을/를 지냅니다.

❸ □□은/는 실제로 살았던 인물로, 우리의 삶에 영향을 주었던 인물입니다.

❹ □□□□은/는 백제 제25대 왕과 왕비의 무덤으로, 백제 문화 연구에 큰 도움이 되고 있습니다.

❺ 지역의 역사적 인물과 관련된 장소로는 옛날 집, 비석, 무덤, □□□, 박물관 등이 있습니다.

세로 문제

❶ □□□□□은/는 보존할 가치가 큰 기술과 예능을 전수받은 사람입니다.

❷ □□□ □□은/는 지역 사람들의 생활을 바꾸고자 노력하거나 지역을 지킨 인물, 지역에서 나라를 세우거나 지역을 알린 예술가 등을 뜻하는 말입니다.

❸ □□□은/는 먼 옛날 경상남도 김해시에서 '가야'라는 나라를 세웠습니다.

❹ 지역 □□□을/를 답사할 때는 답사 일정, 답사 계획, 답사 보고서 등을 작성해야 합니다.

❺ 장영실은 여러 가지 과학 □□을/를 발명한 위인전의 위인입니다.

중요

1 다음 중 빈칸에 들어갈 알맞은 말은 어느 것입니까? ( )

옛날부터 전해지는 문화유산 중 유물과 유적처럼 형태가 있는 것을 □□ 문화유산이라고 합니다.

① 기형 ② 무형 ③ 실재
④ 유형 ⑤ 조형

2 유형 문화유산에 해당하는 것을 보기에서 두 가지 골라 기호를 쓰시오.

보기
㉠ 책 ㉡ 석탑
㉢ 판소리 ㉣ 차전놀이
㉤ 동해안 별신굿

3 다음에서 설명하는 마을로 알맞은 것은 어느 것입니까? ( )

같은 성씨의 사람들이 수백 년 동안 모여 살아 조선 시대의 전통문화를 그대로 간직하고 있는 민속 마을입니다.

① 북촌 한옥 마을 ② 남산 한옥 마을
③ 경주 양동 마을 ④ 제주 성읍 마을
⑤ 속초 아바이 마을

중요

4 빈칸에 들어갈 알맞은 말을 쓰시오.

문화유산 중 형태가 없고 지역의 자연환경이나 사람들의 생활과 관련 있는 것을 □□□□□□(이)라고 합니다.

5 다음 문화유산의 종류로 알맞은 것은 어느 것입니까? ( )

① 놀이 문화
② 마을 제사
③ 음식 문화
④ 전통 예술
⑤ 인간문화재

6 다음에서 설명하는 문화유산의 종류를 쓰시오.

충청북도에는 그림과 글씨를 보관할 때 필요한 액자, 병풍 등을 만드는 배첩 기술이 전해집니다. 이 지역은 배첩뿐만 아니라 금속 활자 제작, 한지 제조 등 고인쇄 문화로도 유명합니다.

7 다음의 순서와 관련한 지역의 문화유산 조사 방법은 어느 것입니까? ( )

❶ '어린이 · 청소년 문화재청'에 접속하여 우리 지역 문화재를 누릅니다.
❷ 지도에서 원하는 지역을 누릅니다.
❸ 원하는 문화유산 유형을 선택하여 검색합니다.
❹ 더 자세히 알고 싶은 문화유산을 선택하여 관련 내용을 조사합니다.

① 관련된 책 읽기
② 지역 박물관 답사하기
③ 지역 문화원 답사하기
④ 주변 어른께 여쭈어보기
⑤ 인터넷으로 문화유산 검색하기

중요

8 **서로 관련 있는 내용끼리 바르게 선으로 연결하시오.**

(1) 「춘향가」 • • ㉠ 무형 문화유산
(2) 무령왕릉 • • ㉡ 유형 문화유산

9 **지역 박물관 답사 방법을 순서대로 기호를 쓰시오.**

㉠ 질문을 주고받으며, 문화유산을 관람한다.
㉡ 답사할 지역 박물관과 답사 일정을 정한다.
㉢ 확인 사항들을 생각하며 답사 계획을 세운다.
㉣ 적어 놓은 내용을 바탕으로 답사 보고서를 작성한다.

10 **다음 이야기를 읽고 지역 박물관 답사 계획을 세울 때 확인할 사항으로 알맞지 않은 것은 어느 것입니까?** (　　　)

오늘 선생님께서는 모둠별로 답사 계획을 세워 보라고 하셨습니다. 우리 모둠은 우선 문화유산이 몇 층에 있는지 확인하고, 보고 싶은 문화유산은 무엇인지, 우리가 배운 문화유산이 있는지 생각해 보았습니다. 마지막으로 궁금한 내용들을 적어 정리했습니다.

① 문화유산에 대해 알고 있는 점을 생각한다.
② 문화유산에 대해 더 궁금한 점이 있는지 생각한다.
③ 문화유산이 박물관 어디에 위치해 있는지 알아본다.
④ 문화유산에 대해 내용을 정리하고 보고서를 작성한다.
⑤ 박물관에서 보고 싶은 문화유산은 무엇인지 생각한다.

중요

11 **다음 중 지역의 문화유산을 보호하기 위해 우리가 할 수 있는 일로 알맞지 않은 것은 어느 것입니까?** (　　　)

① 문화유산 지킴이 봉사 활동을 한다.
② 문화유산을 홍보하는 안내 자료를 만든다.
③ 지역의 환경 보호를 위한 포스터를 그린다.
④ 문화유산을 아끼고 소중히 하는 마음을 가진다.
⑤ 문화유산을 조사할 때만 문화유산에 관심을 가진다.

12 **(가), (나) 문화유산 소개하기 방법은 무엇인지 각각 쓰시오.**

(가)

(나)

13 **다음 중 역사적 인물이 아닌 것은 어느 것입니까?** (　　　)

① 심청　② 장영실
③ 이순신　④ 강감찬
⑤ 세종 대왕

14 **빈칸에 들어갈 알맞은 말을 쓰시오.**

□□□ □□은/는 실제로 살았던 인물로 현재 우리의 삶에 영향을 주었던 사람들입니다. 대표적인 인물로는 신사임당과 율곡 이이가 있습니다.

15 **빈칸에 공통으로 들어갈 알맞은 말을 쓰시오.**

경상남도 통영시의 유명한 역사적 인물을 조사하기 위해 ☐☐☐ 기념관에 방문했습니다. ☐☐☐은/는 세계적으로 유명한 작가로 주요 작품으로는 『김약국의 딸들』, 『토지』 등이 있습니다. 그의 작품에는 지역의 자연과 생활 모습이 잘 담겨져 있습니다.

서술형

16 **다음 글을 읽고 지역에 영향을 끼친 역사적 인물의 특징을 서술하시오.**

문익점은 중국에서 목화씨를 가져와 사람들이 따뜻한 옷을 입도록 해 주었습니다. 수로왕은 먼 옛날 경상남도 김해시에서 '가야'라는 나라를 세웠습니다.

17 **다음 순서에 맞는 지역의 역사적 인물 조사 방법을 쓰시오.**

❶ 해당 인물을 다루는 책을 도서관이나 인터넷에서 찾습니다.
❷ 차례를 활용하여 알고 싶은 내용을 찾아 읽거나, 책의 전체 내용을 읽습니다.
❸ 인물에 대한 중요한 내용을 공책에 적습니다.

중요

18 **경상남도의 역사적 인물인 곽재우의 특징을 가장 잘 나타낸 것은 어느 것입니까? (　　　)**

① 지역을 지킨 인물
② 지역을 알린 예술가
③ 지역의 환경을 살린 인물
④ 지역에서 나라를 세운 인물
⑤ 지역 사람들의 생활을 바꾼 인물

서술형

19 **다음 이야기를 읽고, 우리 지역의 역사적 인물에 대해 조사하고 알리는 활동이 중요한 이유를 서술하시오.**

오늘 학교에서 김만덕에 대해 조사한 내용을 생각 그물로 정리해 보았습니다. 활동을 하면서 우리 지역에 역사적 인물이 있어 자랑스러웠고, 굶주린 백성을 구한 김만덕을 많은 사람들에게 알리고 싶어졌습니다.

20 **지역의 역사적 인물을 기념하는 의미로 알맞은 것을 보기에서 두 가지 골라 기호를 쓰시오.**

보기
㉠ 지역에 대한 자부심이 생긴다.
㉡ 지역을 아끼는 마음이 더 커진다.
㉢ 지역의 역사에 대한 관심이 낮아진다.
㉣ 내가 중요하다고 생각하는 역사적 인물만 기억할 수 있다.

1 **문화유산을 직접 본 경험을 잘못 이야기한 사람은 누구입니까?** ( )

① 도윤: 박물관에서 석상을 보았어.
② 서준: 배첩 기술을 보니 신기했어.
③ 효빈: 마당에서 풍물놀이를 즐겼어.
④ 수민: 공연장에서 판소리를 관람했어.
⑤ 경선: 백화점에서 최신 게임기를 봤어.

서술형

2 **다음 사진을 보고 유형 문화유산의 특징을 서술하시오.**

중요

3 **다음 중 문화유산의 종류가 다른 것은 어느 것입니까?** ( )

① 춘향가
② 무령왕릉
③ 차전놀이
④ 이천 거북놀이
⑤ 동해안 별신굿

4 **다음 사진과 가장 관련 있는 문화유산은 어느 것입니까?** ( )

① 토기 ② 고인돌 ③ 하회탈
④ 무령왕릉 ⑤ 양동 마을

5 **무형 문화유산에 대한 설명으로 알맞지 않은 것은 어느 것입니까?** ( )

① 각종 현악기를 만드는 악기장이 있다.
② 경기도에는 도당굿이라는 마을굿이 있다.
③ 백제 시대를 알 수 있는 무령왕릉이 있다.
④ 우리 지역에는 경기 민요라는 전통 음악이 전해 온다.
⑤ 김치를 보관할 수 있는 옹기를 만드는 옹기장이 전해 온다.

6 **다음에서 설명하는 문화유산의 이름을 쓰시오.**

인간문화재 중 제작 기술로, 모시풀로 섬유를 만드는 것입니다. 이 문화유산은 해외에서도 높은 평가를 받고 있습니다.

7 **지역의 문화유산에 대한 설명으로 알맞은 것을 보기에서 두 가지 골라 기호를 쓰시오.**

보기
㉠ 지역의 특징을 나타낸다.
㉡ 지역의 인구수를 알 수 있다.
㉢ 지역의 산업의 중심지를 알 수 있다.
㉣ 잘 보존하여 지역의 자랑거리가 되기도 한다.

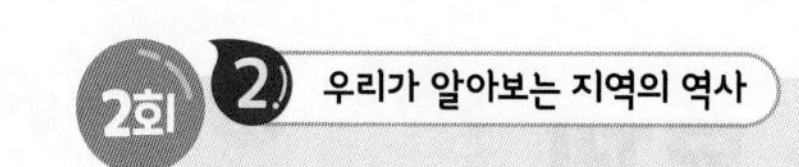

8 다음 순서를 보고 알 수 있는 지역의 문화유산 조사 방법을 쓰시오.

❶ 친구와 함께 답사할 지역 박물관과 답사 일정을 정합니다.
❷ 궁금한 사항들을 확인하며 박물관 답사 계획을 세워 봅니다.
❸ 질문을 주고받으며 박물관에 있는 문화유산을 관람하고, 답사 보고서를 작성합니다.

서술형

9 다음 이야기를 읽고 인터넷으로 역사적 인물을 조사할 때 주의할 점을 서술하시오.

학교에서 역사적 인물을 조사하는 활동이 있었습니다. 나는 집에서 문익점을 조사하였습니다. 검색해서 찾아보다가 눈에 보이는 홈페이지에 들어갔습니다. 그곳에서 문익점은 경상남도 통영시에서 태어났다는 내용을 발견하고, 그대로 내용을 옮겨 적었습니다.

10 지역의 역사적 인물과 관련된 장소로 알맞지 않은 곳은 어디입니까? (　　　)

① 비석 ② 기념관
③ 박물관 ④ 문구점
⑤ 옛날 집

11 서로 관련 있는 내용끼리 바르게 선으로 연결하시오.

(1) 박경리 • 　• ㉠ 지역을 지킨 인물
(2) 곽재우 • 　• ㉡ 지역을 알린 예술가
(3) 수로왕 • 　• ㉢ 지역에서 나라를 세운 인물

서술형

12 다음 사진과 관련한 인물이 지역에 어떤 영향을 끼쳤는지 서술하시오.

13 역사적 인물 조사 계획을 세울 때 생각할 점으로 알맞지 않은 것은 어느 것입니까? (　　　)

① 조사할 역사적 인물을 선정한 까닭을 생각해 본다.
② 어떤 방법으로 역사적 인물을 조사할지 생각해 본다.
③ 우리 지역의 역사적 인물 중에서 누구를 조사할지 생각해 본다.
④ 선정한 역사적 인물에 대해서 어떤 내용을 조사할지 생각해 본다.
⑤ 선정한 역사적 인물과 관련된 장소를 답사하면서 궁금한 점을 생각해 본다.

중요

14 인터넷으로 인물을 조사할 때 주의할 점으로 알맞은 것은 어느 것입니까? (　　　)

① 재미있는 내용만 골라 조사한다.
② 관련 없는 자료까지 모두 조사한다.
③ 최대한 적은 시간을 들여 조사한다.
④ 내 마음에 드는 자료만 골라 조사한다.
⑤ 꼭 출처를 확인해 믿을 만한 자료를 고른다.

15 **빈칸에 들어갈 알맞은 말을 쓰시오.**

지역의 역사적 인물을 조사할 때 들어가야 할 내용으로는 '우리 지역과의 ☐☐☐'이/가 있습니다.

16 **지역의 역사적 인물을 조사할 때 주의할 점으로 알맞은 것을 보기에서 모두 골라 기호를 쓰시오.**

보기
㉠ 답사하면서 보거나 들은 내용을 기록한다.
㉡ 사진이나 동영상보다 즐길 거리에 집중한다.
㉢ 인물에 대한 책의 내용이 사실인지 검토한다.
㉣ 인터넷 검색을 할 때는 출처를 확인하고 믿을 만한 자료를 고른다.

중요

17 **다음 그림과 같이 역사적 인물에 대한 내용을 정리하는 방법은 어느 것입니까?** (　　　)

① 포스터 그리기
② 입체 지도 만들기
③ 생각 그물로 정리하기
④ 벌집 모양 카드로 정리하기
⑤ 시간의 흐름에 따라 정리하기

18 **우리 지역의 역사적 인물을 홍보할 때 생각할 점으로 알맞지 않은 것은 어느 것입니까?** (　　　)

① 왜 그 인물을 알리고 싶은지 생각한다.
② 어떤 방법으로 알리면 좋을지 생각한다.
③ 어떤 사람에게 알리고 싶은지 생각한다.
④ 우리 지역의 중심지가 어디인지 생각한다.
⑤ 꼭 알리고 싶은 내용은 무엇인지 생각한다

19 **지역의 역사적 인물을 소개하는 뉴스 만들기 방법을 순서대로 기호를 쓰시오.**

㉠ 소개하고 싶은 역사적 인물을 정한다.
㉡ 카드나 스케치북 등을 활용하여 뉴스를 만든다.
㉢ 역사적 인물에 대해 알리고 싶은 내용을 생각한다.
㉣ 역사적 인물에 대한 설명들이 연결되도록 내용을 정한다.

20 **문익점 소개 엽서를 만들 때 ㉠에 들어갈 내용으로 알맞은 것은 어느 것입니까?** (　　　)

① 한글을 만들었다.
② '가야'라는 나라를 세웠다.
③ 세계적으로 유명한 작가이다.
④ 백성들의 의생활 개선에 도움을 주었다.
⑤ 전투에서 활약하여 지역과 나라를 지켰다.

1 다음 사진을 보고, 물음에 답하시오.

(가) 고인돌

(나) 차전놀이

(1) (가), (나) 중 무형 문화유산을 골라 기호를 쓰시오.

(2) (가), (나)의 문화유산이 지역에서 가지는 의미를 쓰시오.

평가 실마리
- **관련 내용** 교과서 60쪽, 개념 톡톡 62쪽
- **출제 의도** 유형 문화유산과 무형 문화유산의 특징 알아보기
- **선생님의 한마디**
"유형과 무형 문화유산은 형태에 따라 구분할 수 있어!"

2 다음 대화를 읽고 무형 문화유산의 특징을 서술하시오.

선생님: 전라남도가 음식 문화 같은 무형 문화유산이 발달한 이유는 무엇일까요?
혜 리: 요리 재료가 풍부하기 때문입니다.
선생님: 부산부터 강원도 해안에서 마을 제사를 지내는 까닭은 무엇일까요?
이 정: 물고기를 많이 잡고, 바다에서 안전하기를 기원하기 위해서입니다.

평가 실마리
- **관련 내용** 교과서 62쪽, 개념 톡톡 64쪽
- **출제 의도** 무형 문화유산 알아보기
- **선생님의 한마디**
"무형 문화유산에는 풍속이 담긴 노래와 춤, 음식, 놀이, 마을 제사 등이 있어!"

3 다음 사진과 설명을 보고, 지역의 문화유산을 통해 알 수 있는 점을 서술하시오.

충청북도에는 그림과 글씨를 보관할 때 필요한 액자, 병풍 등을 만드는 배첩 기술이 전해지고 있습니다. 이 지역은 배첩뿐만 아니라 금속 활자 제작, 한지 제조와 같은 고인쇄 문화로도 유명합니다.

평가 실마리
- **관련 내용** 교과서 64쪽, 개념 톡톡 64쪽
- **출제 의도** 문화유산을 통해 알 수 있는 점
- **선생님의 한마디**
"지역의 문화유산은 그 지역에서 오랫동안 전해 내려온 거야!"

4 다음과 관련하여 지역의 문화유산을 조사할 때 해야 하는 일을 두 가지 서술하시오.

평가 실마리
- **관련 내용** 교과서 66쪽, 개념 톡톡 68쪽
- **출제 의도** 지역의 문화유산 조사하기
- **선생님의 한마디**
"지역의 문화유산 조사 방법을 떠올려 보자!"

5 **다음 이야기를 읽고, 문화유산을 보호하기 위해 우리가 할 수 있는 일을 두 가지 서술하시오.**

오늘 현장 체험 학습으로 백제 시대의 탑과 석상을 보러 갔습니다. 그 지역의 역사와 전통을 배울 수 있어서 좋은 시간이었습니다. 하지만 문화유산이 있는 곳에 쓰레기가 많이 버려져 있었고, 문화유산인지 모르는 사람들이 낙서해 놓은 모습을 보고 가슴이 많이 아팠습니다.

평가 실마리
- **관련 내용** 교과서 69쪽, 개념 톡톡 69쪽
- **출제 의도** 지역의 문화유산을 보호하기 위한 노력 알아보기
- **선생님의 한마디**
  "작은 노력으로도 문화유산을 보호할 수 있어!"

6 **다음 문화유산 소개하기 방법의 이름을 쓰고, 소개할 내용을 한 가지 서술하시오.**

평가 실마리
- **관련 내용** 교과서 70쪽, 개념 톡톡 70쪽
- **출제 의도** 문화유산 소개하기
- **선생님의 한마디**
  "선택한 소개 자료에 들어가야 할 내용이 무엇인지 생각해 보자!"

7 **다음은 고장의 문화유산 조사 계획서입니다. ㉠에 들어갈 알맞은 내용을 서술하시오.**

조사 목적	지역의 역사적 인물 알아보기
조사할 사람	지윤, 시연
조사 내용	• 이순신은 어떤 삶을 살았을까? • 이순신은 무슨 전투에 참전했을까?
조사 방법	인터넷으로 이순신 검색하기
준비물	컴퓨터, 필기구
주의할 점	㉠

평가 실마리
- **관련 내용** 교과서 81쪽, 개념 톡톡 82쪽
- **출제 의도** 지역의 역사적 인물 조사하기
- **선생님의 한마디**
  "인터넷으로 지역의 역사적 인물을 조사할 때 주의할 점을 떠올려 보자!"

8 **다음 우표의 인물을 홍보하는 기념물을 만들고자 할 때 생각해야 할 점을 한 가지 서술하시오.**

평가 실마리
- **관련 내용** 교과서 86쪽, 개념 톡톡 86쪽
- **출제 의도** 우리 지역의 역사적 인물 소개하기
- **선생님의 한마디**
  "역사적 인물을 홍보하는 계획을 세울 때 생각해야 할 점을 떠올려 보자!"

정답과 해설 27쪽

(1) 우리 지역의 공공 기관

❶ 공공 기관의 뜻

(1) 공공 기관은 주민 전체의 (❶)와/과 생활의 편의를 위해 국가나 지방 자치 단체가 세우거나 관리하는 기관입니다.

(2) 공공 기관인 곳에는 우체국, 행정 복지 센터, 소방서, 보건소, 경찰서 등이 있습니다.

(3) 공공 기관이 아닌 곳에는 아파트, 영화관, 할인 매장, 서점, 백화점 등이 있습니다.

❷ 공공 기관의 종류와 하는 일

경찰서	범죄를 예방하여 주민의 안전을 책임지고 질서를 유지함.
(❷)	화재를 예방하고 불을 끄며, 위험에 처한 사람을 구조함.
교육청	학생들의 교육과 관련 있는 일을 함.
시·도청	주민 생활의 불편을 해결하고 지역의 발전을 위해 일함.
보건소	감염병 등의 질병을 예방하고 치료함.
도서관	책을 빌려주며, 책을 읽거나 공부할 수 있는 공간을 제공함.

❸ 공공 기관 조사하기

(1) 조사할 곳과 조사 방법 정하기

(2) 조사 계획 세우기: 조사 주제 및 장소, 알고 있는 점, 알고 싶은 점, 조사 방법, 주의할 점 등의 내용을 담은 조사 계획서를 작성합니다.

(3) 조사하기

인터넷으로 조사하기	공공 기관 누리집에서 조사함.
(❸)하여 조사하기	공공 기관을 직접 방문해 조사함.
자료로 조사하기	홍보 자료, 신문 기사, 방송 자료 등을 조사함.
면담하여 조사하기	공공 기관에서 도움을 받은 어른들께 여쭤보고 조사함.

(4) 보고서 작성하기: 조사 주제 및 일시, 조사 방법, 알게 된 점 및 느낀 점 등을 작성합니다.

(2) 지역 문제와 주민 참여

❶ 지역 문제의 뜻과 종류

(1) 지역 문제는 지역에서 주민의 생활을 불편하게 하거나 주민들 사이에 (❹)을/를 일으키는 문제입니다.

(2) 지역 문제의 종류에는 환경 문제, 교통 문제, 안전 문제, 시설 부족 문제 등이 있습니다.

❷ 지역 문제 해결하기

지역 문제 확인하기	• 지역을 직접 둘러보며 지역 문제를 찾음. • 지역 주민들과 면담함. • 지역 뉴스나 신문에서 관련 내용을 살펴봄. • 시·도청 누리집에서 주민의 글을 찾아봄.
문제 발생 원인 찾기	지역 문제가 일어나는 원인을 알 수 있는 자료를 수집해 살펴봄.
해결 방안 탐색하기	지역 문제를 해결할 수 있는 다양한 방안을 제시함.
해결 방안 결정하기	각 해결 방안의 장단점을 비교해 보고, (❺)와/과 타협으로 방안을 결정함.
해결 방안 실천하기	결정한 해결 방안을 실천함.

❸ 주민 참여의 뜻과 방법

(1) 주민 참여는 지역 문제를 해결하는 과정에서 지역 주민이 중심이 되어 참여하는 것입니다.

(2) 다양한 주민 참여 방법에는 공청회나 주민 회의 참석하기, 시민 단체 활동하기, (❻)에 참여하기, 기부나 후원하기 등이 있습니다.

(3) 주민 참여가 중요한 까닭은 지역 문제는 지역 주민들에게 영향을 미치며, 지역 주민들이 가장 잘 알고 있기 때문입니다.

❹ 주민 참여의 바람직한 태도

(1) 바람직한 태도: 나와 관련이 적더라도 다른 사람들이 불편하게 여기고 어려워하는 일에 관심을 가지고, 해결하는 데 적극적으로 참여합니다.

(2) 바람직하지 않은 태도: 지역 문제에 관심을 가지지 않고, 공공 기관에만 해결을 맡깁니다.

가로 톡! 세로 톡! 퍼즐

3 지역의 공공 기관과 주민 참여

정답과 해설 27쪽

가로 문제와 세로 문제를 읽고, 퍼즐을 풀어 보세요.

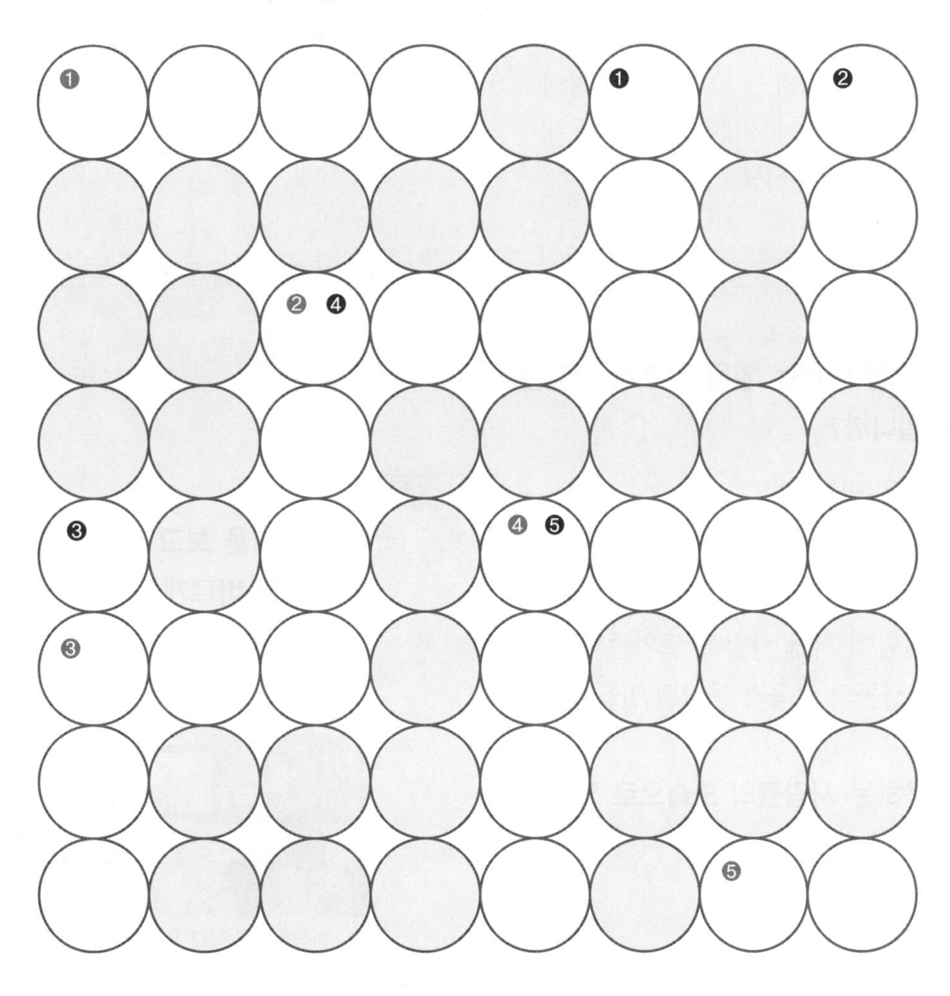

가로 문제

❶ □□ □□은/는 지역에서 주민의 생활을 불편하게 하거나 주민들 사이에 갈등을 일으키는 문제입니다.

❷ □□ □□은/는 주민 전체의 이익과 생활의 편의를 위해 국가나 지방 자치 단체가 세우거나 관리하는 기관입니다.

❸ □□□은/는 범죄를 예방하여 주민의 안전을 책임지고 질서를 유지하는 곳입니다.

❹ □□ □□은/는 다양한 주민 참여의 한 방법으로, 중요한 정책을 주민의 투표로 결정하는 제도입니다.

❺ □□은/는 공공 기관을 조사하는 방법 중 하나로, 실제로 현장에 가서 보고 관찰하고 체험하는 것입니다.

세로 문제

❶ □□□은/는 책을 빌려주며, 책을 읽거나 공부할 수 있는 공간을 제공하는 곳입니다.

❷ □□□은/는 국민에게 영향을 끼치는 사업을 시행하기 전에 국민, 학자 등이 모여서 의논하는 회의입니다.

❸ □□ □□은/는 지역 문제의 한 유형으로, 대표적으로 대기 오염, 미세 먼지 등이 있습니다.

❹ 견학할 때는 □□□□와/과 예절을 잘 지켜야 합니다.

❺ □□ □□은/는 지역 문제를 해결하는 과정에서 지역 주민이 중심이 되어 참여하는 것입니다.

1 빈칸에 들어갈 알맞은 말을 각각 쓰시오.

공공 기관은 주민 전체의 ☐☐와/과 생활의 ☐☐을/를 위해 국가나 지방 자치 단체가 세우거나 관리하는 기관입니다.

____

중요

2 공공 기관의 이름과 하는 일을 바르게 연결한 것은 어느 것입니까? ( )

① 소방서 – 책을 빌려준다.
② 행정 복지 센터 – 범죄를 예방한다.
③ 경찰서 – 필요한 서류를 발급해 준다.
④ 도서관 – 위험에 처한 사람을 도와준다.
⑤ 교육청 – 학생들의 교육과 관련된 일을 한다.

3 도서관을 이용하는 사람들의 모습으로 알맞은 것은 어느 것입니까? ( )

① 예방 접종을 한다.
② 여권을 발급받는다.
③ 책을 빌리고 공부한다.
④ 친구에게 편지를 보낸다.
⑤ 과자나 아이스크림을 산다.

4 다음 공공 기관이 주민들의 생활에 주는 도움으로 알맞은 것은 어느 것입니까? ( )

① 화재 예방 교육을 해 준다.
② 필요한 서류를 발급해 준다.
③ 편지와 물건을 배달해 준다.
④ 서로의 잘잘못을 법에 따라 판결해 준다.
⑤ 환경미화원이 길가의 쓰레기를 청소해 준다.

5 서로 관련 있는 내용끼리 바르게 선으로 연결하시오.

(1) 시·도청	•	•	㉠	주민 생활의 불편을 해결한다.
(2) 소방서	•	•	㉡	예방 접종을 한다.
(3) 보건소	•	•	㉢	불을 끈다.

중요

6 다음 그림을 보고 학교와 함께하는 공공 기관의 이름을 바르게 연결한 것은 어느 것입니까? ( )

(가)

학생들에게 학교 폭력 예방 교육을 합니다.

(나)

학생들에게 건강과 관련된 교육을 합니다.

	(가)	(나)
①	구청	경찰서
②	법원	소방서
③	경찰서	보건소
④	기상청	우체국
⑤	보건소	박물관

중요

7 공공 기관에 대해 조사하는 방법으로 알맞지 않은 것은 어느 것입니까? ( )

① 세계 지도를 살펴본다.
② 공공 기관을 견학한다.
③ 지역 신문이나 방송을 본다.
④ 공공 기관의 인터넷 누리집을 방문한다.
⑤ 공공 기관을 이용하시는 어른들께 여쭤본다.

8 **다음은 견학 계획서의 어느 항목에 들어갈 내용입니까?** ( )

아라: 면담할 때 질문할 내용 준비하기
준성: 기록하기, 사진기 준비하기
가람: 기록하기, 필기도구 준비하기
별이: 지켜야 할 예절 파악하기, 일정 정리하기

① 느낀 점 ② 주의할 점
③ 역할 나누기 ④ 알고 있는 것
⑤ 알고 싶은 것

9 **다음 글을 읽고, 물음에 답하시오.**

인터넷 누리집을 통해 정보를 얻는 것이 아닌 직접 찾아가서 필요한 정보를 얻는 것입니다.

(1) 위에서 설명하는 것은 무엇인지 쓰시오.

(2) (1)을 하기 전에 해야 할 일을 쓰시오.

10 **다음 장면에 나타난 조사 방법으로 공공 기관을 조사할 때 지켜야 할 예절을 서술하시오.**

11 **다음 중 공공 기관 견학 전 견학 계획서와 견학 후 견학 보고서에 모두 들어갈 내용을 두 가지 고르시오.** (,)

① 느낀 점 ② 견학 장소
③ 견학 주제 ④ 견학의 좋은 점
⑤ 모둠원의 취미

12 **다음 중 빈칸에 들어갈 알맞은 말은 어느 것입니까?** ( )

지역에서 지역 주민의 생활을 불편하게 하거나 주민들 사이에 갈등을 일으키는 문제를 □□ □□(이)라고 합니다.

① 개인 문제 ② 사회 문제 ③ 세계 문제
④ 지역 문제 ⑤ 지구 문제

13 **다음 그림을 보고 알 수 있는 지역 문제로 알맞은 것은 어느 것입니까?** ( )

① 노인 문제 ② 소음 문제 ③ 인구 문제
④ 환경 문제 ⑤ 통학로 문제

14 **지역 문제의 사례로 알맞은 것을 보기에서 두 가지 골라 기호를 쓰시오.**

보기
㉠ 학교에 늦어 지각했다.
㉡ 가까운 곳에 도서관이 없어서 불편하다.
㉢ 휴대 전화를 사고 싶은데 용돈이 부족하다.
㉣ 쓰레기 분리배출이 제대로 되지 않아 냄새가 심하다.

15 **다음 내용에 해당하는 지역 문제 해결 과정으로 알맞은 것은 어느 것입니까? ( )**

주민 회의를 열어 주민들이 다양한 해결 방안을 제시하였습니다.

① 지역 문제 확인하기
② 해결 방안 결정하기
③ 해결 방안 탐색하기
④ 해결 방안 실천하기
⑤ 문제 발생 원인 찾기

16 **지역 문제를 해결하기 위해 여러 의견을 이야기할 때 할 수 있는 방법이나 태도로 알맞지 않은 것은 어느 것입니까? ( )**

① 소수의 의견을 존중한다.
② 회의 시간은 짧을수록 좋다.
③ 다수결의 원칙을 따를 수 있다.
④ 투표를 통해 의견을 모을 수 있다.
⑤ 대화와 타협으로 의견을 조정해야 한다.

17 **내용이 맞으면 ○표, 틀리면 ×표를 선택하시오.**

(1) 공공 기관이 지역 문제 해결책을 내면 주민들은 무조건 따라야 합니다. ( )
(2) 그 지역에 사는 주민은 지역 문제를 가장 잘 알고 있으므로 지역 문제에 적극적으로 참여해야 합니다. ( )
(3) 자신과 관련된 지역 문제가 아니면 관심을 가지지 않습니다. ( )

18 **다음 글을 읽고 밑줄 친 '원칙'이 무엇인지 쓰시오.**

다양한 의견을 하나로 모을 때는 투표를 하기도 합니다. 이때 많은 사람이 원하는 것으로 결정하는 원칙을 따릅니다.

[19-20] **다음 글을 읽고, 물음에 답하시오.**

사회자: 우리 지역의 교통 혼잡 문제 해결을 위해 이렇게 참석해 주셔서 감사합니다. 교통 혼잡 문제 해결을 위해 어떻게 해야 할까요?
주민 1: 그런 어려운 문제를 우리가 어떻게 해결할 수 있겠어요?
주민 2: 우리 지역 주민이 할 수 있는 일을 먼저 생각해 보는 것이 좋을 것 같군요.
주민 3: 우리 집 앞은 교통이 복잡하지 않은데, 왜 저까지 이렇게 회의에 참석해야 하죠?

19 **위 대화에서 주민 참여의 태도가 바람직하지 않은 지역 주민을 모두 골라 쓰시오.**

서술형

20 **위 대화에서 바람직하지 않은 태도를 가진 주민이 가져야 할 바른 태도를 서술하시오.**

중요

1 **공공 기관에 대한 설명으로 알맞지 않은 것은 어느 것입니까?** ( )

① 개인의 이익을 위해 만들어졌다.
② 지역 주민을 위해 일하는 곳이다.
③ 각 기관의 역할에 따라 종류가 다양하다.
④ 주민을 위해 찾아가는 공공 기관도 있다.
⑤ 공공 기관이 없다면 다양한 불편함이 생긴다.

2 **다음 그림을 보고 공공 기관인 것과 아닌 것으로 구분하여 각각 기호를 쓰시오.**

㉠

㉡

㉢

㉣
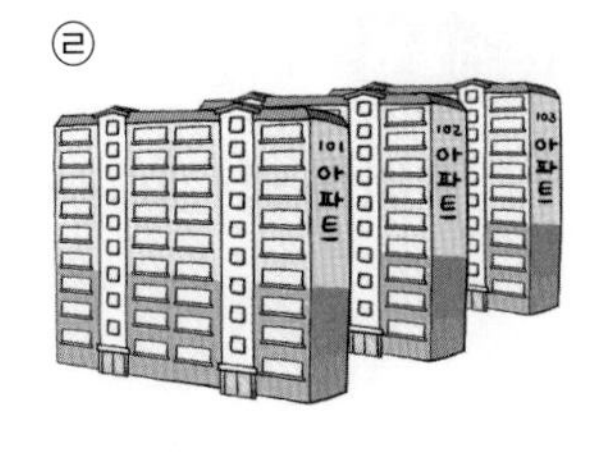

(1) 공공 기관인 것: ______
(2) 공공 기관이 아닌 것: ______

서술형

3 **다음 공공 기관의 이름과 하는 일을 서술하시오.**

(1) 공공 기관의 이름: ______
(2) 하는 일: ______

______

4 **도서관에서 하는 일로 알맞지 않은 것은 어느 것입니까?** ( )

① 새로 나온 책을 판매한다.
② 책과 관련된 특별한 강의를 연다.
③ 어린이를 위한 글쓰기 행사를 연다.
④ 작가와 주민이 직접 만나는 행사를 연다.
⑤ 책을 빌려주고, 책을 읽을 공간을 제공한다.

5 **다음과 같은 일을 하는 공공 기관으로 알맞은 것은 어느 것입니까?** ( )

▲ 옐로 카펫을 만듦.

① 법원 ② 시청 ③ 경찰서
④ 교육청 ⑤ 도서관

6 **소방서가 없을 때 발생할 일로 알맞은 것은 어느 것입니까?** ( )

① 범죄가 많이 늘어날 것이다.
② 읽고 싶은 책을 빌려 볼 수 없을 것이다.
③ 필요한 서류를 발급받을 수 없을 것이다.
④ 몸을 다친 사람들이 치료받기 어려울 것이다.
⑤ 불이 났을 때 더 많은 사람이 목숨을 잃거나 다칠 것이다.

7 **공공 기관이 중요한 까닭을 보기에서 두 가지 골라 기호를 쓰시오.**

㉠ 간단한 일을 하기 때문이다.
㉡ 다른 지역으로 이동할 때 필요하기 때문이다.
㉢ 지역 주민이 요청한 일을 처리하기 때문이다.
㉣ 지역 주민이 안전하고 편리하게 생활하도록 돕기 때문이다.

______

8 다음 내용이 설명하는 공공 기관을 조사하는 방법으로 알맞은 것은 어느 것입니까? ( )

- 공공 기관 누리집에 방문합니다.
- 기관 소식 중 '새 소식'이나 '보도 자료'에 들어가 공공 기관에서 최근에 한 일을 알아봅니다.
- '자유 게시판'이나 '민원 사례'에서 주민들이 어떤 도움을 받고 있는지 살펴봅니다.

① 견학하기 ② 면담하기
③ 인터넷 검색하기 ④ 방송 자료 찾아보기
⑤ 신문 기사 찾아보기

9 공공 기관을 견학할 때 지켜야 할 점으로 알맞지 않은 것은 어느 것입니까? ( )

① 큰 소리로 떠들지 않는다.
② 이동할 때 안전하게 다닌다.
③ 공공장소에서 지켜야 할 예절을 잘 지킨다.
④ 공공 기관에 있는 물건을 함부로 만지지 않는다.
⑤ 견학 담당자의 안내를 따르지 않고 궁금한 내용은 바로 질문한다.

10 조사 계획서의 내용으로 알맞지 않은 것은 어느 것입니까? ( )

① 조사 주제	시청의 각 부서에서 하는 일
② 조사 장소	서울특별시청
③ 알고 있는 점	시민을 위해서 여러 가지 일을 합니다.
④ 역할 나누기	• 별이: 면담할 때 질문할 내용 준비하기 • 준서: 노트 준비하기, 기록하기 • 아라: 사진기 준비하기, 사진 찍기
⑤ 느낀 점	시청에서 하는 일이 다양하다는 것을 알 수 있었습니다.

[11-12] 다음 표를 보고, 물음에 답하시오.

조사 주제	시청의 각 부서에서 하는 일
조사 일시	20△△년 △△월 △△일, 10:00~12:00
조사 장소	서울특별시청
알게 된 점	• 시청에는 다양한 부서가 있습니다. • 지역 주민이 요청한 일을 처리해 줍니다.
느낀 점	• 시청은 시민이 편리하게 생활할 수 있도록 돕는다는 점을 알게 되어 고마웠습니다. • 시청에서는 시민들을 위해 다양한 일을 한다는 점이 인상 깊었습니다.
더 알고 싶은 점	㉠

11 위와 같이 견학을 다녀와서 작성하는 것이 무엇인지 쓰시오.

서술형

12 위 표의 ㉠에 들어갈 알맞은 내용을 서술하시오.

13 서로 관련 있는 내용끼리 바르게 선으로 연결하시오.

(1) 지어진 지 오래된 주택이 많아 생활이 불편함.	•	• ㉠ 소음 문제
(2) 집 근처 공사 현장에서 시끄러운 소리가 많이 남.	•	• ㉡ 시설 부족 문제
(3) 도서관을 이용하려면 멀리 버스를 타고 이동해야 함.	•	• ㉢ 주택 노후화 문제

14 다음 내용과 관계있는 지역 문제 해결 과정으로 알맞은 것은 어느 것입니까? (　　　)

- 지역을 직접 둘러보기
- 지역 주민들과 면담하기
- 지역 뉴스나 신문 살펴보기
- 시·도청 누리집에서 지역 주민들이 올린 글 살펴보기

① 지역 문제 확인하기 ② 해결 방안 결정하기
③ 해결 방안 실천하기 ④ 해결 방안 탐색하기
⑤ 문제 발생 원인 찾기

15 빈칸에 들어갈 알맞은 말을 두 가지 고르시오. (　　,　　)

지역 문제를 해결하려면 여러 가지 의견을 모으는 과정이 필요합니다. 이를 위해서는 시간을 두고 [　　　](으)로 의견을 조정해야 합니다.

① 대화 ② 명령
③ 무시 ④ 타협
⑤ 무관심

16 다음과 같은 활동을 하는 단체로 알맞은 것은 어느 것입니까? (　　　)

- 지역의 환경 문제에 관심을 가지고 환경 보호 캠페인을 합니다.
- 지역의 경제 정책을 살피고 문제점이 있으면 서명 운동을 합니다.
- 지역의 교육 문제에 관심을 가지고 문제 해결을 위해 민원을 제기합니다.

① 정당 ② 동문회
③ 동아리 ④ 산악회
⑤ 시민 단체

17 빈칸에 들어갈 알맞은 말을 쓰시오.

[　][　][　]은/는 국가나 공공 기관이 지역 주민에게 영향을 끼치는 정책 결정 전에 지역 주민의 다양한 의견을 듣고자 여는 회의입니다.

____

18 내용이 맞으면 ○표, 틀리면 ×표를 선택하시오.

(1) 지역 문제 해결 방안 중 공공 기관의 협조가 필요하면 공공 기관 누리집에 글을 올릴 수 있습니다. (　　　)

(2) 공공 기관은 어린이들이 제안하는 의견은 장난이 많아 듣지 않습니다. (　　　)

중요

19 지역 문제 해결 과정에 주민이 참여하는 이유로 알맞은 것은 어느 것입니까? (　　　)

① 주민이 참여하지 않으면 처벌을 받는다.
② 지역 주민들이 서로 감시하기 위해서이다.
③ 주민 의견을 정책에 반영하기 위해서이다.
④ 지역 주민 마음대로 일을 해결하기 위해서이다.
⑤ 자신과 관련된 지역 문제만 해결하기 위해서이다.

20 다음 글을 읽고 지역 문제와 주민 참여에 대해 바르게 이야기한 학생이 누구인지 쓰시오.

별이: 주민 일부만 불편한 문제는 알아서 해결해야 해요.
준성: 지역 문제를 바르게 해결하려면 대화와 타협의 자세가 필요해요.
아라: 지역 문제는 공공 기관에서 해결하는 것이기 때문에 관심을 가질 필요는 없어요.

____

1 다음 그림을 보고, 물음에 답하시오.

(가)

OO 경찰서

(나)

(다)

(라)

(1) (가)~(라) 중 공공 기관인 것을 모두 골라 기호를 쓰시오.

---

(2) 위 (1)번 답이 공공 기관인 까닭을 쓰시오.

평가 실마리
- **관련 내용** 교과서 101쪽, 개념 톡톡 106쪽
- **출제 의도** 공공 기관과 공공 기관이 아닌 곳 구분하기
- **선생님의 한마디**
  "공공 기관은 주민 모두를 위한 기관이야!"

2 준성이의 질문에 대한 답을 서술하시오.

별이: 아라야, 공공 기관은 주민 전체의 이익과 생활의 편의를 위해 국가나 지방 자치 단체가 세우거나 관리하는 기관인 거 아니?

아라: 맞아, 공공 기관에는 경찰서, 보건소, 소방서, 도서관 등과 같은 곳이 있어.

준성: 만약 우리 지역에 공공 기관이 없다면 어떤 일이 생길까?

평가 실마리
- **관련 내용** 교과서 105쪽, 개념 톡톡 108쪽
- **출제 의도** 공공 기관의 역할 알아보기
- **선생님의 한마디**
  "공공 기관이 왜 필요한지 생각해 보자!"

3 다음 공공 기관 견학 계획서의 일부를 보고, ㉠에 들어갈 내용을 서술하시오.

견학 주제	소방서가 지역 주민들의 생활에 주는 도움
견학 장소	△△소방서
알고 있는 점	지역에 불이 났을 때 불을 꺼 줍니다.
알고 싶은 점	• 소방서가 지역 주민들을 위해 하는 다양한 일 • 소방서가 주민이 요청한 일을 처리해 준 사례
주의할 점	㉠

평가 실마리
- **관련 내용** 교과서 107쪽, 개념 톡톡 110쪽
- **출제 의도** 견학 계획서 알아보기
- **선생님의 한마디**
  "견학할 때 무엇을 지켜야 할지 생각해 보자!"

4 다음 그림과 같은 방법으로 우리 지역의 공공 기관을 조사할 때 장점이 무엇인지 서술하시오.

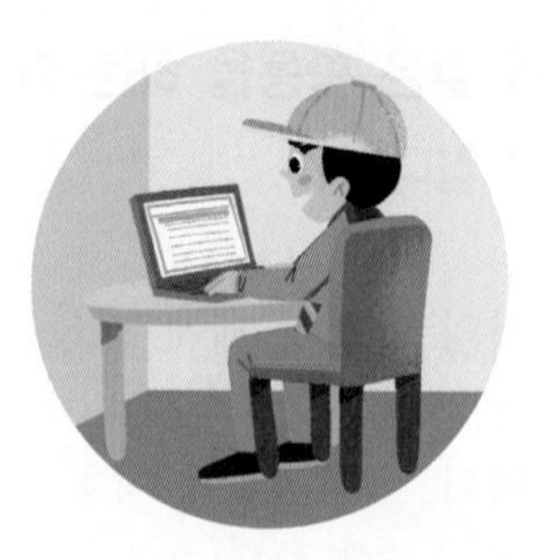

평가 실마리
- **관련 내용** 교과서 108쪽, 개념 톡톡 110쪽
- **출제 의도** 공공 기관을 조사하는 방법 알아보기
- **선생님의 한마디**
  "인터넷을 활용해 공공 기관을 조사하면 뭐가 좋을까?"

5 **다음 내용을 통해 알 수 있는 지역 문제가 무엇인지 서술하시오.**

지역에서는 주민의 생활과 관련된 다양한 문제가 생깁니다. 그 예로 지속적인 공사 현장 소음으로 피해를 호소하던 주민이 건설 현장에 민원을 제기하러 갔다가 건설 현장 인부와 다툼이 발생한 것을 들 수 있습니다.

____

____

평가 실마리
- **관련 내용** 교과서 118쪽, 개념 톡톡 122쪽
- **출제 의도** 지역 문제의 의미와 유형
- **선생님의 한마디**
"지역 문제의 유형에 대해 알아보자!"

6 **지역 문제를 확인하고 해결하는 과정을 보고 물음에 답하시오.**

㉠ 지역 문제의 발생 원인을 찾는다.
㉡ 지역 문제의 해결 방안을 결정한다.
㉢ 지역 문제의 해결 방안을 탐색한다.
㉣ 지역 문제의 해결 방안을 실천한다.
㉤ 지역에 어떤 문제가 있는지 확인한다.

(1) 위 과정을 순서대로 기호를 쓰시오.

____

(2) 위 ㉡ 과정에서는 다수결의 원칙에 따라 투표를 하기도 합니다. 다수결의 원칙의 의미와 주의 사항을 쓰시오.

____

____

- **관련 내용** 교과서 118~123쪽, 개념 톡톡 122, 126쪽
- **출제 의도** 지역 문제 해결 과정 알아보기
- **선생님의 한마디**
"문제 해결을 위해 투표를 왜 하는지 생각해 보자!"

7 **지역 문제를 해결하는 과정에 다음과 같은 활동이 필요한 까닭을 서술하시오.**

- 주민 투표에 참여합니다.
- 공청회에 참석하여 의견을 냅니다.
- 환경 보호를 위한 시민 단체 활동에 참여합니다.

____

____

평가 실마리
- **관련 내용** 교과서 127쪽, 개념 톡톡 128쪽
- **출제 의도** 주민 참여가 중요한 까닭
- **선생님의 한마디**
"우리 지역은 누가 가장 잘 알고 있을까?"

8 **시민 단체에 대한 글을 읽고 물음에 답하시오.**

시민 단체는 ㉠ <u>시민들이 스스로 모여</u> ㉡ <u>시민 단체에 가입한 시민의 이익을 위해 활동하는 단체입니다</u>. ㉢ <u>시민 단체는 지역 문제를 지역 주민에게 알리고 의견을 함께 나눕니다</u>. 시민 단체는 ㉣ <u>다양한 분야에서 활동합니다</u>.

(1) ㉠~㉣ 중 시민 단체에 대한 설명으로 알맞지 <u>않은</u> 것을 골라 기호를 쓰시오.

____

(2) 알고 있는 시민 단체의 활동을 쓰시오.

____

- **관련 내용** 교과서 125쪽, 개념 톡톡 128쪽
- **출제 의도** 시민 단체의 의미와 역할
- **선생님의 한마디**
"주민 참여의 방법으로 시민 단체 활동하기가 있지!"

MEMO

초등 사회

자습서&평가문제집 4-1

정답 톡톡

금성출판사

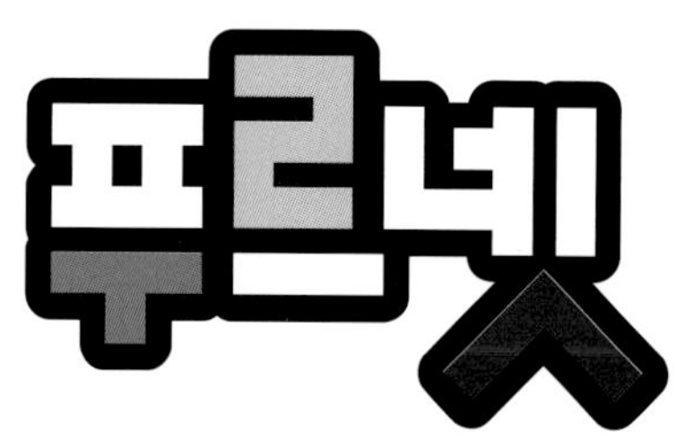
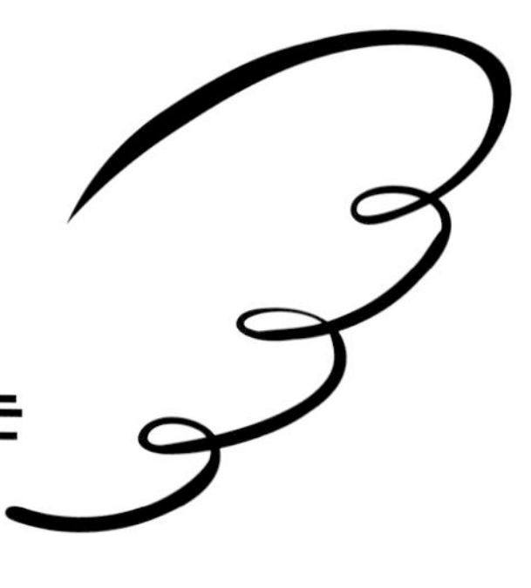

학교 성적에 날개를 달아 주는
완전 학습 프로그램

초등 푸르넷 학습 시스템

푸르넷 본교재
교과 내용을 철저히 분석하여 핵심 내용을 체계적으로 학습할 수 있는, 학교 내신 대비에 최적화된 교재

푸르넷 공부방 맞춤형 지도
'두 번째 담임 선생님'으로 불리는 풍부한 경험과 노하우를 갖춘 선생님의 전문적인 지도. 개별 밀착 지도로 체계적인 맞춤 지도가 가능!

푸르넷 아이스쿨
동영상 강의와 다양한 멀티미디어 학습 자료, 문제 은행을 지원하는 학습 평가 인증 시스템

온라인 보충 학습 콘텐츠
과목별 멀티미디어, 독서·논술, 영어 문법 및 내신 대비 등 다양한 보충 학습 자료로 학습과 재미를 동시에!

푸르넷 주간학습
본교재와 함께하는 주간별 자기 주도 학습. 온라인 강의와 수학 수준별 문제 제공!

우리학교 시험대비
기출문제를 분석하여 출제율 높은 문제로 엄선하여 구성한 학교 시험 대비 교재

전 과목 학습지 초등 푸르넷

본교재

개념 – 유형 – 서술형 – 단원 마무리까지 체계적인 학습

- 1~6학년 국어, 수학, 사회, 과학(월 1권)

주간 평가 교재

주간별 실력 점검으로 만점 대비

- 1~6학년 국어, 수학, 사회, 과학(월 1권)

보충 학습 교재

과목별 배경지식과 사고력 향상

- 1~6학년 푸르넷 프렌즈(월 1권)

온라인 강의

쉽고 재밌는 동영상 강의와 멀티미디어 학습

- 푸르넷 아이스쿨, 영어 보충 학습실

부록

- 1~6학년 우리학교 시험대비(학기별 1권)
- 3~6학년 사회 · 과학 알짜 핵심 노트(학기별 1권)

초등 사회

자습서&평가문제집

정답

개념 톡톡 정답과 해설

문제 톡톡 정답과 해설

금성출판사

차례

개념 톡톡 정답과 해설

문제 톡톡 정답과 해설

1 지역의 위치와 특성

1 지도로 본 우리 지역

13쪽 1 지도 2 (1) ㉡ (2) ㉢ (3) ㉠
15쪽 1 (1) × (2) ○ 2 제목
17쪽 1 (1) ○ (2) ○ 2 기호
19쪽 1 축척 2 (1) × (2) ○ (3) ○
21쪽 1 등고선 2 (1) ○ (2) ○
23쪽 1 길 도우미 2 (1) × (2) ○ (3) ○
25쪽 1 ㉡-㉢-㉠

27~29쪽

1 ④ 2 (1) 등고선 (2) 방위표 (3) 범례 (4) 축척 3 ㉠, ㉢ 4 ⑤ 5 ① 6 (1) ㉣ (2) ㉠ (3) ㉡ (4) ㉢ 7 범례 8 ⑤ 9 ③ 10 ㉢ 11 ③ 12 ㉠ 13 ① 14 길 도우미 15 백지도 16 ⓔ 석계초등학교는 묵현초등학교의 서쪽에 있습니다. 우리 지역에서 과수원은 봉화산 북쪽에서 찾을 수 있습니다. 17 ⓔ 등산할 때 다양한 등산로를 한눈에 보고 어떤 길로 가야 할지 선택하기 위해 등산 안내도를 사용합니다.

1 지도란 위에서 내려다본 땅의 모습을 일정한 약속에 따라 줄여서 나타낸 것입니다.

2 지도를 나타내는 요소에는 제목, 방위, 등고선, 축척, 기호와 범례 등이 있습니다.

한눈에 쏙쏙 지도를 만들 때 사용하는 약속들

제목	지도의 내용을 알려 주며, 주로 지도 위쪽에 있음.
등고선	높이가 같은 지점을 연결한 선으로, 이를 통해 지도에서 땅의 높낮이를 알 수 있음.
방위표	동서남북과 같은 방향을 알려 줌. 방위표가 지도에 없다면 위쪽이 북쪽임.
기호와 범례	기호란 지도를 그릴 때 땅 위에 있는 여러 가지 것들을 표시한 약속이고, 범례는 이러한 기호와 그 설명을 모아 놓은 것임.
축척	지구의 표면을 일정하게 줄여 지도에 표현한 비율임.

3 방위란 지도에서 일정한 기준을 중심으로 나타낸 방향으로, 어떤 장소의 위치를 설명할 때 사용합니다. ㉡ 동서남북 등의 방향을 알려 주는 표시는 방위표이며, ㉣ 지도에 방위표가 없다면 지도 위쪽이 북쪽, 아래쪽이 남쪽, 오른쪽이 동쪽, 왼쪽이 서쪽입니다.

4 사진, 그림으로도 위에서 내려다본 땅의 모습을 나타낼 수 있지만, 이것을 지도라고 할 수는 없습니다. 지도는 위에서 내려다본 땅의 모습을 '일정한 약속'에 따라 줄여서 나타낸 것입니다. 사진은 땅의 모습을 있는 그대로 볼 수 있지만, 땅에 무엇이 있는지는 정확히 알 수 없습니다. 그림도 실제 땅의 모습과 비슷하게 표현할 수 있지만, 땅 위에 무엇이 있는지는 알 수 없습니다. 또 그림은 그리는 사람에 따라 모양이나 색이 다를 수 있습니다. 반면에 지도를 보면 어떤 지역, 어떤 고장을 나타낸 것인지 쉽게 알 수 있고, 도로나 철도, 건물 등의 이름과 위치가 표시되어 있습니다.

5 지도를 그릴 때 실제 모습을 그대로 나타내면 복잡하고 한눈에 알아보기 어렵기 때문에 기호를 사용합니다. 기호는 학교, 과수원 등 실제 대상의 모양이나 상징을 간단하게 표현한 것입니다.

6 지도에 기호를 사용하면 실제 모습을 간략히 표현할 수 있고, 한눈에 알아볼 수 있어 편리합니다. (1)은 학교, (2)는 산, (3)은 우체국, (4)는 과수원을 나타냅니다.

7 지도에 쓰인 기호를 모아 그 뜻을 설명하는 것을 범례라고 합니다. 범례를 보면 쉽고 정확하게 지도를 읽을 수 있습니다.

8 축척은 지도를 그릴 때 실제 땅의 모습을 줄여서 나타낸 정도입니다. 실제 지역의 크기만큼 큰 종이를 구하기 어렵고, 그만큼 큰 종이를 구하더라도 큰 종이에 지도를 그리기가 매우 어렵기 때문에 지도를 제작할 때는 실제 크기를 줄여서 나타내야 합니다. 이때 필요한 것이 축척입니다. 축척에 따라 나타낼 수 있는 실제 범위가 달라집니다.

9 같은 크기의 지도라도 축척에 따라 나타내는 실제 범위는 다를 수 있습니다. ㉠ 지도는 우리나라 전체를, ㉡ 지도는 서울특별시를 보여 줍니다. 축척을 알면 지도상 두 지점 간의 실제 거리를 알 수 있으므로, ㉠, ㉡ 지도 모두 실제 거리를 구할 수 있습니다.

10 축척을 이용해 지도상 두 지점 간의 실제 거리를 구할 수 있습니다. 그림과 같은 경우 막대만큼의 거리

가 실제 거리 3km라는 의미입니다.

11 땅의 높낮이를 평평한 지도에 표현하기 위한 것은 등고선입니다. 등고선은 높이가 같은 곳을 서로 연결한 선입니다.

12 등고선의 모양을 보면 실제 땅의 모양을 알 수 있습니다. 실제 땅 모양은 두 개의 봉우리가 높게 솟아올라 있으므로 이를 등고선으로 그리면 ㉠과 같습니다. 색깔이 진해질수록 높이가 높다는 것입니다.

13 위에서 산을 내려다보면 땅의 높낮이를 알기 힘듭니다. 그래서 지도에서 땅의 높낮이를 알기 위해 등고선과 색깔 등을 사용합니다. 색깔이 진할수록 높은 곳입니다.

14 우리는 일상생활에서 다양한 지도를 사용합니다. 길도우미는 자동차를 운전할 때 지도를 바탕으로 빠른 길을 찾아줘 길을 찾는 데 도움을 주는 프로그램입니다.

한눈에 쏙쏙 일상생활 속 다양한 지도

교통 지도	도로와 철도 등을 자세히 나타낸 지도
관광 안내도	관광지와 문화재 등을 소개한 지도
지하철 노선도	지하철역과 노선을 나타낸 지도
등산 안내도	산의 등산로를 나타낸 지도

15 지역의 경계, 이름 등 기본적인 정보만 그려져 있는 지도를 백지도라고 합니다. 우리 지역의 위치, 모양 등 특성을 정리하는 데 사용할 수 있습니다.

16 지도를 보면 우리 지역에 대한 다양한 정보를 알 수 있습니다. 방위로는 동서남북의 방향을 알 수 있고, 기호와 범례를 이용하여 우리 고장의 실제 모습을 간단하게 표현할 수 있습니다.

[채점 기준] 지도에 나타난 두 장소의 위치를 '동쪽', '서쪽', '남쪽', '북쪽'의 방향을 포함하여 바르게 썼다.

17 날씨를 알고 싶을 때는 일기도, 관광할 때는 관광 안내도, 등산할 때는 등산 안내도 등 우리 생활 속에서 지도가 필요한 다양한 상황이 있습니다.

[채점 기준] '일기도-기상 캐스터가 일기도를 이용해 일기 예보를 한다', '관광 안내도-여행할 때 관광지와 문화재의 위치가 담겨 있는 관광 안내도를 활용한다', '등산 안내도-등산할 때 등산 안내도에 다양한 등산로가 표시되어 있어서 어떤 길로 가야 할지 선택한다' 등의 내용을 포함하여 바르게 썼다.

2 우리 지역의 중심지

확인 톡! 톡!

33쪽 1 중심지 2 (1) ○ (2) × (3) ○
35쪽 1 (1) ㉡, ⓑ (2) ㉠, ⓐ
37쪽 1 (1) ㉠ (2) ㉢ (3) ㉡ (4) ㉤ (5) ㉣
39쪽 1 답사 2 (1) ㉡ (2) ㉠ (3) ㉢
41쪽 1 ㉡-㉢-㉠

주제 톡 톡 문제 43~45쪽

1 ⑤ 2 ㉡, ㉣, ㉤ 3 ① 4 ③ 5 예 백화점, 은행, 영화관 6 ③ 7 ㉠, ㉣ 8 ③ 9 ④ 10 ㉠, ㉡, ㉣ 11 ④ 12 ④ 13 ㉢ 14 ④ 15 ㉠-㉡-㉢ 16 ㉡ 17 예 현장에 실제로 가서 직접 보고 듣고 조사합니다. 18 예 교통의 중심지, 교통의 중심지에 가면 버스 터미널, 기차역, 지하철역 등을 이용할 수 있습니다.

1 지역의 중심지는 어떤 일이나 활동을 하기 위해 많은 사람이 모이는 곳입니다. 중심지에는 의식주처럼 우리가 살아가는 데 꼭 필요한 것들, 편리한 생활이나 여가 생활을 하려고 필요한 것들을 구할 수 있어 많은 사람이 모입니다. 병원, 기차역, 도서관, 백화점 모두 중심지에서 볼 수 있는 시설입니다.

2 사람들이 지역의 중심지를 찾는 까닭은 다양합니다. 옷이나 필요한 물건을 살 때는 옷가게, 백화점, 시장 등을 찾고, 예방 접종을 하기 위해서는 보건소, 병원을 찾습니다. 또 도서관에 가면 책을 빌리거나 읽을 수 있습니다.

한눈에 쏙쏙 다양한 지역의 중심지

백화점, 옷가게	학예회에 입을 옷을 살 수 있음.
병원, 보건소	예방 접종을 하거나 건강 검진을 받음.
도서관	읽고 싶은 책을 보거나 빌릴 수 있음.
구청	여권 등 우리 생활에 필요한 서류나 문서를 발급 받음.
기차역	기차를 타고 다른 지역으로 이동할 수 있음.
영화관	좋아하는 영화를 볼 수 있음.
마트, 시장	음식을 사 먹거나 식재료를 구할 수 있음.

3 병원에서는 예방 접종을 하거나 다친 곳을 치료할

수 있습니다. 다양한 책을 볼 수 있는 곳은 도서관입니다.

4 사진은 중심지가 아닌 곳의 모습입니다. 중심지가 아닌 곳은 산과 같은 자연환경이 주로 보이고 낮은 건물과 집들이 몇 채 있어 한가로워 보입니다.

5 중심지의 지도를 살펴보면 중심지에 있는 시설을 알 수 있습니다. 중심지에는 은행, 백화점, 영화관, 병원 등 여러 시설이 있습니다.

6 우리 고장 중심지의 위치와 장소를 살펴보기 위해서는 지도를 이용해야 합니다.

7 사진은 중심지의 모습을 보여 주고 있습니다. 중심지는 길이 넓고 자동차가 많이 다니며 높은 건물과 다양한 상점, 병원 등이 있어 복잡하게 보입니다. 중심지가 아닌 곳은 논과 밭이 보이고 산이 있으며 집이 적게 있습니다.

8 중심지에는 행정, 교통, 상업, 산업, 관광 등 다양한 기능이 있습니다. 어떤 중심지는 이러한 기능이 섞여서 나타납니다.

한눈에 쏙쏙 다양한 기능의 중심지

행정의 중심지	시청, 경찰청, 법원에서 일을 처리함.
교통의 중심지	버스 터미널, 기차역 등 다른 지역으로 이동하려는 사람들이 모임.
상업의 중심지	시장, 백화점, 상점 등 물건을 사고파는 사람들이 모임.
산업의 중심지	물건을 만드는 큰 공장이나 회사가 모여 있음.
관광의 중심지	여가를 보내거나 유적지를 관람할 수 있음.

9 시장, 백화점 등 사람들이 필요한 물건을 사거나 팔기 위해 모이는 곳은 상업의 중심지입니다.

10 지역에는 다양한 기능을 가진 여러 중심지가 있습니다. 고장 사람들은 우리 고장의 중심지뿐만 아니라 지역의 다양한 중심지를 이용합니다. 사람들이 살아가는 데 다양한 것이 필요하고, 필요한 기능을 제공하는 중심지가 여러 곳이기 때문입니다. 또 우리 고장의 중심지에서 원하는 것을 구하거나 이용할 수 없을 때 지역의 다양한 중심지를 이용합니다.

11 사진에서 많은 공장이나 회사가 모여 있는 것을 볼 수 있습니다. 이러한 곳을 산업 단지라고 합니다. 산업 단지에는 일을 하기 위해 많은 사람이 모이며, 산업의 중심지 기능을 합니다.

12 사람들은 시청, 경찰서 등에서 관련된 일을 처리하기 위해 행정의 중심지를 찾아갑니다.

13 지역의 중심지를 조사할 때는 중심지의 위치, 기능, 모습을 조사해야 합니다. 중심지의 위치를 조사하기 위해서는 지도가 필요합니다.

14 지역의 중심지를 조사하는 방법 중 중심지를 찾아가 직접 보고 조사하는 방법을 답사라고 합니다.

15 지역의 중심지를 조사할 때에는 먼저 중심지를 찾고, 중심지의 위치와 기능, 모습 등의 특징을 조사한 뒤 조사한 내용을 정리합니다.

16 제시된 중심지의 특징은 중심지의 모습에 관련된 것입니다. 중심지의 위치는 중심지가 어디에 있는지, 중심지의 기능은 사람들이 중심지를 찾는 까닭이 무엇인지 등을 조사해 알 수 있습니다.

17 중심지를 조사하는 방법으로는 책이나 신문 살펴보기, 인터넷으로 조사하기, 지역을 잘 아는 어른들께 여쭤보기, 답사하기 등이 있습니다.

[채점 기준] '책이나 신문 살펴보기', '인터넷 조사', '지역을 잘 아는 어른들께 여쭤보기', '답사하기' 등의 내용 중 한 가지를 포함하여 바르게 썼다.

18 사람들이 중심지를 찾는 이유가 다른 지역으로 가거나 다른 지역에서 우리 지역을 방문하기 위해서이므로 동구는 교통의 중심지인 것을 알 수 있습니다. 교통의 중심지에서는 버스 터미널, 기차역, 지하철역 등의 시설을 이용할 수 있습니다.

[채점 기준] '교통의 중심지'라고 바르게 쓰고, '버스 터미널', '기차역', '지하철역' 등의 내용을 포함하여 바르게 썼다.

쪽지 시험 50쪽

1 지도 **2** 방위, 방위표 **3** ○ **4** 축척 **5** 높이 **6** 일기도, 교통 지도 **7** 특성 **8** × **9** 기능 **10** 답사

단원 톡톡 문제 51~53쪽

1 (1) ㉢ (2) ㉡ (3) ㉠ **2** ④ **3** ② **4** 요소 **5** ㉢ **6** ③ **7** ② **8** 등고선 **9** ㉤ **10** ㉠ **11** ④ **12** 중심지 **13** ⑤ **14** ㉡, ㉢ **15** ③ **16** ④ **17** ㉢, ㉣ **18** (1) ㉢ (2) ㉠ (3) ㉡ **19** ② **20** ①

1 우리 지역을 위에서 내려다본 것으로 사진, 그림, 지도가 있습니다. (1)은 그림으로 그리는 사람에 따라 우리 지역의 색과 모양이 다를 수 있습니다. (2)는 사진으로 우리 지역의 모습을 있는 그대로 보여 줍니다. (3)은 지도로 우리 지역의 실제 모습을 줄여서 일정한 약속에 따라 나타냅니다.

2 지도를 보면 우리가 사는 지역의 다양한 정보를 알 수 있습니다.

3 지역을 위에서 내려다본 자료로 대표적인 것은 그림, 사진, 지도가 있습니다. 지도는 실제 모습을 줄여 일정한 약속으로 표현한 것입니다. 위에서 내려다본 모습을 그렸다고 하여 모두 지도는 아닙니다.

4 지도를 올바르게 읽기 위해서는 제목, 기호와 범례, 방위표, 등고선과 같이 지도의 다양한 요소를 알아야 합니다.

한눈에 쏙쏙 지도의 다양한 약속들

방위	기준을 중심으로 한 일정한 방향의 위치를 나타냄.
기호와 범례	기호는 산, 하천, 과수원, 학교 등을 간략히 나타낸 것이며, 범례는 지도에 쓰인 기호와 그 뜻을 나타낸 것임.
축척	지도에서 실제 거리를 줄인 정도를 나타냄.
등고선	땅의 높이가 같은 곳을 연결한 선으로 땅의 높낮이를 나타냄.

5 기호란 지도에서 실제 모습을 간단하게 표현한 것입니다. 산은 삼각형으로 표현합니다.

한눈에 쏙쏙 지도의 다양한 기호

학교	우체국	산	과수원
병원	절	공항	항구

6 지도는 실제 모습을 일정한 약속에 의해 나타낸 것입니다. 이때 복잡한 실제 모습을 간단하게 표현한 것을 기호라고 하고, 다양한 기호와 그 의미를 한데 모은 것이 범례입니다.

7 축척은 지도에서 실제 범위를 일정하게 줄인 것입니다. 축척을 알면 지도에서 실제 거리를 구할 수 있습니다.

8 지도에서 땅의 높낮이는 등고선으로 알 수 있습니다. 등고선 각각의 선마다 실제 높이를 적어 주기도 합니다.

9 지도에서 실제 땅의 모습을 얼마나 줄였는지 알 수 있는 축척은 막대자, 분수 등 다양한 형태로 나타냅니다.

10 ㉠ 지도는 대한민국 전체를 보여 주고, ㉡ 지도는 송파구의 모습을 보여 줍니다. 따라서 넓은 지역을 한눈에 살필 수 있는 지도는 ㉠입니다.

11 우리는 생활 속에서 다양한 목적에 따라 지도를 사용합니다. 관광 안내도는 관광지에 대한 정보와 특징을 설명합니다.

12 사람들이 필요한 것을 구하거나 이용하기 위해 많이 모이는 곳을 중심지라고 합니다.

한눈에 쏙쏙 중심지인 곳과 중심지가 아닌 곳

중심지인 곳	• 크고 높은 건물들이 많이 있음. • 다양한 상점과 기관, 교통 시설이 모여 있음. • 사람들이 많아 복잡함.
중심지가 아닌 곳	• 논과 밭이 보임. • 산이 있고, 집이나 건물이 몇 채 있음. • 사람들이 거의 없어 한가로워 보임.

13 학예회에 입을 옷을 구하기 위해서는 백화점이나 옷 가게를 찾아갑니다. 영화관에는 영화를 보러 갑니다.

14 제시된 지도는 지역의 중심지의 모습입니다. ㉠, ㉣, ㉤과 같은 특징은 중심지가 아닌 곳에서 볼 수 있습니다.

15 물건을 만드는 공장이나 회사에서 일하기 위해 사람들은 산업의 중심지를 찾습니다.

16 사진은 백화점과 시장의 모습입니다. 백화점과 시장은 다양한 물건을 사거나 파는 상업의 중심지입니다.

17 ㉠ 물건을 사고파는 곳은 상업의 중심지이고, ㉡ 다른 고장이나 지역으로 이동하기 위해 찾는 곳은 교통의 중심지입니다.

18 중심지의 특성은 위치, 기능, 모습 등으로 정리할 수 있습니다. 위치는 지도를, 기능은 사람들이 중심지를 찾는 까닭을, 모습은 직접 찾아가거나 디지털 영상 지도의 거리 보기 기능을 이용하여 조사할 수 있습니다.

19 중심지에 가 보는 것도 중심지를 조사하는 방법입니다. 중심지를 조사하기 위해 우리 지역의 책자나 관광 안내도, 지도를 보거나 인터넷으로 검색해 볼 수

있습니다. 또한 우리 지역을 잘 아는 사람에게 물어 보거나 직접 중심지를 찾아가 조사할 수 있습니다.

한눈에 쏙쏙 지역의 중심지를 조사하는 방법

면담	선생님이나 지역을 잘 아는 사람에게 직접 물어봄.
설문 조사	설문지를 이용하여 많은 사람을 대상으로 조사함.
문헌 조사	책, 신문, 인터넷 등을 활용하여 관련 자료를 찾아봄.
답사	현장에 실제로 가서 보고 들으며 조사함.

20 행정의 중심지를 조사하여 정리한 자료입니다. 행정의 중심지에서는 시청, 법원, 우체국, 경찰서 등의 기관을 볼 수 있습니다. 공장은 주로 산업의 중심지에서 볼 수 있습니다.

54쪽

1 예 봉화산이 가장 높습니다. 등고선이나 색을 보고 알 수 있습니다. 2 예 축척을 보면 막대만큼의 거리가 실제 거리이므로 실제 거리는 200m입니다. 3 예 초등학교가 많이 있습니다. 우체국, 소방서, 구청과 같은 기관이 모여 있어서 편리합니다. 지하철역이 있어 교통이 편리합니다. 중랑천과 봉화산이 있습니다. 4 예 대덕구는 유성구의 동쪽, 동구의 서쪽에 있습니다. 5 (1) 예 회사, 공장 (2) 예 사람들이 일을 하기 위해 모입니다. 6 예 지역이 소개된 책이나 신문을 살펴봅니다. 지역을 잘 아는 어른에게 여쭤봅니다. 인터넷을 활용하여 조사합니다.

1 등고선은 땅의 높이가 같은 곳을 연결한 선으로, 이를 활용하여 땅의 높낮이를 알 수 있습니다. ▲는 지도에서 산을 의미하는 기호입니다.

[채점 기준]
봉화산이 가장 높다는 것을 쓰고, '등고선이나 색을 보고 알 수 있다'의 내용을 포함하여 바르게 썼다.

2 축척을 보면 막대만큼의 거리가 실제 거리를 의미하므로 공릉초등학교와 서울공릉동우체국의 지도상의 거리가 1cm이고, 실제 거리는 200m입니다.

[채점 기준] '축척', '막대만큼의 거리가 실제 거리이다', '200m' 등의 내용을 포함하여 바르게 썼다.

3 지도에서는 우리 지역의 다양한 정보를 읽을 수 있습니다. 지도에 나타난 지역에는 초등학교가 많이 있습니다. 또 우체국, 소방서, 구청과 같은 기관이 모여 있어 편리합니다. 그리고 지하철역이 있어 교통이 편리하고, 자연환경으로 중랑천과 봉화산이 있습니다.

[채점 기준] '초등학교가 많다', '우체국, 소방서, 구청과 같은 기관이 모여 있다', '지하철역이 있어 교통이 편리하다', '중랑천과 봉화산이 있다' 등의 내용 중 두 가지를 포함하여 바르게 썼다.

4 지도를 보면 지역의 위치를 찾을 수 있습니다. 문제의 지도에는 방위표가 없기 때문에 지도의 위쪽이 북쪽, 오른쪽이 동쪽, 왼쪽이 서쪽, 아래쪽이 남쪽입니다. 대덕구는 유성구의 동쪽에 있고, 동구의 서쪽에 있습니다. 또 서구, 중구의 북쪽에 있습니다.

[채점 기준] '대덕구는 유성구의 동쪽에 있다', '대덕구는 동구의 서쪽에 있다', '대덕구는 서구의 북쪽에 있다', '대덕구는 중구의 북쪽에 있다' 등의 내용을 포함하여 바르게 썼다.

5 산업의 중심지에는 공장과 회사 등이 있습니다. 사람들은 이곳에서 일을 하기 위해 모입니다.

[채점 기준] (1) '회사', '공장'이라고 바르게 쓰고, (2) '사람들이 일을 하기 위해 모인다'의 내용을 포함하여 바르게 썼다.

6 우리 지역의 중심지를 조사하는 방법은 다양합니다. 우리 지역이 소개된 책이나 신문을 살펴보기, 지역을 잘 아는 어른에게 여쭤보기, 인터넷을 활용하여 조사하기, 직접 찾아가 살펴보기 등이 있습니다.

[채점 기준] '지역이 소개된 책이나 신문을 살펴본다', '지역을 잘 아는 어른에게 여쭤본다', '인터넷을 활용하여 조사한다', '직접 찾아가 살펴본다(답사하기)' 등의 내용 중 두 가지를 포함하여 바르게 썼다.

한눈에 쏙쏙 지역의 중심지 조사 방법과 주의할 점

면담	• 선생님이나 지역을 잘 아는 사람에게 직접 물어봄. • 미리 질문 내용을 정리해 두어야 함.
설문 조사	• 설문지를 이용하여 많은 사람을 대상으로 조사할 수 있음. • 설문지를 쉽게 이해할 수 있도록 명확하게 만듦.
문헌 조사	• 책, 신문, 인터넷 등을 활용하여 관련 자료를 찾아봄. • 가능한 많은 자료를 찾아 꼼꼼하게 읽고 정리해야 함.
답사	• 현장에 실제로 가서 보고 들으며 조사함. • 현장에서 느낄 수 있는 생생한 정보를 얻을 수 있음.

② 우리가 알아보는 지역의 역사

1 우리 지역의 문화유산

61쪽 1 유형 문화유산 2 무형 문화유산 3 (지역의) 역사, 전통문화
63쪽 1 고인돌 2 무령왕릉
65쪽 1 남도 의례 음식 2 인간문화재
69쪽 1 ㉠-㉡-㉢ 2 (1) ○ (2) ○
71쪽 1 ㉠-㉢-㉡

73~75쪽

1 유형 문화유산 2 무형 문화유산 3 예 문화유산을 통해 그 지역의 역사와 전통문화를 알 수 있습니다. 4 ㉠, ㉢ 5 ⑤ 6 (1) ㉡ (2) ㉠ (3) ㉠ (4) ㉡ 7 예 문화유산은 그 지역의 특징을 잘 나타내고 지역의 역사와 생활 모습을 알 수 있습니다. 8 ㉡, ㉣ 9 인간문화재 10 ④ 11 ③ 12 검색하기, 답사하기 13 ㉢, ㉣ 14 ㉡-㉠-㉣-㉢ 15 예 문화유산을 홍보하는 안내 자료를 만들어 사람들에게 나누어 줄 수 있습니다. 16 예 지역의 문화유산은 우리나라뿐만 아니라 전 세계의 역사를 담고 있는 소중한 문화유산입니다.

1 옛날부터 전해 오는 문화유산 중 유물과 유적처럼 형태가 있는 것을 유형 문화유산이라고 합니다. 오래된 건축물이나 그림 등이 여기에 포함됩니다.

2 옛날부터 전해 오는 문화유산 중 음악 연주나 제작 기술처럼 형태가 없는 것을 무형 문화유산이라고 합니다. 이 외의 무형 문화유산으로는 노래와 춤, 음식, 놀이 등이 있습니다.

3 지역의 박물관과 문화유산을 관람하면 해당 지역에 어떤 역사가 있고 지역에 살던 옛사람들이 즐기던 전통문화가 무엇인지 알 수 있습니다.

[채점 기준] '역사', '전통문화'의 내용을 포함하여 바르게 썼다.

4 고인돌과 무령왕릉은 형태가 있으므로 유형 문화유산입니다. ㉡ 판소리, ㉣ 차전놀이, ㉤ 동해안 별신굿은 형태가 없으므로 무형 문화유산입니다.

5 사진의 문화유산은 백제의 역사와 전통문화를 알 수 있는 백제 금동 대향로입니다.

유형 문화유산

고인돌	큰 돌로 만든 선사 시대의 무덤으로, 이름에 큰 돌을 고여(괴어) 놓았다는 뜻이 담겨 있음.
백제 금동 대향로	충청남도 부여군 능산리 절터에서 발견된 백제의 향로로, 백제 공예의 아름다움을 잘 보여 주는 문화유산임.
무령왕릉	충청남도 공주시 금성동의 송산에 있는 백제 제25대 무령왕과 왕비의 무덤으로, 백제의 생활 문화 연구에 큰 도움이 되고 있음.
양동 마을	경상북도 경주시 강동면 양동리에 있는 민속 마을로, 조선 시대의 전통문화가 잘 유지되고 있음.
하회 마을	경상북도 안동시에 있는 민속 마을로, 문화유산이 잘 보존되어 있어 마을 전체가 문화재로 선정됨.
군산 근대 문화유산 거리	전라북도 군산시 장미동, 월명동, 신흥동 일대에 남아 있는 근대 문화유산으로, 일제 강점기의 아픈 흔적임.

6 고인돌, 하회 마을은 형태가 있는 유형 문화유산이고 「춘향가」, 차전놀이는 형태가 없는 무형 문화유산입니다.

7 문화유산을 통해 옛날 사람들이 해당 지역에서 어떻게 생활했는지 알 수 있습니다. 문화유산은 그 지역의 자연환경과도 관련되어 있습니다.

[채점 기준] '지역의 특징', '지역의 역사', '지역의 생활 모습' 등의 내용을 포함하여 바르게 썼다.

8 무형 문화유산은 전통 예술, 음식 문화, 놀이 문화, 마을 제사의 형태로 전해지며, 지역의 자연환경이나 사람들의 생활과 관련이 있습니다.

9 배첩과 한산 모시 짜기는 보존할 가치가 큰 기술로 이를 전수받은 사람을 인간문화재라고 합니다.

한눈에 쏙쏙 **인간문화재**

배첩	충청북도에는 그림과 글씨를 보관할 때 필요한 액자, 병풍 등을 만드는 배첩이라는 기술이 전해지고 있음. 이 지역은 배첩뿐만 아니라 금속 활자 제작, 한지 제조와 같은 고인쇄 문화로도 유명함.
한산 모시 짜기	충청남도에는 옛날부터 질 좋은 모시풀이 많이 자라기로 유명함. 이 모시풀로 섬유를 만드는 한산 모시 짜기 기술이 전해지고 있음. 한산 모시는 해외에서도 높은 평가를 받고 있음.

10 부산광역시부터 강원도 해안에 이르는 지역에서는 동해안 별신굿이라는 제사를 지냅니다.

11 제시된 내용은 전라남도의 음식 문화에 대한 것입니

다. 전라남도는 풍부한 요리 재료를 바탕으로 하는 남도 의례 음식이라는 한상차림이 유명합니다.

한눈에 쏙쏙 무형 문화유산의 종류

전통 예술	소리의 고장으로 불리는 전라북도는 「춘향가」와 같은 판소리가 유명함.
음식 문화	전라남도는 요리 재료가 풍부하여 특유의 조리법으로 만든 남도 의례 음식이 발달함.
놀이 문화	경상북도 안동시에는 차전놀이라는 민속놀이가 전해 내려옴.
마을 제사	해안가 지역에서는 물고기를 많이 잡고, 안전을 바라는 동해안 별신굿이라는 마을 제사를 지냄.
인간문화재	무형 문화유산과 관련된 기술과 예능을 전수받은 사람임.

12 지역의 문화유산을 조사하는 방법으로는 인터넷으로 문화유산 검색하기와 지역 박물관 답사하기가 대표적입니다.

13 박물관 답사를 하기 전에 박물관에서 보고 싶은 문화유산은 무엇인지, 문화유산에 대해 무엇을 알고 있는지, 문화유산이 박물관 어디에 위치해 있는지, 더 궁금한 점은 무엇인지 등을 계획해야 합니다.

14 지역 박물관을 답사할 때 먼저 답사할 박물관과 답사 일정을 정합니다. 그리고 박물관에서 보고 싶은 문화유산은 무엇인지, 문화유산에 대해 무엇을 알고 있는지 등을 생각해 보며 답사 계획을 세웁니다. 답사를 가면 문화유산을 관람하고, 필요하면 사진을 찍거나 보고 들은 내용을 기록합니다. 답사를 다녀온 후에는 답사 보고서를 작성합니다.

15 문화유산 소개하기 활동을 통해 문화유산을 위해 우리가 할 수 있는 일을 알아볼 수 있습니다.

[채점 기준] '문화유산을 홍보하는 안내 자료를 만들어 사람들에게 나누어 줄 수 있다', '문화유산 지킴이 봉사 활동을 할 수 있다', 문화유산을 아끼고 소중히 여긴다' 등의 내용 중 한 가지를 포함하여 바르게 썼다.

16 사진과 글은 우리 문화유산 중에서도 유네스코가 지정한 세계 기록 유산에 대한 것입니다. 제시된 문화유산 외에도 많은 문화유산이 세계인의 관심을 받고 있습니다.

[채점 기준] '전 세계의 소중한 문화유산'의 내용을 포함하여 바르게 썼다.

2 우리 지역의 역사적 인물

79쪽 1 역사적 인물 2 (1) ○ (2) ×
81쪽 1 지역의 역사적 인물 2 (1) ㉠ (2) ㉡ (3) ㉢
83쪽 1 ㉡-㉠-㉢ 2 (1) ○ (2) ×
85쪽 1 생각 그물 2 (1) ○ (2) ○
87쪽 1 (지역의 역사적 인물을 알리는) 뉴스 만들기

89~91쪽

1 역사적 인물(위인) 2 ① 3 ㊎ 역사적 인물은 우리의 삶에 영향을 주었던 인물입니다. 4 수로왕 5 ④ 6 ㉢, ㉣ 7 지역을 지킨 인물 8 ㊎ 역사적 인물의 활동을 조사 내용에 포함해야 합니다. 9 ④ 10 ③ 11 ㉠-㉢-㉣-㉡ 12 벌집 모양 카드로 정리하기 13 ① 14 ① 15 ㊎ 지역을 아끼고 지키는 일 중 하나이기 때문입니다. 16 (1) 생각 그물로 정리하기 (2) ㊎ 인물에 대해 설명할 내용을 주제별로 간단한 문장과 그림으로 표현합니다.

1 세종 대왕, 이순신, 신사임당, 장영실 등은 우리의 삶에 영향을 주었던 위인이자 역사적 인물입니다.

2 위인은 동화책에 나오는 인물들과 달리 실제로 살았던 인물입니다. 그들은 우리 삶에 영향을 주었습니다. 또한 우리 지역의 역사를 알기 위해 지역의 위인에 대한 관심을 가져야 합니다

3 세종 대왕이 만든 한글은 현재 우리 삶에도 큰 영향을 주고 있습니다.

[채점 기준] '우리의 삶에 영향을 주었다'의 내용을 포함하여 바르게 썼다.

4 수로왕은 경상남도 김해시에서 '가야'라는 나라를 세운 역사적 인물입니다.

5 역사적 인물과 관련된 흔적으로는 옛날 집, 비석, 무덤, 박물관, 기념관 등이 있습니다.

6 문익점은 목화씨를 우리나라로 가져와 우리 삶에 영향을 주었고, 곽재우, 박경리 등은 지역을 지키고 알린 역사적 인물입니다.

7 곽재우는 임진왜란이 일어나자 경상남도 의령에서 의병을 이끌고 여러 전투에 참가하여 지역을 지킨 역사적 인물입니다.

8 지역의 역사적 인물을 조사할 때 알아봐야 하는 내용으로는 역사적 인물의 삶, 역사적 인물의 활동, 우리 지역과의 관련성 등이 있습니다.

9 지역의 역사적 인물을 조사하는 방법으로는 인터넷으로 역사적 인물 검색하기, 지역 문화원 방문하기, 전문가와 면담하기, 역사적 인물에 대한 책 읽기 등이 있습니다.

10 인터넷으로 역사적 인물에 대한 자료를 조사할 때는 믿을 만한 내용의 자료인지 검토하고 출처를 확인해야 합니다. ①, ② 역사적 인물의 활동을 중심으로 미리 조사할 내용을 생각하는 것이 도움이 됩니다. ④ 역사적 인물에 대한 책의 내용은 모두 사실이 아닐 수 있기 때문에 믿을 만한 내용인지 검토해야 합니다. ⑤ 관련된 장소를 답사할 때는 중요한 곳의 사진이나 동영상을 찍어 두는 것이 좋습니다.

11 지역의 역사적 인물을 조사하기 전에 조사 계획을 세워야 합니다. 우선 우리 지역의 역사적 인물 중에서 누구를 조사할지 정하고, 왜 그 역사적 인물을 조사하고 싶은지 생각해 봅니다. 그리고 어떤 내용을 조사할지, 어떤 방법으로 조사할지 생각합니다. 조사 계획이 끝나면 인터넷으로 검색하기, 역사적 인물에 대한 책 읽기, 역사적 인물과 관련된 장소 답사하기 등 다양한 조사 방법 중 하나를 선택해 조사합니다. 조사가 끝나면 조사한 내용을 정리해 보고서를 씁니다. 보고서를 쓸 때 시간의 흐름에 따라 정리하기, 생각 그물로 정리하기, 벌집 모양 카드로 정리하기 등의 방법을 활용할 수 있습니다.

12 인물과 관련하여 떠오르는 생각을 낱말로 연결하여 인물에 관한 이야기를 만드는 방법은 벌집 모양 카드로 정리하기입니다.

13 역사적 인물을 홍보하는 계획을 세울 때는 알리고 싶은 인물은 누구인지, 왜 그 인물을 알리고 싶은지, 어떤 사람에게 알리고 싶은지, 꼭 알리고 싶은 내용은 무엇인지, 어떤 방법으로 알리면 좋을지 등을 생각해야 합니다.

14 역사적 인물을 기념하는 방법으로는 인물과 관련된 문화유산 보존하기, 인물의 활동을 재현하는 축제 개최하기, 인물을 알리는 기념물 제작하기, 인물과 관련한 홍보물 만들기 등이 있습니다.

15 우리 지역의 역사적 인물에 대해 조사하고 알리는 활동을 통해 우리 지역에 대한 자부심을 가질 수 있습니다.

[채점 기준] 역사적 인물을 조사하고 알리는 이유를 '지역을 아끼고 지키는 일이다', '역사적 인물을 기억하고 기념하며 더 살기 좋은 지역을 만든다' 등의 내용을 포함하여 바르게 썼다.

16 역사적 인물에 대해 조사한 내용을 정리하는 방법 중 생각 그물로 정리하기는 인물에 대해 설명할 내용을 주제별로 간단한 문장과 그림으로 표현하는 방법입니다.

[채점 기준] (1) '생각 그물로 정리하기'라고 바르게 쓰고, (2) '간단한 문장', '그림'의 내용을 포함하여 바르게 썼다.

96쪽

1 유형 문화유산 **2** 무형 문화유산 **3** ○ **4** 인간문화재 **5** × **6** 위인 **7** ○ **8** 역사적 인물 **9** 차례 **10** 생각 그물

97~99쪽

1 유형 문화유산 **2** 예 그 지역의 역사와 전통문화를 알 수 있습니다. **3** ③ **4** ① **5** ③ **6** ① **7** ㉠, ㉢ **8** 예 인터넷으로 검색하기, 지역 박물관 답사하기 **9** 예 지역의 문화유산을 알릴 수 있는 소개 자료를 만들어 사람들에게 나누어 줍니다. **10** ㉢-㉣-㉠-㉡ **11** ⑤ **12** 역사적 인물(위인) **13** ⑤ **14** ① **15** ② **16** 박물관 **17** ② **18** ㉡-㉢-㉠ **19** 시간의 흐름에 따라 정리하기 **20** ②

1 문화유산은 옛날부터 전해지는 것 중 잘 보존하여 다음 세대에 물려줄 만한 가치가 있는 것입니다. 그 중 형태가 있는 것을 유형 문화유산이라 하고, 형태가 없는 것을 무형 문화유산이라고 합니다.

한눈에 쏙쏙 문화유산의 구분

유형 문화유산	건축물, 공예품, 책 등과 같이 형태가 있는 문화유산
무형 문화유산	예술 활동이나 기술 등과 같이 형태가 없는 문화유산

2 박물관에서 민화(유형 문화유산)와 탈춤(음악 연주)을 관람하면 그 지역의 역사와 전통문화를 알 수 있습니다.

[채점 기준] '역사', '전통문화' 등의 내용을 포함하여 바르게 썼다.

3 유물, 유적, 하회 마을, 군산 근대 문화유산 거리는 유형 문화유산이고, 제작 기술은 무형 문화유산입니다.

4 사진의 문화유산은 선사 시대에 돌을 쌓아 올려 만든 무덤인 고인돌입니다.

5 무령왕릉은 충청남도 공주시에 있는 백제 제25대 무령왕과 왕비의 무덤으로 유형 문화유산입니다. 공주시는 백제의 옛 수도였기 때문에 백제와 관련된 문화유산이 많이 있습니다.

6 하회 마을은 경상북도 안동시에 있는 역사 마을로, 오래된 기와집과 초가집이 잘 보존되어 있어 다양한 전통문화를 경험할 수 있습니다.

7 무형 문화유산은 전통 예술, 놀이 문화를 포함하고, 놀이 문화로는 차전놀이가 있습니다. ㉡ 인간문화재는 무형 문화유산의 종류 중 하나이며, ㉣ 동해안 별신굿과 같은 제사 문화는 무형 문화유산입니다.

8 지역의 문화유산을 조사하는 방법으로는 알고 싶은 내용을 인터넷으로 검색하는 것과 지역의 박물관을 방문하는 것 등이 있습니다.

9 지역의 문화유산을 보호하는 방법으로는 문화유산을 홍보하는 자료를 만드는 것과 문화유산 지킴이 봉사 활동을 하는 것 등이 있습니다. 그리고 문화유산을 소중히 하는 마음을 가지는 것도 있습니다.

[채점 기준] '지역의 문화유산을 알릴 수 있는 소개 자료를 만들어 사람들에게 나누어 준다', '지역의 문화유산 지킴이 봉사 활동을 한다', '문화유산을 아끼고 소중히 여기는 마음을 갖는다', '지역의 문화유산이 지닌 가치를 이해한다.' 등의 내용을 포함하여 바르게 썼다.

10 문화유산 소개 자료를 전시할 때는 우선 우리 지역을 대표하는 문화유산을 고르고, 그 까닭이 무엇인지 친구들과 서로 이야기합니다. 그리고 선정된 문화유산을 잘 보여 줄 수 있는 전시 방법을 정합니다. 사진 전시, 안내 책자 만들기, 모형 만들기, 안내 신문 만들기, 포스터 만들기, 입체 지도 만들기 등의 전시 방법이 있습니다. 전시 방법을 결정하면 그 방법에 따라 소개 자료를 만듭니다. 소개 자료를 만들 때는 문화유산의 특징이 무엇인지 생각하고, 그것이 잘 드러나게 표현해야 합니다. 소개 자료를 다 만들면 교실에 전시해 보고 친구들에게 문화유산을 소개합니다.

11 입체 지도는 펼치면 입체적인 모양이 나타나도록 꾸민 지도이며, 문화유산을 소개하는 자료 중 대표적인 방법입니다.

12 사진에 나와 있는 인물은 세종 대왕과 이순신 장군으로 역사적 인물 또는 위인의 대표적인 예입니다.

13 곽재우, 문익점, 박경리, 수로왕은 모두 경상남도의 역사적 인물입니다. ① 곽재우는 임진왜란 때 사람들을 이끌고 지역을 지켰던 인물로, 경상북도 의령군에는 말을 타고 있는 곽재우의 동상이 있습니다. ② 문익점은 중국에서 목화씨를 가져온 인물로, 경상북도 산청군에서는 문익점을 기념하며 목화 축제가 열립니다. ③ 박경리는 세계적으로 유명한 작가로, 경상북도 통영시에는 박경리 기념관이 있습니다. ④ 수로왕은 경상북도 김해시에 '가야'라는 나라를 세웠습니다. 김해시에는 수로왕릉이 있습니다.

14 제시된 역사적 인물은 곽재우로, 경상남도 의령 출신입니다. 임진왜란 당시에 의병장으로 진주성 전투, 화왕산성 전투에 참가하여 지역을 지킨 인물로 알려져 있습니다.

15 박경리는 경상남도 통영 출신 인물로, 지역의 자연과 생활 모습을 세계적으로 알린 인물입니다.

16 지역의 역사적 인물을 조사할 때 박물관에 방문할 수 있습니다. 박물관 안내사의 해설을 들으면 역사적 인물과 관련하여 더욱 자세히 알 수 있습니다.

17 지역의 역사적 인물을 조사하는 방법으로는 인터넷으로 검색하기, 관련한 책(위인전 등) 읽기, 관련된 장소(박물관 등) 답사하기, 전문가와 면담하기, 주변 어른께 여쭈어보기, 지역 문화원 방문하기 등이 있습니다.

18 역사적 인물을 조사하는 방법으로 역사적 인물에 대한 책 읽기가 있습니다. 먼저 조사하고 싶은 역사적 인물을 다루는 책을 도서관이나 인터넷에서 찾아봅니다. 책을 찾았으면 차례를 활용해 알고 싶은 내용만 찾아 읽거나 책의 전체 내용을 읽습니다. 책을 읽으면서 인물에 대한 중요한 내용을 공책에 따로 적습니다. 이때 역사적 인물에 대한 책의 내용이 사실인지, 작가의 생각인지 검토가 필요합니다.

19 그림의 조사 내용 정리하기 방법은 시간의 흐름에 따라 정리하기입니다. 이 방법은 인물의 삶과 활동에서 중요한 일들을 시간의 순서에 따라 정리하는 특징을 가지고 있습니다.

한눈에 쏙쏙 역사적 인물 조사 내용 정리 방법

시간의 흐름에 따라 정리하기	인물의 삶과 활동에서 중요한 일들을 시간의 흐름에 따라 정리하는 방법
생각 그물로 정리하기	인물에 대해 설명할 내용을 주제별로 간단한 문장과 그림으로 표현하는 방법
벌집 모양 카드로 정리하기	인물과 관련하여 떠오르는 생각을 낱말로 연결하여 인물에 관한 이야기를 만드는 방법

20 지역의 역사적 인물을 조사하기 위해 알아봐야 하는 내용으로는 역사적 인물의 삶, 역사적 인물의 활동, 우리 지역과의 관련성 등이 있습니다.

서술형 톡톡 문제 100쪽

1 ⓔ ㉠, ㉡은 형태가 있는 유형 문화유산이고, ㉢, ㉣은 형태가 없는 무형 문화유산입니다. 2 ⓔ 문화유산을 통해 그 지역의 역사와 전통문화를 알 수 있습니다. 3 ⓔ 문화유산을 알리는 소개 자료를 만들어 사람들에게 나누어 줍니다. 4 ⓔ 역사적 인물은 실제로 살았던 인물로, 우리 삶에 영향을 주었습니다. 5 ⓔ 역사적 인물에 대한 책의 내용을 검토합니다. 인터넷 검색 내용의 출처를 확인하고 믿을 만한 자료를 고릅니다. 6 ⓔ 인물에 대해 설명할 내용을 주제별로 간단한 문장과 그림으로 표현합니다.

1 ㉠, ㉡은 유물과 유적처럼 눈에 보이는 형태가 있는 유형 문화유산입니다. ㉢, ㉣은 음악 연주나 제작 기술처럼 형태가 없는 무형 문화유산으로 음식 문화, 놀이 문화, 제사 문화, 인간문화재 등이 있습니다.

[채점 기준] '유형 문화유산', '무형 문화유산'의 내용을 포함하여 바르게 썼다.

2 문화유산을 통해 그 지역의 역사와 전통문화를 알 수 있습니다. ㉠, ㉡은 이 지역에 있었던 백제와 관련된 유물과 유적, ㉢은 충청북도에서 전해 오는 기술, ㉣은 해안가 지역에서 전해 오는 마을 제사입니다.

[채점 기준] '지역의 역사', '지역의 전통문화'의 내용을 포함하여 바르게 썼다.

3 문화유산을 보호하기 위해 우리가 할 수 있는 일에는 문화유산 홍보 안내 자료 만들기, 문화유산 지킴이 봉사 활동, 문화유산을 아끼고 소중히 하는 마음 갖기 등이 있습니다.

[채점 기준] '문화유산을 알리는 소개 자료를 만든다', '문화유산 지킴이 봉사 활동을 한다', '문화유산을 소중히 여기는 마음을 갖는다' 등의 내용 중 한 가지를 포함하여 바르게 썼다.

4 동화 속 주인공과 다르게 위인전의 위인(역사적 인물)은 실제로 살았던 인물입니다. 위인(역사적 인물)은 우리의 삶에 영향을 주었던 인물입니다.

[채점 기준] '실제로 살았다', '우리 삶에 영향을 주었다' 등의 내용을 포함하여 바르게 썼다.

5 글에서 제시하는 조사 방법은 '역사적 인물에 대한 책(위인전 등) 읽기'와 '인터넷으로 역사적 인물 검색하기'입니다. 책의 내용은 모두 사실이 아닐 수 있기 때문에 검토하는 과정이 필요합니다. 인터넷 검색 내용은 확인되지 않은 내용을 포함할 수 있기 때문에 출처를 명확하게 밝히고, 사실 내용을 담고 있는지 확인할 수 있는 자료를 찾아보아야 합니다.

[채점 기준] '책의 내용을 검토한다', '인터넷 검색 내용의 출처를 확인하고 믿을 만한 자료를 고른다' 등의 내용을 포함하여 바르게 썼다.

6 글에서 제시하는 조사 내용 정리 방법은 생각 그물로 정리하기입니다. 이는 인물에 대해 설명할 내용을 주제별로 간단한 문장과 그림으로 표현하는 방법입니다.

[채점 기준] '간단한 문장', '그림' 등의 내용을 포함하여 바르게 썼다.

③ 지역의 공공 기관과 주민 참여

1 우리 지역의 공공 기관

107쪽 1 경찰서 2 ㉡, ㉣, ㉤
109쪽 1 (1) ㉢ (2) ㉡ (3) ㉠ 2 도서관
111쪽 1 ㉣-㉢-㉠-㉡
113쪽 1 ㉣-㉢-㉠-㉤-㉡

115~117쪽

1 공공 기관 2 ⑤ 3 예 범죄가 발생하고 질서가 유지되지 않습니다. 4 소방서 5 ③ 6 ㉠, ㉢, ㉣ 7 교육청 8 예 견학을 통해 조사할 수 있습니다. 9 ㉡, ㉤ 10 보건소 11 ① 12 ④ 13 보건소 14 예 함께 일하면서 더 큰 효과를 낼 수 있기 때문입니다. 15 ⑤ 16 예 어린이를 위한 글쓰기 행사를 엽니다. 작가와 주민들이 만나는 행사를 엽니다. 책과 관련한 강의를 마련합니다. 17 (1) 견학 (2) 예 공공 기관 누리집이나 전화로 견학을 신청합니다. 질문할 내용을 미리 준비합니다.

1 주민 전체의 이익과 생활의 편의를 위해 국가나 지방 자치 단체가 세우거나 관리하는 기관을 공공 기관이라고 합니다.

한눈에 쏙쏙 다양한 공공 기관의 역할

경찰서	범죄를 예방하여 주민의 안전을 책임지고 질서를 유지하는 역할을 함.
소방서	화재를 예방하고 불을 끄며, 위험에 처한 사람을 구조하는 역할을 함.
교육청	학생들의 교육과 관련 있는 일을 함.
시·도청	주민 생활의 불편을 해결하고 지역의 발전을 위해 일함.
보건소	감염병 등의 질병을 예방하고 치료함.
도서관	책을 빌려주며, 책을 읽거나 공부할 수 있는 공간을 제공함.
우체국	우편물을 접수하고 배송함.
법원	법에 따라 옳고 그름을 따져 사람들 사이의 갈등을 해결해 주고 피해를 본 사람을 도와줌.

2 교육청은 학생의 교육과 관련된 일을 하는 공공 기관입니다. 책을 빌려주며 책을 읽거나 공부할 수 있는 공간을 제공하는 공공 기관은 도서관입니다.

3 경찰서는 범죄를 예방하여 주민의 안전을 책임지고 질서를 유지합니다.

[채점 기준] '범죄가 발생한다', '질서가 유지되지 않는다' 등의 내용을 포함하여 바르게 썼다.

4 소방서가 없다면 불이 났을 때 많은 사람이 다치거나 위험에 처할 수 있습니다.

5 공공 기관에 '학원 숙제가 많으니 대신 해 주세요.'와 같은 개인적인 일은 요구할 수 없습니다.

6 ㉡ 조사한 내용을 보고서로 작성하는 일은 견학 후에 해야 할 일입니다.

7 학생의 교육과 관련된 일을 하는 공공 기관은 교육청입니다.

8 공공 기관을 조사하는 방법에는 인터넷 검색, 견학, 자료 수집 등이 있습니다.

[채점 기준] '인터넷으로 조사한다', '견학하여 조사한다', '자료에서 찾아본다', '공공 기관에서 도움을 받은 어른들께 여쭤본다' 등의 내용을 포함하여 바르게 썼다.

9 견학은 공공 기관을 직접 체험해 볼 수 있고 궁금한 점이 있으면 직접 물어볼 수 있는 장점이 있습니다.

10 서로 다른 장점을 지닌 공공 기관이 함께 일하면서 협력하면 더 큰 능력을 발휘할 수 있습니다. 보건소는 학교와 협력하여 치아 관리 교육, 흡연 예방 교육 등을 실시합니다.

11 조사 계획서에는 조사 주제 및 장소, 알고 있는 점, 알고 싶은 점, 조사 방법, 주의할 점 등이 들어갑니다. 느낀 점은 조사 보고서에 들어갈 내용입니다.

한눈에 쏙쏙 조사 계획서 예시

조사 주제	시청이 지역 주민들의 생활에 주는 도움
조사 장소	○○시청
알고 있는 점	• 지역 주민들을 위해 일하는 곳임. • 지역 축제를 개최하는 곳임.
알고 싶은 점	• 시청이 지역 주민들을 위해 하는 다양한 일 • 시청이 주민이 요청한 일을 처리해 준 사례
조사 방법	시청을 이용한 어른들과 면담하기
주의할 점	• 면담하기 전에 질문 내용을 정리해 둠. • 예의를 갖추어 면담함.

12 공공 기관을 조사할 때는 인터넷 검색, 견학, 자료 수집

등 다양한 방법을 이용할 수 있습니다.

한눈에 쏙쏙 공공 기관을 조사하는 과정

조사할 곳과 조사 방법 정하기	지역의 지도에서 공공 기관을 찾아보고, 어느 곳을 어떤 방법으로 조사할지 정함.
조사 계획 세우기	조사 방법과 내용을 생각하며 계획서를 작성함.
조사하기	인터넷 검색, 견학, 자료 수집 등 다양한 방법으로 공공 기관을 조사함.
보고서 작성하기	조사하고 알게 된 점, 느낀 점 등을 정리하며 보고서를 작성함.

13 건강 검진과 건강 교육을 해 주는 공공 기관은 보건소입니다.

14 다른 공공 기관과 협력하는 것은 서로 다른 장점을 가진 기관이 함께 일하면서 더 큰 힘을 발휘할 수 있기 때문입니다.

[채점 기준] '함께 일하면서 더 큰 효과를 낼 수 있다', '공공 기관이 서로 협력하여 더 큰 효과를 낼 수 있다' 등의 내용을 포함하여 바르게 썼다.

15 궁금한 점이 있다고 견학 담당자의 안내를 따르지 않고 바로 질문하는 것은 예의에 어긋나고 공공 기관에서 일하시는 분들을 방해할 수 있습니다.

16 책을 빌려주며, 책을 읽거나 공부할 수 있는 공간을 제공하는 공공 기관은 도서관입니다.

[채점 기준] '어린이를 위한 글쓰기 행사를 연다', '작가와 주민들이 만나는 행사를 연다', '책과 관련한 강의를 마련한다' 등의 내용을 포함하여 바르게 썼다.

17 누리집이나 홍보 자료, 신문 · 방송 등의 자료를 조사하는 것이 아니라 직접 공공 기관을 방문하여 조사하는 방법은 견학입니다.

[채점 기준] (1) '견학'이라고 바르게 쓰고, (2) '공공 기관 누리집이나 전화로 견학을 신청한다', '질문할 내용을 미리 준비한다' 등의 내용을 포함하여 바르게 썼다.

2 지역 문제와 주민 참여

121쪽 1 불편, 갈등 2 (1) ○ (2) ×
123쪽 1 환경 문제 2 (1) × (2) ○
127쪽 1 ㉡, ㉢, ㉣ 2 타협
129쪽 1 공청회 2 시민 단체
131쪽 1 (1) × (2) ○

133~135쪽

1 지역 문제 2 ② 3 환경 문제 4 안전 문제 5 시설 부족 문제 6 ② 7 ㉠-㉤-㉣-㉡-㉢ 8 ⑤ 9 공청회 10 시민 단체 11 ④ 12 ④ 13 주민 투표 14 아라 15 예 지역 문제는 그 지역 주민들이 제일 잘 알기 때문에 지역 문제에 관심을 가지고 의견을 내야 합니다. 16 예 서명 운동을 합니다. 봉사 활동을 합니다. 공공 기관에 의견을 전달합니다. 주민 회의에 참석합니다. 17 (1) 다수결 (2) 예 소수의 의견도 존중해야 합니다.

1 지역 문제는 지역에서 주민의 생활을 불편하게 하거나 주민들 사이에 갈등을 일으키는 문제입니다.

2 그림에 해당하는 지역 문제는 공사장 소음으로 불편을 겪는 소음 문제입니다.

3 쓰레기 분리배출이 제대로 되지 않는 문제와 미세먼지 문제는 환경 문제입니다.

4 그림에는 보도블록이 파손되어 다니는 데 위험한 안전 문제가 나타나 있습니다.

한눈에 쏙쏙 지역 문제의 유형

환경 문제	공장 및 자동차 매연 문제, 미세 먼지 문제 등이 있음.
교통 문제	교통 혼잡 문제 혹은 대중교통 부족 문제 등이 있음.
안전 문제	통학로 안전 문제, 교통안전 문제 등이 있음.
시설 부족 문제	장애인 편의 시설 부족 문제, 도서관 및 운동장 시설 부족 문제 등이 있음.

5 지역 문제의 유형에는 환경 문제, 교통 문제, 안전 문제, 시설 부족 문제 등이 있습니다. 놀이터나 도서관 등의 시설이 부족해서 생기는 문제는 시설 부족 문제입니다.

6 지역 문제 해결을 위해 가장 먼저 해야 할 일은 어떤 지역 문제가 있는지 지역 문제를 확인하는 일입

니다. 그 후 지역 문제의 발생 원인을 파악하고 해결 방안 탐색, 해결 방안 결정, 해결 방안 실천의 순서로 진행합니다.

7 지역 문제 해결은 지역 문제 확인 후 발생 원인을 파악하고 해결 방안 탐색, 해결 방안 결정, 해결 방안 실천의 순서로 진행합니다.

8 지역 문제의 해결 방안을 결정하는 과정에서 투표를 통해 다수결의 원칙에 따라 많은 사람이 원하는 것으로 해결 방안을 결정할 수 있으나 소수의 의견도 존중해야 합니다.

9 국가나 공공 기관이 정책을 결정하기 전에 여러 사람의 다양한 의견을 듣기 위해 여는 공개회의를 공청회라고 합니다.

10 시민들이 스스로 모여서 사회 전체의 이익을 위해 활동하는 단체를 시민 단체라고 합니다.

11 주민 참여 예산제는 지방 자치 단체가 예산을 계획하는 과정에서 주민이 직접 참여하는 제도로, 불법 주차 문제를 해결하기 위한 방법으로는 알맞지 않습니다.

12 주민들이 지역 문제에 참여하지 않는다고 해서 벌금을 내지는 않습니다.

13 다양한 주민 참여 방법으로 서명 운동, 봉사 활동, 주민 투표, 공청회나 주민 회의 참석하기 등이 있습니다.

14 지역 문제를 해결하기 위해 의견을 모으는 과정에서 대화하고 타협하는 자세가 필요합니다. 나와 상관없는 일이라고 신경 쓰지 않거나 공공 기관에 일을 미루는 태도는 바람직하지 않습니다.

한눈에 쏙쏙 **지역 문제 해결 방안 결정하기**

- 각각의 장단점을 비교해서 적절한 방안을 결정함.
- 주민들이 스스로 할 수 있는 일인지, 공공 기관과 협조해야 할 일인지 고려함.
- 서로의 생각이 다를 때는 대화와 타협으로 의견을 조정함.
- 여러 의견 중 하나를 결정할 때는 다수결의 원칙에 따라서 투표를 하기도 함.
- 다수결의 원칙에 따라 많은 사람들이 원하는 것으로 결정할 수 있으나 소수의 의견도 존중해야 함.

15 지역 문제를 해결할 때 시청이나 도청 등의 공공 기관에 지역 주민의 의견을 전달합니다. 그 지역의 문제를 가장 잘 알고 있는 사람이 그 지역의 주민이므로 지역 주민의 의견이 지역 문제를 해결하는 데 많은 도움이 됩니다.

[채점 기준] '공공 기관에 의견을 내는 것이 문제 해결에 도움이 된다', '지역 문제는 그 지역 주민들이 가장 잘 알고 있으므로 의견을 내야 한다' 등의 내용을 포함하여 바르게 썼다.

16 다양한 주민 참여 방법에는 서명 운동하기, 봉사 활동하기, 공공 기관에 민원 제기하기, 공청회나 주민 회의 참석하기, 시민 단체 활동하기, 주민 투표 참여하기 등이 있습니다.

[채점 기준] '서명 운동', '봉사 활동', '공공 기관에 의견 전달', '주민 회의 참석' 등의 내용 중 두 가지를 포함하여 바르게 썼다.

17 지역 문제의 해결 방안 결정 과정에서 투표를 통해 다수결의 원칙에 따라 많은 사람이 원하는 것으로 결정할 수 있으나 소수의 의견도 존중해야 합니다.

[채점 기준] (1) '다수결'이라고 바르게 쓰고, (2) '소수의 의견도 존중해야 한다', '다수결의 원칙을 따르더라도 선정되지 않은 의견도 존중한다' 등의 내용을 포함하여 바르게 썼다.

쪽지 시험 140쪽

1 공공 기관 **2** 보건소 **3** × **4** 지역 문제 **5** 교통 문제 **6** 면담 **7** ○ **8** × **9** 주민 참여 **10** ○

단원 톡톡 문제 141~143쪽

1 공공 기관 2 ④ 3 ⑤ 4 도서관 5 ③ 6 예 다양한 분야에서 지역 주민의 생활을 돕고, 행정 업무를 처리합니다.
7 예 감염병 등의 질병이 발생했을 때 치료받기 힘듭니다.
8 ㉣-㉢-㉠-㉡ 9 ㉡, ㉣ 10 ㉢-㉣-㉠-㉤-㉡ 11 ㉠, ㉡, ㉣ 12 전문가 13 지역 문제 14 혼잡, 부족 15 ② 16 투표, 예 소수의 의견을 존중해야 합니다. 17 ⑤ 18 ①
19 ㉠, ㉢, ㉣ 20 예 서명 운동하기, 시민 단체 활동하기

1 공공 기관은 주민 전체의 이익과 생활의 편의를 위해 국가나 지방 자치 단체가 세우거나 관리하는 기관입니다.

2 법원, 시청, 도서관, 우체국은 주민 전체의 이익과 생활의 편의를 위해 국가나 지방 자치 단체가 세우거나 관리하는 공공 기관입니다. 백화점은 개인의 이익을 위한 시설이므로 공공 기관이 아닙니다.

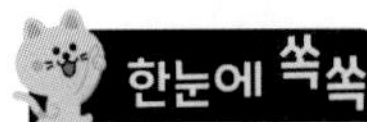

한눈에 쏙쏙 공공 기관인 곳과 공공 기관이 아닌 곳

공공 기관인 곳	우체국, 행정 복지 센터, 소방서, 보건소, 경찰서, 세무서, 법원, 시청, 도서관, 교육청 등
공공 기관이 아닌 곳	아파트, 영화관, 할인 매장, 서점, 백화점, 음식점, 노래방 등

3 보건소는 감염병 등의 질병을 예방하고 치료합니다. 책을 빌려주고 공부할 장소를 제공하는 공공 기관은 도서관입니다.

4 책을 빌려주며, 책을 읽거나 공부할 수 있는 공간을 제공하고, 책과 관련된 특별한 강의를 마련하기도 하며, 어린이를 위한 글쓰기 행사를 여는 공공 기관은 도서관입니다.

5 우체국은 우편물을 접수하고 배송해 줍니다.

6 행정 복지 센터는 다양한 분야에서 지역 주민의 생활을 돕고, 주민의 민원·행정 업무를 처리합니다.

[채점 기준] '지역 주민의 생활을 도와준다', '주민의 행정 업무를 처리한다' 등의 내용을 포함하여 바르게 썼다.

7 보건소가 없다면 감염병 등의 질병이 발생했을 때 치료받기 힘듭니다.

[채점 기준] '감염병을 예방할 수 없다', '병을 치료받기 어렵다', '흡연 예방 교육, 심폐 소생술 등의 교육을 받기 어렵다' 등의 내용을 포함하여 바르게 썼다.

8 공공 기관을 조사하는 순서는 조사할 곳과 방법을 정하고, 조사 계획을 세웁니다. 그다음 실제 조사를 실시하고, 보고서를 작성합니다.

9 지역의 공공 기관을 조사할 때 조사 계획서에는 조사 주제, 조사 장소, 알고 있는 점, 알고 싶은 점, 조사 방법, 주의할 점 등의 내용이 들어가야 합니다. ㉠ 느낀 점과 ㉢ 알게 된 점은 조사를 끝내고 조사한 내용을 정리하여 보고서를 작성할 때 들어가야 하는 내용입니다.

10 견학하여 조사할 때는 먼저 견학하고자 하는 공공 기관을 정하고, 견학 계획서를 작성하고 역할을 나눕니다. 그 후 견학을 실시하고, 견학을 통해 알게 된 점, 느낀 점을 정리합니다. 마지막으로 조사한 내용을 친구들에게 소개합니다.

11 ㉢ 견학 담당자에게 궁금한 점은 질문 시간이 따로 주어졌을 때 질문합니다. 안내를 따르지 않고 질문하는 것은 예의에 어긋납니다.

12 같은 기관을 조사한 친구끼리 모둠을 만들고 조사한 내용을 설명할 전문가 친구를 정합니다.

13 지역 주민의 삶을 불편하게 하거나 지역 주민들 사이에 갈등을 일으키는 문제는 지역 문제입니다.

한눈에 쏙쏙 지역 문제를 알 수 있는 자료들

지역 신문	어떤 지역을 대상으로 발행하는 신문으로, 그 지역의 새 소식과 화제를 주로 보도함.
지역 뉴스	지역에서 일어나는 중요한 소식을 다룸. 일반적으로 전국 뉴스 다음에 방송됨.
지방 자치 단체에서 발행하는 홍보물	시·도청이나 시·도 의회에서 발행하는 홍보물은 그 지역 소식을 아는 데 도움이 됨.
시·도청 누리집	시·도청 누리집에는 지역 주민들이 요구 사항이나 의견을 올리는 별도의 공간이 마련되어 있음. 이를 살펴보면 주민들이 생각하는 지역 문제를 파악할 수 있음.

14 같은 교통 문제라고 하더라도 도시에는 교통 혼잡 문제가 나타나고, 농·어촌과 산지촌에서는 대중교통 부족 문제가 나타날 수 있습니다.

15 지역 문제를 조사하는 방법으로는 지역을 직접 둘러보며 지역 문제를 찾는 방법, 지역 주민들과 면담하는 방법, 지역 뉴스나 신문에서 지역 문제를 다룬 내용을 살펴보는 방법, 시·도청 누리집에서 지역 주민들이 올린 글을 찾아보는 방법 등이 있습니다.

16 지역 문제를 해결하려면 여러 가지 의견을 모으는 과정이 필요합니다. 다양한 의견을 하나로 모을 때는 투표를 하기도 합니다. 투표를 통해 다수결의 원칙에 따라 많은 사람들이 원하는 것으로 결정할 수 있으나 소수의 의견도 존중해야 합니다.

[채점 기준] '소수의 의견도 존중해야 한다', '다수결의 원칙을 따르더라도 선정되지 않은 의견도 존중한다' 등의 내용을 포함하여 바르게 썼다.

17 지역 문제의 해결 방안을 결정할 때 서로의 생각이 다를 때는 대화와 타협으로 의견을 조정합니다. 마지막에 반드시 투표를 통해 의견을 모을 필요는 없습니다. 투표를 통해 다수결의 원칙을 따를 때에도 소수의 의견을 존중해야 합니다.

18 다양한 주민 참여의 방법으로는 서명 운동하기, 시민 단체 활동하기, 주민 투표 참여하기, 공청회나 주민 회의 참여하기 등이 있습니다.

19 지역 문제를 해결하기 위해서는 지역 주민이 중심이 되어 문제 해결 과정에 참여하는 주민 참여가 중요합니다. 지역 주민들이 지역 문제 해결에 직접 참여

해야 하는 까닭은 지역 문제는 지역 주민들의 생활에 영향을 미치고, 그 지역 주민들이 지역 문제에 대해 가장 잘 알고 있기 때문입니다. 또 주민들이 지역 문제에 관심을 가지고 참여할 때 지역 문제를 해결하는 공공 기관도 주민들의 의견을 잘 반영할 수 있습니다.

20 다양한 주민 참여 방법에는 서명 운동하기, 봉사 활동하기, 공공 기관에 민원 제기하기, 공청회나 주민 회의 참석하기, 시민 단체 활동하기, 주민 투표 참여하기 등이 있습니다.

[채점 기준] '서명 운동하기', '봉사 활동하기', '공공 기관에 민원 제기하기', '공청회나 주민 회의 참석하기', '시민 단체 활동하기', '주민 투표 참여하기' 등의 내용 중 두 가지를 포함하여 바르게 썼다.

144쪽

1 (1) 예 교육청은 학생들의 교육과 관련된 일을 합니다. (2) 예 소방서는 화재를 예방하여 불을 끄고 위험에 처한 사람을 구조합니다. **2** 예 책을 빌려줍니다. 책을 읽거나 공부할 수 있는 공간을 제공합니다. 작가와 만날 기회를 제공합니다. 책과 관련된 강의를 합니다. 글쓰기 행사를 엽니다.
3 예 감염병 등의 질병을 예방하기 어려울 것입니다. 몸을 다치거나 아픈 사람들이 제대로 치료받기 어려울 것입니다.
4 예 지역에 나가서 직접 둘러보며 찾습니다. 지역 주민과의 면담을 통해 직접 여쭤봅니다. 지역의 뉴스나 신문 기사에서 찾아봅니다. 시·도청 누리집에서 주민들의 의견을 찾아봅니다. 지역 주민들에게 설문 조사를 합니다. **5** 예 신문 기사를 찾아봅니다. 통계 자료를 살펴봅니다. **6** 예 대화와 타협으로 의견을 조정합니다. 투표를 해서 다수결의 원칙을 따릅니다.

---

1 지역에는 지역 주민들의 생활을 도와주는 다양한 공공 기관이 있습니다. ㉠은 교육청, ㉡은 소방서입니다.

[채점 기준] (1) 교육청은 '학생들의 교육과 관련된 일을 한다', '여러 가지 학교 시설을 지원한다' 등의 내용을 포함하여 바르게 썼다. (2) 소방서는 '화재를 예방한다', '불을 끈다', '위험에 처한 사람을 구조한다' 등의 내용을 포함하여 바르게 썼다.

2 ㉢은 도서관입니다. 도서관은 책을 빌려주고, 책을 읽거나 공부할 수 있는 공간을 제공합니다. 또 지역 주민들은 도서관에서 여는 작가와의 만남 행사나 책과 관련된 강의, 글쓰기 행사에도 참여할 수 있습니다.

[채점 기준] '책을 빌려준다', '책을 읽거나 공부할 수 있는 공간을 제공한다', '작가와 만날 기회를 제공한다', '책과 관련된 강의를 한다', '글쓰기 행사를 연다' 등의 내용 중 두 가지를 포함하여 바르게 썼다.

3 ㉣은 보건소입니다. 보건소는 감염병 등의 질병을 예방하고 치료해 주는 공공 기관입니다. 보건소가 없다면 감염병 등의 질병을 예방하기 어려울 것입니다. 또 몸을 다치거나 아픈 사람들이 제대로 치료받기 어려울 것입니다.

[채점 기준] '감염병 등의 질병을 예방하기 어려울 것이다', '몸을 다치거나 아픈 사람들이 제대로 치료받기 어려울 것이다' 등의 내용을 포함하여 바르게 썼다.

4 지역 문제에는 환경 문제, 교통 문제, 안전 문제, 시설 부족 문제 등 다양한 유형이 있습니다. 이러한 지역 문제를 확인하는 방법으로는 직접 둘러보기, 지역 주민과 면담하기, 지역의 뉴스나 신문 기사 살펴보기, 시·도청 누리집 살펴보기 등이 있습니다.

[채점 기준] '지역에 나가서 직접 둘러보며 찾는다', '지역 주민과의 면담을 통해 직접 여쭤본다', '지역의 뉴스나 신문 기사에서 찾아본다', '시·도청 누리집에서 주민들의 의견을 찾아본다', '지역 주민들에게 설문 조사를 한다' 등의 내용 중 두 가지를 포함하여 바르게 썼다.

5 지역 문제의 발생 원인을 파악하기 위해서는 신문 기사, 통계 자료, 지역 주민과 면담한 내용 등을 참고할 수 있습니다.

[채점 기준] '신문 기사를 찾아본다', '통계 자료를 살펴본다', '지역 주민과 면담한다' 등의 내용 중 두 가지를 포함하여 바르게 썼다.

6 지역 문제를 해결할 때 서로의 생각이 다를 때는 대화와 타협으로 의견을 조정합니다. 또 여러 의견 중 하나를 결정해야 할 때는 다수결의 원칙에 따라 투표할 수도 있습니다. 이때 다수결의 원칙을 따르더라도 소수의 의견도 존중해야 합니다.

[채점 기준] '대화와 타협으로 의견을 조정한다', '투표를 해서 다수결의 원칙을 따른다' 등의 내용을 포함하여 바르게 썼다.

1 지역의 위치와 특성

2쪽

❶ 방위표 ❷ 등고선 ❸ 관광 안내도 ❹ 교통 ❺ 인터넷
❻ 기능

가로 톡! 세로 톡! 퍼즐 3쪽

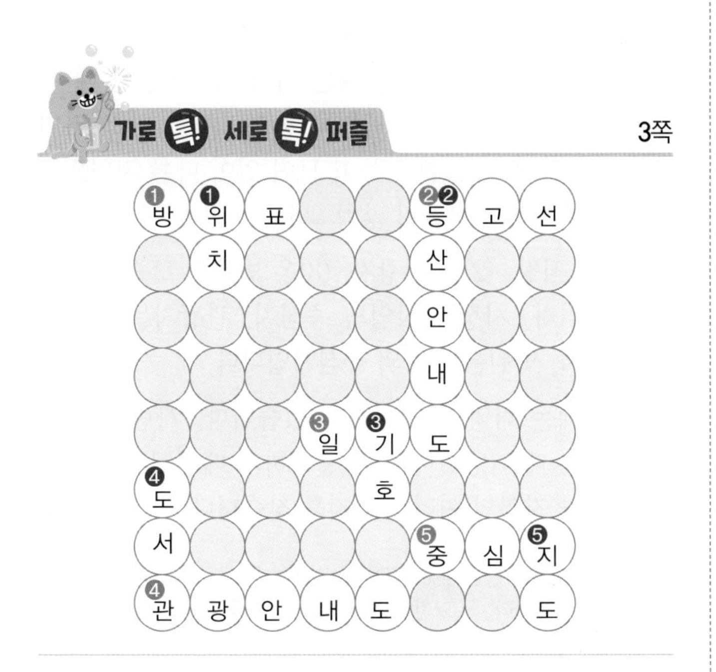

4~6쪽

1 지도 2 ④ 3 예 지도를 바라보는 방향에 따라 위치가 달라지기 때문입니다. 4 방위 5 ③ 6 ㉣ 7 등고선 8 (1) ㉢ (2) ㉡ (3) ㉠ 9 ① 10 예 역사가 오래된 문화유산이 많습니다. 11 중심지 12 ⑤ 13 예 중심지인 곳은 크고 높은 건물이 많고, 중심지가 아닌 곳은 낮은 집들 몇 채와 논과 밭이 많이 보입니다. 14 ③ 15 ② 16 (1) ㉡ (2) ㉢ (3) ㉠ 17 예 사람들이 살아가는 데 다양한 것이 필요하기 때문입니다. 18 ㉠, ㉡ 19 ② 20 예 시청, 법원 등 행정의 중심지 기능이 있습니다.

1 지도란 위에서 내려다본 땅의 모습을 일정한 약속에 따라 줄여서 나타낸 것입니다. 지도가 있으면 우리가 직접 갈 수 없는 산, 강, 도로, 건물 등의 위치나 이름을 알 수 있습니다. 또 원하는 곳에 쉽게 찾아갈 수 있습니다.

2 (가)는 지도, (나)는 사진입니다. 지도와 시진 모두 지역을 위에서 내려다본 모습을 나타낸 것입니다. 지도에는 땅에 있는 건물이나 도로의 위치, 이름이 표시되어 있습니다. 사진은 땅의 모습을 있는 그대로 볼 수 있지만, 무엇이 있는지는 정확히 알 수 없습니다. 그래서 모르는 장소를 찾아갈 때는 사진보다 지도를 이용하는 것이 편리합니다.

3 세 친구가 설명하는 축구장의 위치가 각각 다른 것은 바라보는 방향이 다르기 때문입니다. '왼쪽', '오른쪽', '뒤쪽'과 같은 표현을 사용하면 바라보는 방향에 따라 그 위치에 대한 설명이 달라지기 때문에 어떤 장소의 정확한 위치를 설명하기 어렵습니다. 따라서 정확한 위치를 설명하려면 동서남북을 이용해야 합니다.

[채점 기준] '바라보는 방향이 다르기 때문이다'의 내용을 포함하여 바르게 썼다.

4 방위는 방향의 위치를 뜻합니다. 지도에서는 동서남북의 방향을 나타내는 표인 방위표를 이용하여 방위를 사용합니다. 방위표가 없을 때는 지도의 위쪽이 북쪽이고, 오른쪽은 동쪽, 왼쪽은 서쪽, 아래쪽은 남쪽을 나타냅니다.

5 지도에 기호를 사용하면 실제 모습을 간략히 표현할 수 있고, 한눈에 알아볼 수 있어 편리합니다. (가)는 학교, (나)는 우체국, (다)는 산을 나타냈습니다.

한눈에 쏙쏙 지도의 다양한 기호

학교	우체국	산	과수원
병원	절	공항	항구

6 복잡한 실제 땅의 모습을 지도로 표현하려면 다양한 약속이 필요합니다. 축척은 지도에서 실제 거리를 줄인 정도를 나타내는 약속으로, ㉠은 방위표 ㉡은 등고선 ㉢은 기호입니다.

7 등고선은 땅의 높이가 같은 곳을 연결한 선으로 평평한 지도에서 실제 땅의 높낮이를 알 수 있게 해 줍니다. 등고선 옆에 실제 높이를 적어 땅의 높낮이를 나타내기도 합니다. 또 땅의 높이가 높아질수록 색깔을 진하게 칠해 높낮이를 나타낼 수도 있습니다.

한눈에 쏙쏙 지도의 다양한 약속들

방위	일정한 기준을 중심으로 한 방향의 위치를 나타냄.
기호와 범례	기호는 산, 하천, 학교 등을 간략히 나타낸 것이며, 범례는 지도에 쓰인 기호와 그 뜻을 나타낸 것임.
축척	지도에서 실제 거리를 줄인 정도를 나타낸 것임.
등고선	땅의 높이가 같은 곳을 연결한 선으로 땅의 높낮이를 나타냄.

8 등고선은 실제 땅의 높낮이를 표현한 것이기 때문에 등고선의 간격, 모양 등에 따라 땅의 전체적인 모습을 알 수 있습니다.

9 일기 예보를 할 때 기상 캐스터가 사용하는 지도를 일기도라고 합니다. 일기도에는 각 지역의 위치와 날씨가 나타나 있어 알고 싶은 지역의 날씨를 한눈에 알아볼 수 있습니다.

10 지도를 보면 지역의 특성을 알 수 있습니다. 이 지역에는 역사가 오래된 문화유산을 중심으로 관광할 곳이 많습니다. 또 유명한 관광지 근처에는 지하철역이 있어서 관광할 때 교통이 편리해 좋습니다.

[채점 기준] '문화유산이 많다', '지하철역이 많아 교통 시설이 발달하였다' 등의 내용을 포함하여 바르게 썼다.

11 우리가 살아가는 데는 의식주처럼 생활에 꼭 필요한 것들도 있고, 편리한 생활이나 여가 생활을 위해 필요한 것도 있습니다. 이렇게 사람들이 필요한 것을 구하거나 이용할 수 있는 시설이 모여 있어 많은 사람들이 찾는 곳을 중심지라고 합니다. 중심지에는 병원, 백화점, 도서관, 구청, 기차역, 영화관 등의 시설이 모여 있습니다.

12 사진에 나타난 시설은 시장입니다. 시장에서는 음식의 재료뿐만 아니라 다양한 물건을 살 수 있어 많은 사람이 모입니다. ① 책을 읽거나 빌리고 싶을 때는 도서관에 갑니다. ② 필요한 서류를 발급받을 때는 시청, 군청 등에 갑니다. ③ 다친 곳을 치료할 때는 보건소, 병원 등에 갑니다. ④ 다른 지역으로 이동할 때는 기차역이나 버스 터미널에 갑니다.

13 중심지인 곳에는 크고 높은 건물이 많이 있고, 자동차와 사람들이 많아 복잡합니다. 또 다양한 상점과 시청, 교육청, 경찰청 같은 기관, 기차역, 지하철역, 버스 터미널 같은 교통 시설이 모여 있습니다. 중심지가 아닌 곳은 논과 밭이 보이고, 사람이 거의 없어 한가로워 보입니다. 또 산이 보이고, 집들이 몇 채 있으며 집의 높이가 낮습니다.

[채점 기준] 중심지인 곳은 '크고 높은 건물이 많이 있다', '차와 사람이 많아 복잡하다', '다양한 상점과 기관, 교통 시설이 모여 있다', 중심지가 아닌 곳은 '논과 밭이 많이 보인다', '사람이 거의 없어 한가로워 보인다', '산이 보이고 낮은 집들이 몇 채 보인다' 등의 내용을 포함하여 바르게 썼다.

14 중심지에는 다양한 상점이 모여 있고, 시청, 구청, 교육청, 경찰청 같은 기관도 많이 있습니다. 또 기차역이나 지하철역, 버스 터미널 같이 교통 시설도 많이 있습니다. 논, 밭, 비닐하우스, 과수원은 중심지가 아닌 곳에서 주로 볼 수 있는 시설입니다.

15 기차역, 버스 터미널은 다른 지역으로 이동할 때 이용하는 시설입니다. 교통의 중심지에는 버스 터미널, 기차역, 지하철역 등이 모여 있어 다른 지역으로 이동하려는 사람들이 많이 모입니다.

16 (1)은 시장, (2)는 관광지, (3)은 법원의 모습을 담고 있습니다. 시장은 상업의 중심지, 관광지는 관광의 중심지, 법원은 행정의 중심지입니다.

17 지역에는 다양한 중심지가 있습니다. 사람들은 살아가는 데 다양한 것들이 필요하기 때문에 고장뿐만 아니라 지역의 여러 중심지를 찾습니다.

[채점 기준] '중심지에는 다양한 기능이 있다', '사람들이 필요한 것은 다양하다', '필요한 기능을 제공하는 중심지는 지역에 여러 곳 있다' 등의 내용을 포함하여 바르게 썼다.

18 지역의 다양한 중심지를 조사하고 발표하는 활동을 통해 중심지의 위치를 알 수 있고 중심지의 기능과 모습을 알 수 있습니다. 지역의 중심지 조사를 통해 ㉢ 지역에 있는 건물의 개수와 ㉣ 우리나라에서 가장 많은 사람이 방문하는 중심지는 알 수 없습니다.

한눈에 쏙쏙 우리 지역의 중심지를 조사하는 다양한 방법

면담	선생님이나 지역을 잘 아는 사람에게 직접 물어봄.
설문 조사	설문지를 이용하여 많은 사람을 대상으로 조사함.
문헌 조사	책, 신문, 인터넷 등을 활용하여 관련 자료를 찾아봄.
답사	현장에 실제로 가서 보고 들으며 조사함.

19 백화점은 상업의 중심지에서 볼 수 있는 시설입니다. 행정의 중심지에는 구청이나 시청, 법원, 경찰서 등의 시설이 있습니다.

20 서구는 시청, 법원 등의 공공 기관이 모여 있는 행정의 중심지입니다. 지역 주민들이 필요한 서류를 구하거나 행정에 관련한 일을 처리할 때 서구를 찾습

니다.

[채점 기준] '시청, 법원 등의 공공 기관이 모여 있다', '행정의 중심지이다', '필요한 서류를 구하거나 일을 처리할 때 찾는다' 등의 내용을 포함하여 바르게 썼다.

7~9쪽

1 ㉠, ㉣ 2 서, 시청 3 ⑤ 4 ② 5 예 실제 땅의 모습을 그대로 지도에 나타내면 복잡하고 한눈에 알아보기 어렵기 때문입니다. 6 예 두 지도는 축척이 다릅니다. 같은 크기의 지도라도 축척에 따라 나타낼 수 있는 실제 범위가 다릅니다. 7 ① 8 길 도우미 9 ㉠, ㉡ 10 예 산의 높낮이나 산이 얼마나 넓게 걸쳐 있는지 알기 어렵습니다. 11 ③, ⑤ 12 ㉣ 13 기능 14 ①, ② 15 ① 16 ㉠ 17 ⑤ 18 답사 19 예 산업 단지가 있어 사람들이 일하러 많이 모입니다. 20 예 이전에 중심지가 아니었던 곳도 새로 중심지가 될 수 있습니다.

1 (가)는 지도, (나)는 그림입니다. (가), (나) 모두 땅을 위에서 내려다본 모습을 표현했습니다. 지도는 땅의 모습을 있는 그대로 볼 수 없지만, 어떤 지역, 어떤 고장을 나타낸 것인지 쉽게 알 수 있고 도로나 철도, 지하철역 등도 표시되어 있습니다. 그림은 땅의 모습을 정확하게 나타낼 수 없고, 그리는 사람에 따라 모양이나 칠하는 색깔이 다를 수 있습니다.

2 지도의 방위표를 통해 동서남북의 방향인 방위를 나타낼 수 있습니다. 지도에 있는 방위표를 통해 지도의 위쪽이 북쪽, 오른쪽이 동쪽, 왼쪽이 서쪽, 아래쪽이 남쪽임을 알 수 있습니다. 방위로 위치를 나타낼 때에는 먼저 '기준'을 정해야 합니다. 기차역은 학교를 기준으로 서쪽에 있습니다. 학교의 남쪽에는 시청이 있습니다. 학교의 동쪽에는 소방서, 북쪽에는 공원이 있습니다.

3 축척은 지도에서 실제 땅의 모습을 줄인 정도입니다. 실제 지역의 크기만큼 큰 종이를 구하기 어렵고, 그만큼 큰 종이가 있더라도 종이가 너무 커서 지도를 그리기 어려울 것입니다. 그렇기 때문에 실제 지역을 줄여서 지도에 나타내야 합니다. 같은 크기의 지도라도 축척에 따라 나타낼 수 있는 실제 범위가 다릅니다.

4 등고선은 땅의 높이가 같은 곳을 연결한 선으로 땅의 높낮이를 알 수 있습니다. ① 지도의 제목은 눈에 잘 띄게 하기 위해서 보통 지도의 위쪽에 적습니다. ③ 방위표가 없으면 지도의 위쪽이 북쪽, 오른쪽이 동쪽, 왼쪽이 서쪽, 아래쪽이 남쪽입니다. ④ ㉣은 기호와 범례입니다. 기호는 산, 하천, 시청 등을 간략히 표현한 것이고, 범례는 지도에 쓰인 기호와 뜻을 정리해 놓은 것입니다. ⑤ 축척은 실제 땅의 크기를 지도에 줄인 정도를 나타냅니다.

5 지도를 그릴 때 실제 땅의 모습을 그대로 나타내면 복잡하고 한눈에 알아보기 어렵습니다. 따라서 학교, 산, 우체국 등의 모양이나 상징을 간단하게 표현한 기호와 지도에 쓰인 기호와 그 뜻을 나타낸 범례를 이용해 더 쉽고 정확하게 지도를 그릴 수 있습니다.

[채점 기준] '실제 땅의 모습을 그대로 나타내면 복잡하고 한눈에 알아보기 어렵다'의 내용을 포함하여 바르게 썼다.

6 같은 크기의 지도이지만 첫 번째 지도는 우리나라 전체, 두 번째 지도는 첫 번째 지도의 분홍색 네모 안에 있는 지역인 서울특별시를 나타내고 있습니다. 이는 두 지도의 축척이 다르기 때문입니다.

[채점 기준] '같은 크기의 지도인데도 두 지도의 축척이 달라서 첫 번째 지도에 더 넓은 범위가 나타나 있고, 두 번째 지도에는 더 좁은 범위가 자세히 나타나 있다'의 내용을 포함하여 바르게 썼다.

7 축척을 알면 지도상 두 지점 간의 거리를 재어 실제 거리를 구할 수 있습니다. 축척이 0 ___ 1km 이면 막대만큼의 거리가 실제 거리 1km를 뜻합니다. 축척 막대자를 이용하면 보다 쉽게 지도상 두 지점 간의 거리를 잴 수 있습니다.

8 우리는 일상생활에서 목적에 따라 다양한 지도를 활용하고 있습니다. 길 도우미는 자동차를 운전할 때 지도를 바탕으로 빠른 길을 알려 주어 길을 찾는 데 도움을 주는 프로그램입니다. 이외에도 관광지를 소개한 관광 안내도, 각 지역의 날씨가 나타나 있는 일기도, 다양한 등산로가 나타나 있는 등산 안내도 등의 지도가 일상생활에서 사용됩니다.

9 땅의 높이가 같은 곳을 연결한 선인 등고선으로 땅의 높낮이를 알 수 있습니다. 또한 색깔로도 땅의 높낮이를 나타낼 수 있습니다. ㉢ 땅의 높이를 색깔로 표현할 때는 높이가 높을수록 진한 색으로 나타냅니다. ㉣ 등고선의 각각 선마다 실제 높이를 적어 주면 더 정확한 높낮이를 알 수 있습니다.

10 산을 위에서 보면 산의 높낮이를 알 수 없고, 옆에서 보면 산이 얼마나 넓은 곳에 걸쳐 있는지 또 산 뒤에

가려진 곳을 알 수 없습니다. 이렇게 우리가 사는 땅은 어떤 곳은 높고 어떤 곳은 낮기 때문에 평평한 지도에 땅의 높낮이를 표현하기 위해서 등고선이 필요합니다. 등고선은 땅의 높이가 같은 곳을 연결한 선으로 땅의 높낮이를 알 수 있습니다. 또 등고선을 통해 산의 모양이나 범위도 알 수 있습니다.

[채점 기준] '산을 위, 옆에서 보면 산의 높낮이나 범위를 제대로 파악할 수 없다'의 내용을 포함하여 바르게 썼다.

11 중심지는 사람들이 필요한 것을 구하거나 이용할 수 있는 다양한 시설들이 모여 있는 곳입니다. 따라서 사람들이 많이 모이고 크고 높은 건물이 많아 복잡하며, 다양한 상점과 기차역, 버스 터미널과 같은 교통 시설도 모여 있습니다. 중심지는 행정, 교통, 상업, 산업, 관광 등 다양한 기능을 가지는데, 하나의 기능만을 가지고 있기도 하고 여러 기능을 가지고 있기도 합니다. 고장 사람들은 우리 고장의 중심지뿐만 아니라 지역의 다양한 중심지를 이용하기도 합니다.

12 도서관은 원하는 책을 읽거나 빌려볼 수 있어서 많은 사람이 모이는 곳입니다. ㉠ 식재료를 살 수 있는 곳은 백화점, 시장 등이 있습니다. ㉡ 구청, 시청에 가면 여권을 다시 발급받을 수 있습니다. ㉢ 기차역이나 버스 터미널에 가면 다른 지역으로 이동할 수 있습니다.

13 중심지는 행정, 교통, 상업, 산업, 관광 등 다양한 기능을 가지고 있습니다. 중심지는 하나의 기능만을 가지고 있기도 하고, 여러 기능을 가지고 있기도 합니다.

14 행정의 중심지에서는 시청, 구청, 법원, 경찰청, 교육청, 소방서 등의 시설을 볼 수 있습니다. 백화점은 상업의 중심지, 야구장은 관광의 중심지, 버스 터미널은 교통의 중심지에서 볼 수 있습니다.

한눈에 쏙쏙 중심지의 기능마다 볼 수 있는 시설

행정의 중심지	시청, 구청, 법원, 경찰청, 교육청, 소방서 등
교통의 중심지	기차역, 버스 터미널, 지하철역 등
상업의 중심지	시장, 백화점 등
산업의 중심지	공장, 회사 등
관광의 중심지	관광지, 문화 유적지 등

15 놀이공원은 지역의 유명한 관광지이고, 다른 지역의 사람들도 많이 찾는 장소입니다. 이렇게 유명한 관광지나 문화유산이 모여 있는 곳은 관광의 중심지입니다.

16 지역의 중심지를 조사하는 다양한 방법 중 그림에 나타난 방법은 인터넷을 활용하는 것입니다. 직접 답사를 가서 중심지를 살펴보기가 어려울 때는 인터넷을 활용하면 시간을 절약할 수 있습니다. 또 인터넷으로 디지털 영상 지도를 사용하면 직접 가지 않아도 중심지의 여러 모습을 확인할 수 있습니다. 이때 디지털 영상 지도의 위성 사진, 거리 보기 기능 등을 활용할 수 있습니다.

17 지역의 중심지를 조사할 때는 중심지의 위치, 기능, 모습, 중심지에 있는 시설 등을 조사해야 합니다. 중심지의 위치는 지도를 이용해 조사할 수 있습니다. 중심지에 있는 시설을 알아보면 그 시설을 바탕으로 행정, 교통, 상업, 산업, 관광 등 어떤 기능을 가지고 있는 중심지인지 알 수 있습니다. 중심지의 모습은 직접 가서 보거나 디지털 영상 지도의 거리 보기 기능을 이용하여 확인할 수 있습니다.

18 지역의 중심지를 찾아가 직접 보고 조사하는 방법은 답사입니다. 답사를 가기 전에 중심지에 가서 무엇을 조사할지 미리 정리해 두면 좋습니다.

19 조사한 중심지를 지도에 놓으면 위치와 모양, 특징을 이해하기 쉽습니다. 대덕구는 유성구의 동쪽에 있으며, 대덕 산업 단지가 있어 일하려고 많은 사람이 모이는 산업의 중심지입니다.

[채점 기준] '유성구의 동쪽에 있다', '동구의 서쪽에 있다', '대덕 산업 단지가 있어 사람들이 일하러 많이 모인다', '산업의 중심지이다' 등의 내용을 포함하여 바르게 썼다.

20 세종시는 과거에 논밭과 낮은 건물이 많아 중심지의 모습이 아니었으나, 시간이 흘러 현재는 중심지가 되었습니다. 이를 통해 이전에 중심지가 아니었던 곳도 새로 중심지가 될 수 있다는 것을 알 수 있습니다.

[채점 기준] '중심지가 아니었던 곳도 중심지가 될 수 있다'의 내용을 포함하여 바르게 썼다.

10~11쪽

1 (1) (가) (2) 예 (가)는 지도, (나)는 사진입니다. (나)는 우리 지역의 모습을 있는 그대로 보여 줍니다. 가려진 부분은 알 수 없습니다. **2** 예 기차역의 동쪽에 있습니다. 공원의 남쪽에 있습니다. 소방서의 서쪽에 있습니다. 시청의 북쪽에 있습니다. **3** (1) 예 두 지도의 축척이 다르기 때문입니다. (2) 예 지도에서 실제 거리를 줄인 정도를 나타냅니다. **4** 예 등고선이나 색깔을 이용해 표현합니다. **5** ㉢, 예 등산 안내도에는 다양한 등산로가 표시되어 있기 때문입니다. **6** (1) ㉠ (2) 예 중심지는 높은 건물이 많고 사람들이 많이 모입니다. 다양한 상점과 병원, 식당이 모여 있습니다. 시청, 경찰청 등 다양한 기관이 있습니다. **7** (1) 교통의 중심지 (2) 예 사람들이 다른 지역으로 이동할 수 있습니다. **8** (1) 예 중심지의 위치는 어디일까? (2) 예 지도를 이용해 중심지의 위치를 찾습니다.

---

1 (가)는 지도, (나)는 사진입니다. (가), (나) 모두 위에서 내려다본 땅의 모습을 나타내고 있습니다. (가) 지도는 일정한 약속에 따라 줄여서 표현하지만, (나) 사진은 지역의 모습을 있는 그대로 나타냅니다.

[채점 기준] (1) '(가)'라고 바르게 쓰고, (2) '(가) 지도', '(나) 사진'과 '우리 지역의 모습을 있는 그대로 보여 준다', '가려진 부분은 알 수 없다' 등의 내용을 포함하여 바르게 썼다.

2 방위란 일정한 기준을 중심으로 나타낸 방향입니다. 지도에서는 보통 동서남북을 많이 사용합니다. 방위를 읽을 때에는 기준이 무엇인지 먼저 확인해야 합니다.

[채점 기준] '기차역의 동쪽에 있다', '공원의 남쪽에 있다', '소방서의 서쪽에 있다', '시청의 북쪽에 있다' 등의 내용 중 한 가지를 포함하여 바르게 썼다.

3 ㉠은 축척입니다. 축척은 지도에서 실제 거리를 줄인 정도로, 같은 크기의 지도라도 축척에 따라 나타내는 범위가 다를 수 있습니다.

[채점 기준] (1) '두 지도의 축척이 다르기 때문이다'의 내용을 포함하여 바르게 쓰고, (2) '지도에서 실제 거리를 줄인 정도를 나타낸다'의 내용을 포함하여 바르게 썼다.

4 평면인 지도에서 높낮이를 표현할 때에는 등고선을 많이 활용합니다. 등고선은 같은 높이를 연결한 선으로, 그 모양을 보면 실제 땅의 높낮이와 모습 등을 알 수 있습니다. 등고선 이외에 색깔을 이용해 땅의 높낮이를 나타내기도 하는데, 땅의 높이가 높을수록 색이 진해집니다.

[채점 기준] '등고선이나 색깔을 이용해 표현한다'의 내용을 포함하여 바르게 썼다.

5 우리는 일상생활에서 다양한 목적을 가지고 지도를 활용합니다. 날씨를 확인할 때에는 ㉠ 일기도를, 길을 잃지 않거나 교통 정보를 확인할 때에는 ㉡ 교통 지도를, 다양한 등산로를 보고 길을 정할 때에는 ㉢ 등산 안내도를 이용합니다. 이외에도 지하철 노선도 등 다양한 지도가 있습니다.

[채점 기준] '㉢'이라고 바르게 쓰고, '다양한 등산로가 표시되어 있기 때문이다'의 내용을 포함하여 바르게 썼다.

6 ㉠은 중심지, ㉡은 중심지가 아닌 곳을 찍은 사진입니다. 지도에서 대전광역시청이나 서구청 등 다양한 건물이 많이 보이는 것으로 보아 중심지이며, ㉠과 같은 모습을 볼 수 있습니다. 중심지는 많은 사람이 어떤 일이나 활동을 하기 위해 모이는 곳으로, 필요한 것을 구하거나 이용할 수 있는 다양한 기관이나 시설 등이 있습니다.

[채점 기준] (1) '㉠'이라고 바르게 쓰고, (2) '중심지'와 '높은 건물이 많고 사람들이 많이 모인다', '다양한 상점과 병원, 식당이 모여 있다', '시청, 경찰청 등 다양한 기관이 있다' 등의 내용을 포함하여 바르게 썼다.

7 그림과 같이 내일 기차를 타고 출장을 가기 위해서는 기차역을 이용해야 합니다. 기차역은 대표적인 교통의 중심지입니다. 교통의 중심지에는 다른 지역으로 이동하려는 사람들이 모입니다.

[채점 기준] (1) '교통의 중심지'라고 바르게 쓰고, (2) '사람들이 다른 지역으로 이동할 수 있다'의 내용을 포함하여 바르게 썼다.

8 중심지 조사 계획서를 작성할 때에는 먼저 중심지를 찾고, 중심지를 조사한 뒤, 조사한 내용을 정리합니다. 중심지를 조사할 때에는 중심지의 위치, 기능, 모습 등을 조사합니다. 따라서 어울리는 질문은 '중심지의 위치는 어디일까?'이며, 이를 확인할 수 있는 활동으로 지도를 이용해 중심지의 위치를 살펴볼 수 있습니다.

[채점 기준] (1) '위치'에 관한 내용을 포함하여 바르게 쓰고, (2) '지도나 디지털 영상 지도 등을 이용해 중심지의 위치를 찾는다'의 내용을 포함하여 바르게 썼다.

2 우리가 알아보는 지역의 역사

핵심만 쪽쪽 12쪽

❶ 유형 문화유산 ❷ 무형 문화유산 ❸ 인간문화재 ❹ 위인 ❺ 지역을 지킨 인물 ❻ 관련성

가로 톡! 세로 톡! 퍼즐 13쪽

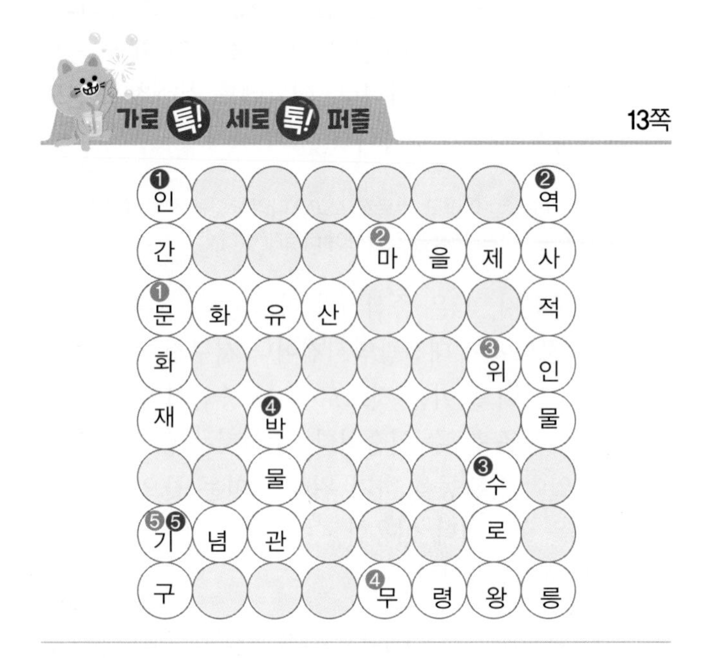

단원 팡팡 문제 1회 14~16쪽

1 ④ 2 ㉠, ㉡ 3 ③ 4 무형 문화유산 5 ① 6 인간문화재 7 ⑤ 8 (1) ㉠ (2) ㉡ 9 ㉡-㉢-㉠-㉣ 10 ④ 11 ⑤ 12 (가) 안내 책자 만들기 (나) 입체 지도 만들기 13 ① 14 역사적 인물 15 박경리 16 예 지역 사람들의 생활을 바꾸거나 지역에서 나라를 세우기도 했습니다. 17 역사적 인물에 대한 책 읽기 18 ① 19 예 우리 지역의 역사적 인물에 대해 조사하고 알리는 활동은 지역을 아끼고 지키는 일이기 때문입니다. 20 ㉠, ㉡

1 옛날부터 전해지는 것 중에 잘 보존해 다음 세대에 물려줄 만한 가치가 있는 것 중 형태가 있는 것을 유형 문화유산이라고 합니다.

한눈에 쏙쏙 문화유산의 종류

유형 문화유산	고인돌, 백제 금동 대향로, 무령왕릉, 양동 마을, 하회 마을, 군산 근대 문화유산 거리
무형 문화유산	전통 예술, 음식 문화, 놀이 문화, 마을 제사, 인간문화재

2 유형 문화유산은 책, 석탑, 건축물같이 형태가 있는 문화유산입니다. ㉢ 판소리, ㉣ 차전놀이, ㉤ 동해안 별신굿 같이 형태가 없는 전통 예술, 놀이 문화, 마을 제사는 무형 문화유산입니다.

3 경주 양동 마을은 경상북도 경주시에 있는 오랜 역사를 자랑하는 마을입니다. 조선 시대부터 같은 성씨의 사람들이 모여 살았고, 수백 년 된 기와집과 토담 등 조선 시대의 전통문화를 잘 간직하고 있습니다.

4 문화유산 가운데 음악 연주나 제작 기술처럼 사람들이 행동하거나 표현해야 볼 수 있는 형태가 없는 것을 무형 문화유산이라고 합니다.

5 사진의 차전놀이는 무형 문화유산으로 놀이 문화 종류에 속합니다. 고려를 세운 왕건과 후백제를 세운 견훤이 싸운 데서 유래한다는 이야기가 있습니다.

6 배첩, 한산 모시 짜기 기술처럼 문화유산으로 보존할 가치가 큰 기술과 예능을 전수받은 사람을 인간문화재라고 합니다.

7 제시된 조사 순서는 어린이·청소년 문화재청 홈페이지(인터넷)를 통해 문화유산을 조사하는 방법입니다. 지역의 문화유산을 조사하는 방법에는 인터넷으로 문화유산 검색하기, 지역 박물관 답사하기 등이 있습니다.

8 「춘향가」는 판소리의 갈래 중 하나로 무형 문화유산 중 전통 예술에 속합니다. 무령왕릉은 백제 제25대 무령왕과 왕비의 무덤으로, 백제의 문화를 알 수 있는 유형 문화유산입니다.

9 지역 박물관을 답사하기 위해서는 답사할 지역을 어디로 할 것인지, 언제 답사할 것인지, 답사 계획을 어떻게 세울 것인지를 정한 후에 직접 관람하고 질문을 주고받을 수 있습니다. 답사를 완료한 후에는 조사한 내용을 바탕으로 답사 보고서를 작성합니다.

한눈에 쏙쏙 지역 박물관 답사하기 순서

❶ 친구와 함께 답사할 지역 박물관과 답사 일정을 정함.
❷ 궁금한 사항들을 확인하며 박물관 답사 계획을 세움.
❸ 질문을 주고받으며 박물관에 있는 문화유산을 관람하고, 답사 보고서를 작성함.

10 박물관 답사 계획을 세울 때 박물관에서 보고 싶은 문화유산이 무엇인지 생각해 봅니다. 또 그 문화유산에 대해 이미 알고 있는 것과 더 알고 싶은 것은 무엇인지 생각해 보고, 문화유산이 박물관 어디에 있는지도 미리 알아봅니다.

11 지역의 문화유산을 보호하기 위해 우리가 할 수 있는 일에는 문화유산을 홍보하는 안내 자료를 만들어 사람들에게 나누어 주기, 문화유산 지킴이 봉사 활동하기, 문화유산을 아끼고 소중히 여기는 마음 가지기 등이 있습니다.

12 (가) 안내 책자 만들기는 문화유산에 대한 내용을 종합해 소개하는 자료로 지역의 문화유산이 지닌 특징과 가치를 더욱 깊게 이해할 수 있습니다. (나) 입체 지도는 펼치면 입체적인 모양이 나타나도록 꾸민 지도를 말합니다.

13 심청과 같은 동화 속 인물과 다르게 역사적 인물은 실제로 살았던 인물로 우리의 삶에 영향을 주었습니다. 대표적인 예로는 세종 대왕, 이순신, 신사임당, 장영실 등이 있습니다.

14 역사적 인물은 뛰어나고 훌륭한 사람으로 역사 속에서 우리의 삶에 영향을 주고 실제로 존재했던 사람들을 말합니다.

15 박경리는 세계적으로 유명한 작가로 경상남도 통영시에서 태어나 이 지역을 알린 예술가입니다. 박경리의 작품에는 지역의 자연과 생활 모습이 잘 담겨져 있습니다.

16 지역에 영향을 끼친 역사적 인물에는 지역 사람들의 생활을 바꾼 인물, 지역을 지킨 인물, 지역에서 나라를 세운 인물, 지역을 알린 예술가 등이 있습니다. 문익점은 중국에서 목화씨를 가져와 사람들의 생활을 바꾸어 더 나은 삶을 살도록 했고, 수로왕은 김해시에서 '가야'라는 나라를 세운 인물입니다.

[채점 기준] '생활을 바꾼', '나라를 세운' 등의 내용을 포함하여 바르게 썼다.

17 제시된 순서는 지역의 역사적 인물 조사하기 방법 중에서 역사적 인물에 대한 책 읽기의 순서입니다. 관련된 책으로는 위인전 등이 있고, 책의 내용이 모두 사실이 아닐 수도 있기 때문에 사실인지 검토가 필요합니다.

18 곽재우는 조선 시대 임진왜란이 일어나자 지역을 지키기 위해 의병을 일으켰습니다. 그리고 의병장이 되어 진주성 전투, 화왕산성 전투 등에 참전하였습니다.

19 우리 지역의 역사적 인물에 대해 조사하고 알리는 활동은 지역을 아끼고 지키는 일 중 하나입니다. 사람들은 역사적 인물을 기억하고 기념하며 더 살기 좋은 지역을 만들려고 노력합니다.

[채점 기준] '지역을 아끼고', '지역을 지키는 일' 등의 내용을 포함하여 바르게 썼다.

20 지역의 역사적 인물을 기념하면서 역사적 인물들 덕분에 오늘날의 우리가 있다는 것을 알 수 있습니다. 지역과 지역의 역사에 대한 관심과 자부심이 높아지고, 지역의 역사적 인물을 조사하고 알리는 활동은 지역을 아끼고 지킬 수 있는 일 중 하나입니다.

단원 팡팡 문제 2회 17~19쪽

1 ⑤ 2 예 유형 문화유산은 옛날부터 전해지는 것 중에서 형태가 있는 문화유산을 말합니다. 3 ② 4 ④ 5 ③ 6 한산 모시 짜기 7 ㉠, ㉣ 8 지역 박물관 답사하기 9 예 인터넷 검색은 쉽고 빠르지만 출처를 확인하고 믿을 만한 자료를 골라야 합니다. 10 ④ 11 (1) ㉡ (2) ㉠ (3) ㉢ 12 예 문익점은 목화씨를 가져와 지역 사람들의 생활을 바꾸고자 노력했습니다. 13 ⑤ 14 ⑤ 15 관련성 16 ㉠, ㉢, ㉣ 17 ③ 18 ④ 19 ㉠-㉢-㉣-㉡ 20 ④

1 문화유산은 옛날부터 전해지는 것 중에 잘 보존하여 다음 세대에 물려줄 만한 가치가 있는 것입니다. 문화유산에는 유물과 유적처럼 형태가 있는 유형 문화유산과 음악 연주나 제작 기술처럼 형태가 없는 무형 문화유산이 있습니다.

2 유형 문화유산은 유물과 유적 등 옛날 사람들이 남긴 오래된 흔적으로, 이러한 문화유산을 통해 지역의 역사, 옛날 사람들의 생활 모습을 알 수 있습니다.

[채점 기준] '형태가 있다'의 내용을 포함하여 바르게 썼다.

한눈에 쏙쏙 유형 문화유산

고인돌	큰 돌로 만든 선사 시대의 무덤으로, 이름에 큰 돌을 고여(괴어) 놓았다는 뜻이 담겨 있음.
백제 금동 대향로	충청남도 부여군 능산리 절터에서 발견된 백제의 향로로, 백제 공예의 아름다움을 잘 보여 주는 문화유산임.

무령왕릉	충청남도 공주시 금성동의 송산에 있는 백제 제25대 무령왕과 왕비의 무덤으로, 백제의 생활 문화 연구에 큰 도움이 되고 있음.
양동 마을	경상북도 경주시 강동면 양동리에 있는 민속 마을로, 조선 시대의 전통문화가 잘 유지되고 있음.
하회 마을	경상북도 안동시에 있는 민속 마을로, 문화유산이 잘 보존되어 있어 마을 전체가 문화재로 선정됨.
군산 근대 문화유산 거리	전라북도 군산시 장미동, 월명동, 신흥동 일대에 남아 있는 근대 문화유산으로, 일제 강점기의 아픈 흔적임.

3 춘향가(전통 예술), 차전놀이(놀이 문화), 이천 거북놀이(놀이 문화), 동해안 별신굿(마을 제사)은 무형 문화유산이고, 무령왕릉은 유형 문화유산입니다.

4 사진 속 문화유산은 충청남도 공주시에 있는 무령왕릉입니다.

5 무령왕릉은 무형 문화유산이 아닌 형태가 있는 유형 문화유산 중 하나입니다. 무형 문화유산은 지역에 전해 오는 자연환경이나 사람들의 생활과 관련 있는 것으로 풍속이 담긴 노래와 춤, 음식, 놀이, 마을 제사 등이 있습니다.

6 한산 모시 짜기는 모시풀로 섬유를 만드는 기술로, 대표적인 인간문화재 중 하나입니다.

한눈에 쏙쏙 인간문화재

배첩	충청북도에는 그림과 글씨를 보관할 때 필요한 액자, 병풍 등을 만드는 배첩이라는 기술이 전해지고 있음. 이 지역은 배첩뿐만 아니라 금속 활자 제작, 한지 제조와 같은 고인쇄 문화로도 유명함.
한산 모시 짜기	충청남도에는 옛날부터 질 좋은 모시풀이 많이 자라기로 유명함. 이 모시풀로 섬유를 만드는 한산 모시 짜기 기술이 전해지고 있음. 한산 모시는 해외에서도 높은 평가를 받고 있음.

7 지역의 문화유산을 통해 그 지역의 특징을 알아볼 수 있고, 역사적으로 의미가 큰 문화유산은 지역의 자랑거리가 되기도 합니다. ㉡, ㉢ 인구수나 산업의 중심지는 문화유산과 관련 없는 내용입니다.

8 제시된 순서는 지역 박물관 답사하기 순서입니다. 지역 박물관을 답사하기 위해서는 답사 일정을 정하고, 답사 계획을 세워야 합니다. 이후 질문을 주고받으며 문화유산을 관람하고 답사한 내용을 바탕으로 답사 보고서를 작성할 수 있습니다.

9 인터넷 검색은 쉽고 빠르다는 장점이 있습니다. 다만 인터넷에 나와 있는 내용은 정확하지 않거나 잘못된 내용이 있을 수 있기 때문에 출처를 반드시 확인해야 합니다.

[채점 기준] '출처를 확인한다', '믿을 만한 자료를 고른다' 등의 내용을 포함하여 바르게 썼다.

10 역사적 인물과 관련된 장소로는 옛날 집, 비석, 무덤, 기념관, 박물관 등이 있습니다. 지역에서는 역사적 인물과 관련한 장소를 보존하고 가꾸어 역사적 인물을 기념하기도 합니다.

11 (1) 박경리는 세계적인 작가로, 지역의 자연과 생활 모습을 잘 나타낸 인물입니다. (2) 곽재우는 임진왜란 당시 진주성 전투, 화왕산성 전투 등에 의병장으로 참전한 역사적 인물입니다. (3) 수로왕은 먼 옛날 경상남도 김해시에서 '가야'라는 나라를 세웠습니다.

12 문익점은 경상남도 신청군에서 태어났으며, 중국에서 목화씨를 가져와 추운 겨울에 사람들이 따뜻한 옷을 만들어 입게 한 인물입니다. 문익점은 지역의 역사적 인물로 지역 사람들의 생활을 바꾸고자 노력했던 인물 중 한 명입니다.

[채점 기준] '문익점'이라는 역사적 인물의 이름을 쓰고, '목화씨'라는 단어를 포함하여 '지역 사람들의 생활을 바꾸고자 노력했다'의 내용을 바르게 썼다.

13 지역의 역사적 인물 조사 계획을 세울 때는 우리 지역의 역사적 인물 중에서 누구를 조사할지, 그 역사적 인물을 조사하고 싶은 까닭은 무엇인지 생각해 보아야 합니다. 또 역사적 인물의 삶, 역사적 인물의 활동, 우리 지역과의 관련성 등을 중심으로 역사적 인물에 대해서 어떤 내용을 조사할지 생각해 보아야 합니다. 그리고 인터넷으로 검색하기, 역사적 인물에 대한 책 읽기, 역사적 인물과 관련된 장소 답사하기 등 다양한 조사 방법 중에 어떤 방법으로 조사할지 생각해 보아야 합니다. 역사적 인물과 관련된 장소를 답사하면서 생기는 궁금한 점을 생각해 보는 것은 실제 조사를 시작한 후에 할 일입니다.

14 지역의 역사적 인물을 조사할 때는 인터넷으로 검색하기, 책 읽기, 관련 장소 답사하기 등의 방법을 활용할 수 있습니다. 인터넷으로 역사적 인물을 조사하면 쉽고 빠르게 자료를 검색할 수 있지만, 인터넷에는 많은 자료가 있기 때문에 꼭 출처를 확인하고 믿을 만한 자료를 골라 사용해야 합니다.

15 지역에서 태어났거나 살았던 역사적 인물들을 기념하기 위해 관련된 장소를 꾸미고 보존하기도 합니다. 이러한 지역의 역사적 인물을 조사할 때 들어가야 할 내용으로는 역사적 인물의 삶, 역사적 인물의 활동, 우리 지역과의 관련성 등이 있습니다.

16 지역의 역사적 인물을 조사할 때에는 답사하면서 보거나 들은 내용을 기록하며, 인물에 대한 책의 내용이 사실인지 검토가 필요합니다. 인터넷 검색은 불분명한 사실이 있을 수 있기 때문에 출처를 확인하고 믿을 만한 자료를 골라야 합니다.

17 그림에 해당하는 역사적 인물에 대한 내용 정리하기 방법은 생각 그물로 정리하기입니다. 이는 인물에 대해 설명할 내용을 주제별로 간단한 문장과 그림으로 표현하는 방법입니다. 이외에도 시간의 흐름에 따라 정리하기, 벌집 모양 카드로 정리하기 방법이 있습니다.

18 우리 지역의 역사적 인물을 홍보할 때는 알리고 싶은 역사적 인물이 누구인지, 왜 그 인물을 알리고 싶은지, 어떤 사람에게 알리고 싶은지, 꼭 알리고 싶은 내용은 무엇인지, 어떤 방법으로 알리면 좋을지 생각해야 합니다. 우리 지역의 중심지를 조사하는 것은 역사적 인물을 홍보하는 것과 관련이 없습니다.

한눈에 쏙쏙 역사적 인물 조사 내용 정리 방법

시간의 흐름에 따라 정리하기	인물의 삶과 활동에서 중요한 일들을 시간의 흐름에 따라 정리하는 방법
생각 그물로 정리하기	인물에 대해 설명할 내용을 주제별로 간단한 문장과 그림으로 표현하는 방법
벌집 모양 카드로 정리하기	인물과 관련하여 떠오르는 생각을 낱말로 연결하여 인물에 관한 이야기를 만드는 방법

19 지역의 역사적 인물을 소개하는 뉴스를 만들 때는 먼저 어떤 인물을 소개할지 선택하고 알리고 싶은 내용을 정합니다. 간단한 설명들이 연결되도록 내용을 배열하고 카드나 스케치북 등을 활용하여 뉴스를 만듭니다.

20 지역의 역사적 인물을 소개할 때는 뉴스 만들기, 엽서 만들기, 붙임 딱지 만들기 등의 방법을 활용할 수 있습니다. 엽서를 만들 때는 우리 지역의 지도를 그리고, 엽서의 제목, 인물의 모습, 인물을 소개하는 글 등을 씁니다. 문익점은 고려 사람으로 중국에서 목화씨를 가져와 백성들의 의생활 개선에 도움을 준 산청의 역사적 인물입니다. 한글을 만든 사람은 세종 대왕이고, '가야'를 세운 사람은 수로왕입니다. 세계적으로 유명한 우리나라의 작가로는 박경리가 있습니다. 이순신은 거북선을 만들어 어려움에 처한 나라를 구했습니다.

20~21쪽

1 (1) (나) (2) ㉠ 지역의 문화유산은 그 지역의 특징을 잘 나타냅니다. 역사적으로 의미가 큰 문화유산은 지역의 자랑거리가 됩니다. **2** ㉠ 지역에 전해 오는 자연환경이나 사람들의 생활과 관련이 있습니다. **3** 지역에서 전해 오는 전통문화를 알 수 있습니다. **4** ㉠ 문화유산과 관련된 유적이나 박물관을 답사하고, 사진이나 동영상을 찍습니다. 안내 자료나 입장권을 수집합니다. **5** ㉠ 문화유산을 홍보하는 안내 자료를 만들어 사람들에게 나누어 줍니다. 문화유산 지킴이 봉사 활동을 합니다. **6** 안내 책자 만들기, ㉠ 문화유산에 대한 설명과 소중히 여겨야 하는 까닭을 쓸 수 있습니다. **7** ㉠ 출처를 확인하고 믿을 만한 자료를 골라야 합니다. **8** ㉠ 어떤 방법으로 인물을 알리면 좋을지 생각해야 합니다.

1 (1) 문화유산 가운데 사람들이 행동하거나 표현해야 볼 수 있는 형태가 없는 것들을 무형 문화유산이라고 합니다. 무형 문화유산에는 전통 예술, 음식 문화, 놀이 문화, 제사 문화, 인간문화재 등이 있습니다. (나)는 무형 문화유산 중에서 놀이 문화인 차전놀이입니다.

(2) 문화유산을 통해 그 지역의 역사와 전통문화를 알 수 있습니다. 또한 지역의 문화유산은 그 지역의 특징을 잘 나타내고, 역사적으로 의미가 큰 문화유산은 지역 사람들이 잘 보존해 지역의 자랑거리가 되기도 합니다.

[채점 기준] '지역의 문화유산은 그 지역의 특징을 잘 나타낸다', '역사적으로 의미가 큰 문화유산은 지역의 자랑거리가 된다' 등의 내용을 포함하여 바르게 썼다.

2 무형 문화유산은 풍속이 담긴 노래와 춤, 음식, 놀이, 마을 제사 등이 있습니다. 이러한 것들은 지역적으로 내려오면서 그 지역의 특징을 나타냅니다. '소리의 고장'으로 불리는 전라북도는 「춘향가」와 같은 전통 예술이 유명하고, 요리 재료가 풍부한 전라남도는 특유의 조리법으로 만든 음식 문화가 전해지고 있습니다.

[채점 기준] '지역에 전해 오는 자연환경이나 사람들의 생활과 관련이 있다'의 내용을 포함하여 바르게 썼다.

한눈에 쏙쏙 무형 문화유산의 종류

전통 예술	소리의 고장으로 불리는 전라북도는 「춘향가」와 같은 판소리가 유명함.
음식 문화	전라남도는 요리 재료가 풍부하여 특유의 조리법으로 만든 남도 의례 음식이 발달함.
놀이 문화	경상북도 안동시에는 차전놀이라는 민속놀이가 전해 내려옴.
마을 제사	해안가 지역에서는 물고기를 많이 잡고, 안전을 바라는 동해안 별신굿이라는 마을 제사를 지냄.
인간문화재	무형 문화유산과 관련된 기술과 예능을 전수받은 사람임.

3 사진은 충청북도에서 전해 오는 배첩을 전수받은 인간문화재입니다. 지역의 문화유산을 통해 해당 지역에 어떤 역사와 전통문화가 있는지 파악할 수 있습니다. 또 다른 인간문화재인 '한산 모시 짜기' 기술은 충청남도에 전해지는 기술입니다. 충청남도는 옛날부터 질 좋은 모시풀이 많이 자라기로 유명했습니다. 이 모시풀로 섬유를 만드는 '한산 모시 짜기' 기술은 해외에서도 높은 평가를 받고 있는 지역의 소중한 문화유산입니다.

[채점 기준] '지역의 역사와 전통문화를 알 수 있다'의 내용을 포함하여 바르게 썼다.

4 문화유산을 조사하는 방법으로는 인터넷으로 문화유산 검색하기와 지역 박물관 답사하기 등이 있습니다. 문화유산과 관련된 유적이나 박물관을 답사하면서 사진이나 동영상을 찍는 것은 답사 보고서를 작성하면서 도움이 되는 자료로 이용할 수 있고, 안내 자료나 입장권은 더 풍부한 내용을 위해 사용합니다.

[채점 기준] '문화유산과 관련된 유적이나 박물관을 답사하고, 사진이나 동영상을 찍는다', '안내 자료나 입장권을 수집한다' 등의 내용 중 두 가지를 포함하여 바르게 썼다.

5 제시된 이야기는 현장 체험 학습에서 탑과 석상을 답사한 모습입니다. 지역의 문화유산은 그 지역의 역사와 전통문화를 알 수 있는 소중한 재산입니다. 그렇지만 주변에 쓰레기를 함부로 버리거나 훼손된 모습을 종종 볼 수 있습니다. 그렇기 때문에 문화유산을 보호하기 위해 할 수 있는 일로 홍보하는 안내 자료를 만들어 사람들에게 나누어 주는 방법과 문화유산 지킴이 봉사 활동을 하는 것, 문화유산을 아끼고 소중히 여기는 마음을 갖는 방법이 있습니다.

[채점 기준] '문화유산을 홍보하는 안내 자료를 만들어 사람들에게 나누어 준다', '문화유산 지킴이 봉사 활동을 한다', '문화유산을 아끼고 소중히 여기는 마음을 갖는다' 등의 내용 중 두 가지를 포함하여 바르게 썼다.

6 제시된 그림의 소개하기 방법은 안내 책자 만들기입니다. 문화유산을 소개할 때에는 문화유산에 대한 설명과 소중히 여겨야 하는 까닭 등이 포함되어야 합니다.

[채점 기준] '안내 책자 만들기'라고 바르게 쓰고, '문화유산에 대한 설명', '소중히 여겨야 하는 까닭' 등의 내용 중 한 가지를 포함하여 바르게 썼다.

한눈에 쏙쏙 지역의 문화유산 소개하기

문화유산 소개 방법	안내 책자 만들기, 모형 만들기, 안내 신문 만들기, 포스터 만들기, 입체 지도 만들기
소개할 내용	문화유산에 대한 설명, 소중히 여겨야 하는 까닭
소개하기 활동을 통해 느낀 나누기	문화유산에 대한 내용과 소중함을 친구들과 함께 나누고, 다른 사람들에게 알릴 수 있음.

7 제시된 문화유산 답사 계획서는 지역의 역사적 인물로 이순신을 알아보는 과정을 나타냅니다. 답사 계획서를 작성하기 위해서는 답사 목적, 답사할 사람, 답사 내용, 답사 방법, 준비물, 주의할 점 등을 쓸 수 있습니다. 답사 방법 중 하나인 인터넷으로 이순신 검색하기를 올바르게 하기 위해서는 출처를 확인하고 믿을 만한 내용을 고르는 것이 중요합니다.

[채점 기준] '출처를 확인하고 믿을 만한 자료를 골라야 한다'의 내용을 포함하여 바르게 썼다.

8 역사적 인물을 기념하는 방법으로는 인물과 관련된 문화유산 보존하기, 인물의 활동을 재현하는 축제 개최하기, 인물을 알리는 기념물 제작하기 등이 있습니다. 역사적 인물을 홍보하기 위해서는 알리고 싶은 인물은 누구인지, 알리고 싶은 이유는 무엇인지, 누구에게 알리고 싶은지, 알리고 싶은 내용은 어떤 것인지, 어떤 방법으로 알리면 좋을지를 생각하며 계획을 세울 수 있습니다.

[채점 기준] '알리고 싶은 인물은 누구인지', '왜 그 인물을 알리고 싶은지', '어떤 사람에게 알리고 싶은지', '어떤 방법으로 알리면 좋을지' 등의 내용 중 한 가지를 포함하여 바르게 썼다.

❸ 지역의 공공 기관과 주민 참여

핵심만 쏙쏙 22쪽

❶ 이익 ❷ 소방서 ❸ 견학 ❹ 갈등 ❺ 대화 ❻ 주민 투표

가로 톡! 세로 톡! 퍼즐 23쪽

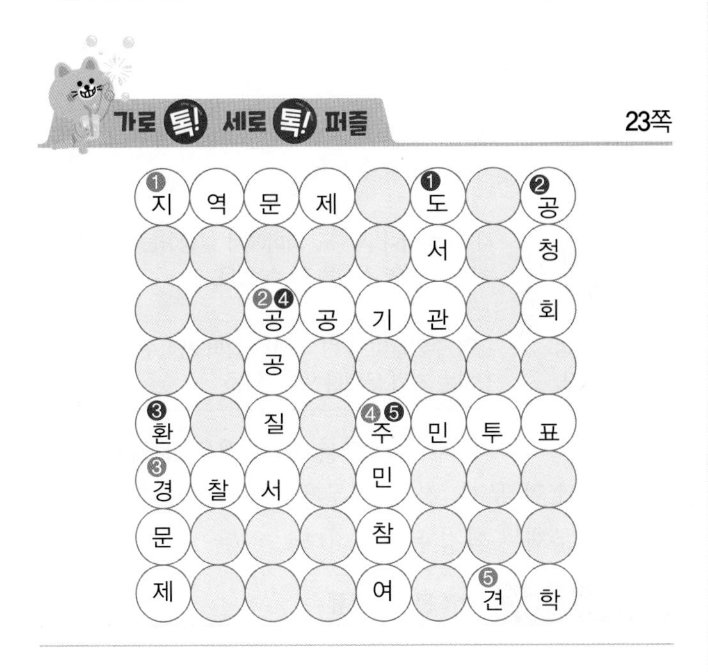

단원 팡팡 문제 1회 24~26쪽

1 이익, 편의 2 ⑤ 3 ③ 4 ③ 5 (1) ㉠ (2) ㉢ (3) ㉡ 6 ③ 7 ① 8 ③ 9 (1) 견학 (2) 예 공공 기관 누리집이나 전화로 견학을 신청합니다. 10 예 공공질서와 예절을 잘 지킵니다. 11 ②, ③ 12 ④ 13 ④ 14 ㉡, ㉣ 15 ③ 16 ② 17 (1) × (2) ○ (3) × 18 다수결 19 주민 1, 주민 3 20 예 나와 관련이 적더라도 지역 문제에 관심을 가집니다.

1 공공 기관은 주민 전체의 이익과 생활의 편의를 위해 국가나 지방 자치 단체가 세우거나 관리하는 기관입니다. 우체국, 경찰서, 시청, 도서관 등이 공공 기관에 해당합니다.

한눈에 쏙쏙 공공 기관인 곳과 공공 기관이 아닌 곳

공공 기관인 곳	우체국, 시·도청, 행정 복지 센터, 소방서, 보건소, 경찰서, 도서관, 교육청 등
공공 기관이 아닌 곳	빵집, 문구점, 슈퍼마켓, 미용실, 분식점, 과일 가게, PC방, 시장 등

2 교육청에서 일하는 공무원은 학생들의 교육과 관련된 일을 합니다.

3 도서관은 책을 빌려주고 공부할 공간을 제공하는 공공 기관입니다. 또한 작가와 지역 주민들이 직접 만나 이야기를 나눌 수 있는 행사를 열거나 책과 관련된 특별한 강의를 마련하기도 하며, 어린이를 위한 글쓰기 행사를 열기도 합니다.

4 우체국의 우편집배원이 편지와 물건 같은 우편물을 배달해 줍니다.

5 시·도청은 주민들 일상생활의 불편한 점을 해결해 주고 지역 발전을 위해 일합니다. 소방서는 화재를 예방하고 위기에 처한 사람을 도와줍니다. 보건소는 감염병 등 질병을 예방하고 아픈 사람을 치료해 줍니다.

6 공공 기관은 각각 하는 일이 정해져 있지만 때로는 다른 기관과 협력하여 일을 하기도 합니다. 학교생활에서도 다양한 공공 기관을 만날 수 있습니다. 경찰서는 학교에서 학교 폭력 예방을 돕고 관련 교육을 합니다. 보건소는 학생들에게 건강과 관련된 다양한 교육을 합니다. 또 소방서는 화재 예방 교육을 하기도 합니다.

7 공공 기관에 대해 조사하는 방법에는 인터넷 검색하기, 견학하기, 지역 신문이나 방송 보기, 어른들께 여쭤보기 등이 있습니다.

한눈에 쏙쏙 공공 기관 조사 방법

인터넷 누리집으로 조사하기	• 공공 기관 누리집 방문하기 • '새 소식'이나 '보도 자료'에 들어가 최근에 한 일 알아보기
견학하여 조사하기	• 공공 기관 누리집이나 전화로 견학 신청하기 • 방문하기로 한 시간 잘 지키기 • 견학 담당자의 안내 잘 따르기 • 공공질서와 예절을 잘 지키며 견학하기 • 지역 주민들이 어떤 도움을 받는지 알아보기
견학 중 지켜야 할 공공 예절	• 장난을 치거나 시끄럽게 떠들지 않기 • 예의 바르게 행동하기 • 차례를 지켜 이동하기 • 사탕이나 껌 등의 음식물을 먹지 않기 • 안전과 청결에 주의하기 • 역할놀이로 연습하고 견학을 시행하기

8 제시된 것은 각 모둠원이 견학 시 어떤 역할을 맡을 것인가에 대한 내용입니다. 이는 계획서에서 역할 나누기 항목에 들어갈 내용입니다.

9 견학을 위해 공공 기관을 방문하기 전에 공공 기관 누리집이나 전화로 견학을 신청하는 것이 필요합니다. 또한 사전에 면담 시 질문할 내용을 준비하는 것도 좋습니다.

[채점 기준] (1) '견학'이라고 바르게 쓰고, (2) '공공 기관 누리집이나 전화로 견학을 신청한다', '면담 시 질문할 내용을 준비한다' 등의 내용을 포함하여 바르게 썼다.

10 견학하여 공공 기관을 조사할 때는 공공질서와 예절을 잘 지켜야 합니다. 또 함부로 물건을 만지면 안 됩니다.

[채점 기준] '큰 소리로 떠들지 않는다', '함부로 물건을 만지지 않는다', '서로 배려하며 안전하게 이동한다' 등의 내용을 포함하여 바르게 썼다.

11 견학 계획서와 견학 보고서에 공통으로 들어가는 내용으로는 견학 장소, 견학 주제, 조사 방법 등이 있습니다.

한눈에 쏙쏙 조사 계획서 예시

조사 주제	시청이 지역 주민들의 생활에 주는 도움
조사 장소	○○시청
알고 있는 점	• 지역 주민들을 위해 일하는 곳입니다. • 지역 축제를 개최하는 곳입니다.
알고 싶은 점	• 시청이 지역 주민들을 위해 하는 다양한 일 • 시청이 주민이 요청한 일을 처리해 준 사례
조사 방법	인터넷 누리집을 통해 조사하기
주의할 점	• 조사 주제에 맞는 검색어를 생각합니다. • 관련이 없는 누리집에는 들어가지 않습니다. • 어린이용 누리집이 있는지도 살펴봅니다.

한눈에 쏙쏙 조사 보고서 예시

조사 주제	시청이 지역 주민들의 생활에 주는 도움
조사 장소	○○시청
조사 일시	20△△년 △△월 △△일
조사 방법	인터넷 누리집을 통해 조사하기
알게 된 점	• 지역 발전을 위해 새로운 계획을 세우고 실천함. • 지역의 도로, 상하수도 등을 만들거나 고쳐서 주민들이 안전하게 생활하도록 도움. • 어린이 자연 체험 교실을 열어 다양한 생태 체험의 기회를 제공함. • 온라인 공연이나 박람회를 열어 주민들이 집에서도 문화생활을 할 수 있도록 함. • 주민의 요청으로 자전거 도로에 안전 시설물을 설치해 횡단보도를 안전하게 이용하도록 함.
느낀 점	• 시청에서 지역 주민들이 안전하고 편리하게 생활할 수 있도록 돕는다는 점을 알게 되어 고마운 마음이 들었음. • 시청에서 어린이를 위한 일도 한다는 점을 알게 되어 인상 깊었음.

12 지역에서 지역 주민의 생활을 불편하게 하거나 주민들 사이에 갈등을 일으키는 문제를 지역 문제라고 합니다. 지역 문제는 개인의 문제이면서 공공의 문제이고, 도시와 촌락에서 다양하게 나타납니다.

한눈에 쏙쏙 지역 문제를 알 수 있는 자료들

지역 신문	어떤 지역을 대상으로 발행하는 신문으로, 그 지역에서 일어난 일을 알 수 있음.
지역 뉴스	지역에서 일어나는 중요한 소식을 다루어 그 지역의 소식을 알 수 있음.
지방 자치 단체의 홍보물	시·도청이나 시·도 의회에서 발행하는 홍보물을 보면 그 지역 소식을 알 수 있음.
시·도청 누리집	지역 주민들이 올린 의견을 살펴보면 주민들이 생각하는 지역 문제를 알 수 있음.

13 그림은 자동차 매연에 따른 대기 오염 문제입니다. 대기 오염 문제, 쓰레기 문제, 미세 먼지 문제 등의 지역 문제는 환경 문제입니다.

한눈에 쏙쏙 지역 문제의 종류

환경 문제	대기 오염 문제, 수질 오염 문제 등
교통 문제	교통 혼잡 문제, 주차 공간 부족 문제 등
안전 문제	통학로 안전 문제, 주택 노후화 문제 등
시설 부족 문제	장애인 편의 시설 부족 문제, 도서관 및 운동장 시설 부족 문제 등

14 지역 문제는 나에게만 문제가 되는 것이 아니라 지역에 있는 다른 사람들도 불편해하거나 어려워하는 문제입니다. 가까운 곳에 도서관이 없어서 불편한 것은 시설 부족 문제입니다. 쓰레기 분리배출이 제대로 되지 않아 냄새가 심한 것은 환경 문제입니다. ㉠ 학교에 늦어 지각한 것과 ㉢ 용돈이 부족한 것은 나에게는 문제이지만 지역에 있는 다른 주민들은 불편하지 않기 때문에 지역 문제가 아닙니다.

한눈에 쏙쏙 지역 문제 조사 방법

• 지역을 직접 둘러보며 지역 문제 찾아보기
• 지역 주민들과 면담하기
• 지역 뉴스나 신문에서 지역 문제를 다룬 내용을 살펴보기
• 시·도청 누리집에서 지역 주민들이 올린 글을 찾아보기

15 주민 회의를 개최하여 주민들이 다양한 해결 방안을 제시하는 것은 해결 방안 탐색 과정에서의 활동입니다.

16 지역 문제 해결 방안을 결정하기 위해서 지역 주민

들이 서로 의견을 이야기할 때 서로의 생각이 다를 경우에는 대화와 타협으로 의견을 조정하며, 시간을 충분히 가지고 의견을 주고받아야 합니다.

17 지역 문제는 공공 기관의 결정을 무조건 따르지 않고 그 지역을 가장 잘 알고 있는 주민들이 지역 문제의 주민 회의, 공청회 등에 적극적으로 참석해서 공공 기관과 함께 협력하여 해결해야 합니다. 또 자기와 관련된 문제가 아니더라도 관심을 가져야 합니다.

한눈에 쏙쏙 다양한 주민 참여 방법

- 서명 운동하기
- 봉사 활동하기
- 공공 기관에 민원 제기하기
- 공청회나 주민 회의 참석하기
- 시민 단체 활동하기
- 주민 투표 참여하기

18 지역의 문제를 해결할 때 다양한 의견을 하나로 모으기 위해 투표를 하기도 합니다. 이때 많은 사람이 원하는 것으로 결정하는 원칙을 다수결의 원칙이라고 합니다.

19 주민 1이나 주민 3과 같이 지역 문제를 해결하는 데 적극적으로 참여하지 않거나 본인의 일이 아니라고 미루는 모습은 바람직하지 않은 태도입니다.

20 지역 문제의 해결을 위한 바람직한 태도로는 지역의 일에 적극적으로 참여하고 나와 관련이 적더라도 다른 사람들이 불편하게 여기고 어려워하는 일에 관심을 가지도록 노력하는 것 등이 있습니다.

[채점 기준] '지역의 일에 적극적으로 참여한다', '나와 관련이 적더라도 지역 문제에 관심을 가진다' 등의 내용을 포함하여 바르게 썼다.

단원 팡팡 문제 2회 27~29쪽

1 ① 2 (1) ㉠, ㉢ (2) ㉡, ㉣ 3 (1) 경찰서 (2) 예 잃어버린 물건의 주인을 찾아 줍니다. 4 ① 5 ② 6 ⑤ 7 ㉢, ㉣ 8 ③ 9 ⑤ 10 ⑤ 11 조사(견학) 보고서 12 예 다른 공공 기관에도 시청처럼 다양한 부서가 있을까요? 13 (1) ㉢ (2) ㉠ (3) ㉡ 14 ① 15 ①, ④ 16 ⑤ 17 공청회 18 (1) ○ (2) × 19 ③ 20 준성

1 공공 기관은 주민 전체의 이익과 생활의 편의를 위해 일하는 곳입니다.

2 시청은 주민 생활의 불편을 해결하고 지역의 발전을 위해 일하는 공공 기관입니다. 소방서는 화재를 예방하고 불을 끄며, 위험에 처한 사람을 구조하는 공공 기관입니다.

3 경찰서는 범죄를 예방하고, 범죄자를 잡아 주민의 안전을 책임지고 질서를 유지하는 일을 합니다. 또 교통정리를 하기도 하고 잃어버린 물건의 주인을 찾아 줍니다. 학교에 방문해 학교 폭력 예방 교육을 해 주기도 합니다.

[채점 기준] (1) '경찰서'라고 바르게 쓰고, (2) '범죄를 예방하고 주민의 안전을 책임진다', '교통정리를 한다', '잃어버린 물건의 주인을 찾아 준다', '학교 폭력 예방 교육을 해 준다' 등의 내용을 포함하여 바르게 썼다.

4 도서관에서는 지역 주민들을 위해 책과 관련된 다양한 일을 합니다. 우선 책을 빌려주고, 책을 읽고 공부할 수 있는 공간을 제공합니다. 또 책과 관련된 특강, 어린이 글쓰기 행사, 작가와의 만남 행사 등 다양한 행사를 엽니다.

5 공공 기관에서는 지역 주민들이 요청한 일을 처리합니다. 지역 주민인 어린이가 안전한 통학로를 만들어 달라고 요청하자 지역 주민의 불편함을 해결하는 시청에서 옐로 카펫을 만들었습니다. 옐로 카펫은 어린이들이 횡단보도를 건너기 전 안전한 곳에서 기다리고 운전자가 이를 쉽게 알아볼 수 있도록 바닥이나 벽면을 노란색으로 표시한 설치물입니다.

6 소방서는 화재를 예방하고 불을 끄며, 위험에 처한 사람을 구조해 주는 일을 하는 공공 기관입니다. ① 만약 경찰서가 없다면 범죄가 늘어날 것입니다. ② 만약 도서관이 없다면 읽고 싶은 책을 빌려 볼 수 없을 것입니다. ③ 구청, 시청이나 행정 복지 센터가 없으면 필요한 서류를 발급받을 수 없을 것입니다. ④ 보건소가 없으면 몸을 다쳐도 제대로 치료받을 수 없을 것입니다.

7 공공 기관은 지역 주민들이 안전하고 편리하게 생활하도록 돕습니다. 보건소는 교통이 불편한 곳에 이동 보건소를 보내 주기도 하고, 소방서는 산불이 나면 불을 꺼 줍니다. 또 지역 주민이 요청하는 다양한 일을 공공 기관에서 처리해 줍니다. ㉠ 공공 기관에서는 간단한 일만 처리하지는 않으며, ㉡ 다른 지역으로 이동할 때 필요한 것은 교통수단입니다.

8 공공 기관 누리집에 방문하여 공공 기관에서 하는 일을 알아보는 것은 인터넷을 이용하여 검색하는 방법입니다. 인터넷으로 공공 기관 누리집을 방문하면 조사할 공공 기관까지 직접 가지 않아도 되므로 시

간을 절약할 수 있습니다.

9 공공 기관을 견학할 때 견학을 도와주시는 견학 담당자의 안내를 따르지 않고 궁금한 내용을 바로 물어보는 것은 설명에 방해가 될 수 있습니다. 질문하는 시간을 주실 때 질문하는 것이 좋습니다.

한눈에 쏙쏙 **견학 중 지켜야 할 공공질서와 예절**

- 장난을 치거나 시끄럽게 떠들지 않음.
- 예의 바르게 행동함.
- 차례를 지켜 이동함.
- 사탕이나 껌 등의 음식물을 먹지 않음.
- 안전과 청결에 주의함.
- 역할놀이로 연습하고 견학을 시행할 수도 있음.

10 조사 계획서에는 조사 주제 및 장소, 알고 있는 점, 알고 싶은 점, 조사 방법, 주의할 점 등이 들어갑니다. 느낀 점은 조사 보고서에 들어가는 내용입니다.

11 조사(견학) 보고서는 공공 기관에 대해 조사한 후에 작성합니다.

12 더 알고 싶은 점에는 '다른 공공 기관들에도 시청처럼 다양한 부서가 있을까?', '시청과 다른 공공 기관이 협력하여 지역 주민에게 도움을 주는 경우로 무엇이 있을까?' 등의 내용이 들어갈 수 있습니다.

[채점 기준] '다른 공공 기관들에도 시청처럼 다양한 부서가 있을까?', '시청과 다른 공공 기관이 협력하여 지역 주민에게 도움을 주는 경우로 무엇이 있을까?' 등의 내용을 포함하여 바르게 썼다.

13 지역 문제에는 환경 문제, 교통 문제, 안전 문제, 시설 부족 문제, 주택 노후화 문제, 소음 문제 등이 있습니다.

14 지역 문제 해결 과정 중 가장 먼저 지역에 어떤 문제가 있는지 여러 방법을 통해 알아볼 수 있습니다. 지역을 직접 둘러보며 지역 문제를 찾아볼 수 있고, 지역 주민들과 면담을 해 볼 수도 있습니다. 또 지역 뉴스나 신문, 시·도청 누리집을 살펴볼 수도 있습니다.

15 지역 문제를 해결하려면 여러 가지 의견을 모으는 과정이 필요합니다. 이를 위해서는 시간을 두고 대화와 타협으로 의견을 조정해야 합니다.

16 시민 단체는 시민들이 스스로 모여 사회 전체의 이익을 위해 활동하는 단체입니다.

17 공공 기관이 지역 주민에게 영향을 끼치는 정책을 결정하기 전에 지역 주민, 전문가 등이 모여서 다양한 의견을 내는 회의는 공청회입니다.

18 지역 문제 해결 방안 중 주민들의 노력만으로 실천하기 어려운 것은 공공 기관 누리집에 글을 올려 협조를 요청할 수 있습니다. 공공 기관은 어린이들의 의견뿐만 아니라 주민 모두의 의견을 잘 듣고 해결하기 위해 노력합니다.

19 지역 문제는 지역 주민들의 생활에 영향을 미치며, 지역 주민들이 가장 잘 알고 있습니다. 이러한 주민들의 의견을 정책에 반영하기 위해서 문제 해결 과정에 주민들이 참여해야 합니다.

20 지역 문제를 바르게 해결하려면 대화와 타협의 자세가 필요합니다. 나와 관련이 적더라도 다른 사람들이 불편하게 여기고 어려워하는 일에 관심을 가집니다. 공공 기관에만 일을 미루는 태도는 바람직하지 않은 태도입니다.

한눈에 쏙쏙 **주민 참여의 바람직한 태도와 바람직하지 않은 태도**

바람직한 태도	• 지역의 일에 적극적으로 참여함. • 나와 관련이 적더라도 다른 사람들이 불편하게 여기고 어려워하는 일에 관심을 가짐.
바람직하지 않은 태도	• 공공 기관에만 일을 미룸. • 나와 관련이 적으면 관심을 갖지 않음.

서술형 팡팡 문제 30~31쪽

1 (1) (가), (다) (2) 예 개인의 이익이 아닌 주민 전체의 이익과 생활의 편의를 위해 일하는 곳이기 때문입니다. 2 예 지역에 여러 가지 문제가 생기거나 주민들의 생활이 불편해집니다. 3 예 공공질서와 예절을 잘 지킵니다. 시간 약속을 지키고 준비물을 잘 챙깁니다. 4 예 공공 기관에 직접 가지 않아도 되므로 시간을 절약할 수 있습니다. 5 예 공사 현장 소음으로 주민이 불편을 겪고 주민과 공사 업체 간에 다툼이 일어납니다. 6 (1) ㉤-㉠-㉢-㉡-㉣ (2) 예 많은 사람이 원하는 것으로 결정하는 것으로, 소수의 의견도 존중해야 합니다. 7 예 지역 문제는 지역의 모든 주민에게 영향을 미치기 때문입니다. 지역 문제는 그 지역에 사는 주민들이 가장 잘 알기 때문입니다. 8 (1) ㉡ (2) 예 환경 보호를 위해 캠페인을 합니다. 학교 폭력 근절을 위해 거리에서 서명 운동을 합니다.

1 공공 기관은 여러 사람을 위해 일하는 곳으로, 개인이나 기업이 재산상의 이익을 위해서 설립한 곳이 아니라 국가에서 세우거나 관리하는 곳을 말합니다.

[채점 기준] (1) '(가), (다)'라고 바르게 쓰고, (2) '개인의 이익이 아닌 주민 전체의 이익과 생활의 편의를 위해 일하는 곳이기 때문이다', '국가에서 세우거나 관리하는 곳이기 때문이다' 등의 내용을 포함하여 바르게 썼다.

2 공공 기관은 주민 전체의 이익과 생활의 편의를 위해 국가나 지방 자치 단체가 세우거나 관리합니다.

[채점 기준] '지역에 여러 가지 문제가 생긴다', '지역 주민들의 생활이 불편해진다' 등의 내용을 포함하여 바르게 썼다.

3 견학 계획서는 견학하기 전에 친구들과 함께 의논하여 작성합니다. 견학 주제, 견학 장소, 알고 있는 점, 알고 싶은 점, 주의할 점 등이 견학 계획서의 내용에 포함됩니다.

[채점 기준] '공공질서와 예절을 잘 지킨다', '시간 약속을 지키고 준비물을 잘 챙긴다' 등의 내용을 포함하여 바르게 썼다.

4 공공 기관은 견학하기, 인터넷 검색하기, 지역 신문이나 방송 보기, 어른들께 여쭤보기 등의 방법으로 조사할 수 있습니다. 인터넷으로 공공 기관을 조사하면 공공 기관에 직접 가지 않아도 되어 시간을 절약할 수 있습니다. 하지만 누리집에 너무 많은 내용이 있어서 필요한 내용을 찾아 조사하는 데 많은 시간이 걸릴 수도 있습니다.

[채점 기준] '공공 기관에 직접 가지 않아도 되므로 시간을 절약할 수 있다'의 내용을 포함하여 바르게 썼다.

5 제시된 내용은 소음 문제로 지역 주민과 공사 업체의 다툼이 일어난 것을 보여 줍니다.

[채점 기준] '공사 현장 소음으로 주민이 불편을 겪고 주민과 공사 업체 간에 다툼이 일어난다', '공사 현장 소음과 관련된 지역 문제로 지역 주민과 건설업체 간에 갈등이 일어난다' 등의 내용을 포함하여 바르게 썼다.

6 투표를 통해 다양한 의견을 하나로 모으기도 합니다. 이때 다수결의 원칙에 따르면서도 소수의 의견을 존중해야 합니다.

[채점 기준] (1) '㉤-㉠-㉢-㉡-㉣'이라고 바르게 쓰고, (2) '많은 사람이 원하는 것으로 결정하는 것이다', '소수의 의견을 존중해야 한다' 등의 내용을 포함하여 바르게 썼다.

한눈에 쏙쏙 다수결의 원칙을 위한 조건

- 과학적인 지식이나 믿음은 통일할 수 없기 때문에 사용할 수 없음.
- 각 참여자가 평등하게 참여해야 함.
- 각 참여자가 자유롭게 자신의 의견을 말할 수 있음.
- 각 참여자의 의견이 무조건 옳은 것은 없음.

7 주민 참여란 지역 문제 해결 과정에 지역 주민이 중심이 되어 참여하는 것을 말합니다. 공청회나 주민 회의에 참석하기, 서명 운동하기, 시·도청 누리집에 의견 올리기 등으로 지역의 일에 지역 주민들이 참여할 수 있습니다.

[채점 기준] '지역 문제는 지역의 모든 주민에게 영향을 미치기 때문이다', '지역 문제는 그 지역에 사는 주민들이 가장 잘 알기 때문이다', '주민들의 의견을 정책에 반영하기 위해서이다' 등의 내용을 포함하여 바르게 썼다.

8 시민 단체는 환경, 경제, 자원봉사, 정치, 문화, 청소년 문제 등 다양한 분야에서 활동하며, 개인이나 집단의 특수한 이익이 아닌 우리 모두의 이익을 위해 활동합니다.

[채점 기준] (1) '㉡'이라고 바르게 쓰고, (2) '환경 보호를 위해 캠페인을 한다', '학교 폭력 근절을 위해 거리에서 서명 운동을 한다' 등의 내용을 포함하여 바르게 썼다.

MEMO

똑똑한
교과서 풀이로
언택트 시대
자기 주도 학습을
돕습니다.
초등학교 3~4 학년군
사회 4-1

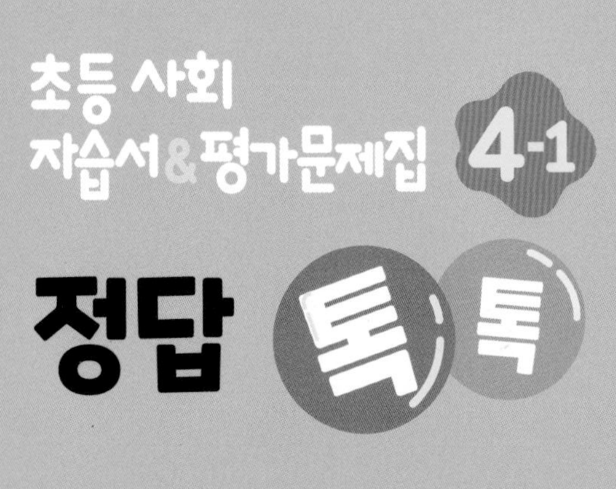
초등 사회
자습서&평가문제집 4-1
정답 톡톡

www.purunet-ischool.co.kr
"공부가 재밌넷! 푸르넷"

단과 학습 프로그램

푸르넷 수학

현직 초등학교 교사와 일타 강사들의 경험을 토대로 각종 문제들을 종합 분석하여 만든 초등 수학 전문 프로그램

- 본교재(월 1권), 플러스북(월 1권)
- 중간고사·기말고사 예상문제(연 4회 / 4·6·9·11월)
- 푸르넷 아이스쿨(동영상 강의, 유사·발전 문제, 학습만화 e-book)

오! 역사논술

초·중등 역사 교육 과정을 반영하여 한국사를 총 48주 탐구 주제로 풀어낸 역사 논술 프로그램

- 본교재(월 1권), 활동자료(월 1종)
- 동영상 강의(월 4강)
- 오! 역사논술 퀴즈(월 40문항)

푸르넷 독서논술

다양한 분야의 책을 읽고, 창의·융합적 지식과 공부의 원천 기술을 기르는 독서논술 프로그램

- 1~7단계: 리딩북(월 2~4권), 워크북(월 4권), 리딩다이어리(연 1권), X-파일북(연 2권)
- 3~7단계: 동영상 강의(월 2~3강)

푸르넷 한자

실생활에서의 한자 활용 능력, 어휘력, 교과서 한자어 인지도 등을 종합적으로 향상시켜 주는 한자 학습 프로그램

- 본교재(월 1권), 교과서 한자어(월 1권), 한자 쓰기 연습장(월 1권)
- 한자 만화 e-book

영어 학습 프로그램

English Buddy

공신력 있는 리딩 프로그램과 체계적인 커리큘럼, 영어 학습에 최적화된 다양한 디지털 콘텐츠, 정확한 개별 진단 및 지도 교사의 맞춤 지도가 융합된 영어 전문 프로그램

- Beginner Reading Book 4권, Reading Study Book 1권, Phonics Study Book 1권, Pencil Book 1권, MP3 CD 1장, Smart Learning 서비스
- Prime Reading Book 4권, Reading Study Book 1권(Writing Note 포함), Study Book 1권, Smart Learning 서비스
- Experience Reading Book 4권, Study Book 1권, Webtoon for Daily Conversation 1권, Test Buddy 1권, MP3 CD 1장, Smart Learning 서비스

2015 개정 교육과정

학교 공부 기초 탄탄!

교과서랑 친해지는 지름길!

교과서를 200% 즐기는 방법, 금성 초등 자습서 & 평가문제집 시리즈

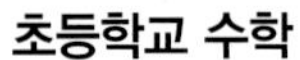

초등학교 수학

초등학교 사회

초등학교 과학(실험 관찰)

초등 사회 4-1
자습서 & 평가문제집

발행일 • 2022년 3월 1일 초판 발행
발행인 • 김무상
발행처 • (주)금성출판사
주소 • 서울특별시 마포구 만리재옛길 23 (우)04210
등록 • 1965년 10월 19일 제10-6호
구입문의 • TEL 02-2077-8144~6 / mall.kumsung.co.kr
내용문의 • TEL 02-2077-8252(8267)

• 이 책의 내용에 대한 일체의 무단 전재와 무단 복제를 금합니다.

mall.kumsung.co.kr
발간 이후에 발견되는 오류는 정오표를
다운로드하면 확인할 수 있습니다.